中华现代学术名著丛书

中国文化史

下册

陈登原 著

商务印书馆
创于1897 The Commercial Press

中华现代学术名著丛书

中国文化史

下册

陈登原 著

商务印书馆
创于1897 The Commercial Press

2014年·北京

下册目录

卷三　近古卷

卷四　近世卷

卷三　近古卷

第一章　近古文化概说

一　本系文化之延长

言中古文化时，曾指以为上古文化之延长。延长云云，于近古文化史，亦可征信云。所谓近古者，盖指宋以讫明季非明之亡。然其间，固雅有中世之流风遗沫云。列举于下。

以政治言之。中古史中，固有君主专断之倾向，而近古效而尤之。然亦有非限君主之论调，而近古亦仍而存之。以前者言，则李心传《建炎以来朝野杂记》甲集卷十云："丞相，秦官也，自汉末改为大司徒，历代不能正。国初循唐制，以王公至列曹同平章事为宰相。……神宗新官制，以三省置侍中。中书、尚书二令，虚而不除。……以尚书左右仆射，兼门下中书侍郎为两相。然中书揆而议之，门下审为复之，尚书承而行之，则是首相不复与朝廷议事矣。"以后者言，相之名位虽低，而仍中古之遗，相权盖仍隆。顾氏《日知录》，引汉唐封驳之制，谓尔时大臣可以封还诏书，以为"人臣执法之正，人主听言之明，可以并见。五代废弛，宋太宗淳化四年，始复给事中封驳。而司马池犹谓门下虽有封驳之名，而诏书一切，自中书以下，非所以防过举也"《日知录》九"封驳"条。考诸《宋史》，太祖欲官符彦卿，而赵普怀"宣"不行《宋史·石守信传》。哲宗时王岩叟以天子任命"不由门下省出，岩叟请对，言之益切"《宋史》三四二《王传》。——则君权之稍有限制，殆亦中古之遗。

上皆由事实方面立论，其在言论上亦然。以君权之渐大言之，中古史中，王导不肯与元帝并坐，以为太阳下同万物，苍生何由仰照《晋》六十五《王导传》。考《唐书》八十八《刘文静传》亦有此语。其在近古史中之宋，则王曾《笔录》云："旧制，宰相早朝上殿命座，有军国大事，则议之。常从容赐茶而退。……自唐室历五代，不改其制，抑古所谓坐而论道欤。国初，范质王溥在相位，上虽倾心眷倚，而质等自以前朝旧相，且惮上英俊，具劄子面取进止，退各疏所得圣旨，臣等同署字以识之。如此则尽禀承之方，免□误之失。帝从之，自此奏御寖多，或至旰昃。啜茶之礼寻废，固勿暇于坐论矣。"页七至八，学津讨原本——此与王导、刘文静之说，同为小儒拘拘者矣，以君权之尚小言之，中古史人君呼人臣，时或用"君"用"公"《汉·周亚夫传》、《唐》八十八《裴寂传》。而宋祖与慕容延钊，固犹相"尔汝"《宋》二五一《钊传》。中古史中，段灼告武帝："天下者，非一人之天下。"《晋》四八《灼传》宋王应麟成《困学纪闻》卷十六亦不忘情于"以一人治天下，不以天下奉一人"。史事虽纷赜，然有联系如斯。

以经济社会言之，近古史上之大事，有地主之纵恣，及女权之低落。关于后者，近古之宋儒，好言饿死事小，失节事大《朱子文集》二十六《与陈师中书》。而隋高帝时，已"以风俗凌迟，妇人无节，于是立格，……九品妻毋得再醮！"《隋》七十五《刘炫传》是先乎宋儒而早有轻女者。关于前者，吾书曾引陆贽言，及王酒胡事王酒胡见《玉泉子》页三十三，稗海本，俱见中古四四节，考洪《容斋三笔》卷十六"多赦长恶"条云："婺州富人卢助教，以刻核起家。因至田仆之居，为仆父子四人所执，投置杵臼内，捣碎其躯为肉泥。既鞫治成狱，而遇己酉赦恩获免。至复登卢氏之门，愤笑侮之曰：'助教何不下庄收谷？'"是后乎唐世，而益有恃富欺贫，以招急免之反噬者。

《明史》一六五《丁暄传》载，正统间，漳泉以农民不肯向田主馈粟，而至有邓茂七之乱，固亦此类——此属于经济方面。

又如社会习俗，宋俞成《萤雪丛说》《说郛》六十九引云："据胡床，畜蕃狗，舞柘枝，动蛮乐，皆士大夫之所不可为；而为之者，无乃循习已久，而恬不知怪乎？"俞氏叹此，为以用夏变夷。考胡床之用，汉末三国，盖已有之语详《十七史商榷》二十四"箕踞"条。而番乐之用亦非近古始然，语在《中古文化史》第二节引王建《凉州行》。

至如以思想言之，近古史中，非曰宋儒之学耶。然亦两晋清谈之余耳。钱大昕《十驾斋养新录》卷十八《清谈》云："魏晋人言老庄，清谈也；宋明人言心性，亦清谈也。孔子曰：'吾道一以贯之，忠恕而已矣。'故曰道不远人。后之言道者，以孝弟忠信为浅近，而骋心于空虚窈远之地，与晋人清谈奚以异哉？顾宁人云：'昔之清谈谈老庄，今之清谈谈孔孟。'"岂以人之性不甚相远，故其迹相类耶？

即如宋儒语录，盖亦中世之遗。《养新录》又言："佛书初入中国，曰经、曰律、曰论，无所谓语录也。达摩西来，自称教外别传，直指心印。数传以后，其徒日众，而语录兴焉。支离俚鄙之言，奉为鸿宝；并佛所说之经典，亦束之高阁矣。释之语录，始于唐，儒之语录始于宋。儒其行而释其言，非所以垂教也。语录行而儒学有鄙倍之言矣，语录行而有言而不必有德者矣！”意同。

以文艺言之，近古之受于中古之沾溉者，亦不少焉。近人艳称宋词，而莫是龙《笔麈》页一，奇晋斋丛书本云：“‘寒鸦飞数点，流水绕孤村，斜阳欲落处，一望暗消魂。’此隋炀帝《野望》诗也，何异唐人五言绝句体？而秦少游改作小词。”近人盛治元剧，而揆之于古，《史记·滑稽传》，已有优孟衣冠，能为孙叔之形以感楚王。《西京杂记》卷三又载黄公治虎之戏。至唐则有《兰陵王》、《踏摇娘》诸作，见于《旧唐书》《音乐志》。又有《参军戏》，赵磷《因话录》卷一云：“肃宗宴于宫中，女优有弄假官戏。其绿衣秉简者，谓之参军。”范摅《云溪友议》卷九云：“优伶周季南，善弄陆参军，歌声彻云。”降至于元，则陶宗仪言：“副净，古谓之参军”矣《辍耕录》二十五。胡少室云：“世所盛行宋元词曲，咸以昉于唐末。然实陈、隋始之。盖齐、梁月露之体，矜华角丽，固已造端。至陈、隋二主，并富才情；俱湎声色。所为长短歌行，率宋人词中语也。炀之《春江》、《玉树》诸篇，尤近。至《望江南》诸阕，唐宋元人沿袭至今，词曲滥觞，实始此际。”又云：“优伶戏文，自优孟抵掌孙叔，实始滥觞，汉《宦者传》，脂粉侍中，亦后世装旦之渐也。魏陈思传，粉墨堆髻，胡舞，诵俳优小说，虽假以逞其豪俊爽迈之气，然当时优家者流，装束固可概见。而后世所为副净等色，有自来矣。”同见《少室山房笔丛》卷四十一——可知戏词之受沾溉者，亦岂特参军隋词一二节而已哉。

参军之名既起于唐，而宋时仍之。岳珂《桯史》云："秦桧赐第望仙桥，赐银绢万匹两。……有诏，就第赐宴。中席，优长诵致语退，有'参军'者前褒桧之功德。一伶以荷叶交椅从之。参军方拱揖谢，忽堕其幞头，见髻后有二大巾环为饰。伶指而问曰：'此何环？'曰：'二圣环。'伶遽取仆击参军之首曰：'尔但坐太师交椅，清取银绢例物，此环掉脑后可也？'一坐失色，桧怒，明日下伶于狱。"《桯史》卷七此其征焉。

即以科学论之，亦可证前此之所有，近古仍受其余。中古史中称祖冲之千里船中古二十八节，然《宋史·岳飞传》、《虞允文传》、陆游《老学庵笔记》卷一、李心传《建炎以来系年要录》卷五十九、吴自牧《梦粱录》卷十二仍记其事，说详拙作《〈祖冲之传〉后》《人文》五卷七期，又称记里鼓车中古史二一节，然《宋史》二九八《燕肃传》仍称"尝造指南记里鼓二车，及欹器以献"。则制于中古者，未绝迹焉。近古史中，印刷为大事矣，印刷分拓墨雕版二事，考石经之起，远推自汉。《困学纪闻》卷八谓"石经有七，汉熹平则蔡邕出范《书·邕传》，魏正始则邯郸淳出《魏书·江式传》，晋裴頠出《晋书·頠传》，唐开成中唐元度出《旧唐·文宗纪》，后蜀孙逢吉等出范成大《石经始末记》，本朝嘉祐中，杨南仲等出《宋史·艺文志》，中兴，高庙御书出《玉海》四十三"。则拓墨之法，中古已有，而雕版亦未尝不如斯焉。

案和凝雕板，已见《五代史记》五十六。王修《版本述》云："镂板刻书，意在流传，然经书史籍，初无版行。而历日字书，通俗浅陋之书，需之者众，故先有雕板。佛经以诵讽供养者众，故亦先有雕板。日本宝龟元年，有《陀罗尼经》之刻，在代宗大历五年，可旁证也。大历四年，元白刊刻诗文，固无实证。以时考之，未为背谬。唐时雕印之书，咸通以前，已称极盛。敦煌千佛洞有咸通九年，王圻所刻《金刚经》，今存英伦博物院。每半叶六行，行二十字，实为宋、元、高丽、明刻佛经之先河。"《浙江图书馆馆刊》三卷三期则中古期中，唐人刻书，固信而可征者矣。

二　近古文化之特征

然近古文化，岂无以异于中古乎？则又不然。列举其大，盖有五端：

其一，则国力之衰微与强大，杂沓而至也。此盖于宋元而征之！

宋自太祖接五代乱离，太宗曾北伐契丹，"自燕京城下军溃，北人追之，仅得脱。凡行在服御宝器，尽为所夺。从人、宫嫔，尽陷没。股上中两箭，岁岁必发。其弃天下，竟以箭疮发云。盖北人乃不共戴天之仇，反捐金缯数十万以事之为叔父。"王铚《默记》页二十二可知宋初已屈辱矣。以后二百年间，对北人常输岁币《廿二史劄记》卷二六"岁币"条。具见其低首伈伈。赵翼云："宋之为国，始终以和议而存，不和议而亡。盖其兵力本弱，而所值辽、金、元三朝皆当勃兴之运，天之所兴，固非人力可争。"《劄记》二十六"和议"条叶适亦喟然而曰："天下之弱势，历数古人之为国，无甚于本朝者。"《水心集》卷五

《纪纲十一》盖高宗南渡，厓山舟覆，初乃必然者也。

邵伯温《闻见前录》卷十九云："康节先公尝言祖宗立天下之士，非前朝可比。内无大臣跋扈，外无藩镇专横，独夷狄为可虑。故有《十六国诗》云：'普天之下号寰区。大禹曾经治水余。衣到敝时多虮虱，爪当烂处足虫蛀。龙章本不资狂寇，象魏何曾荐乱胡？尼父有言堪味取，当时欠一管夷吾。'"北宋弱势可想，况南宋乎？

但宋亡元继，国力则又勃然。曩曾谓唐讨日本，只刘仁轨一胜中古卷三十六节。然元人之攻日也，"辛巳六月半，元贼由四明下海，大船七千只，至七月半，抵倭口白骨山。筑土城，驻兵对垒。晦日，大风雨作，雹大如拳。船为大浪掀翻，鞑军半没于水。海船仅回四百余只，二十万人在白骨山上，无船渡归，为倭人尽剿，山上素无人居，惟多巨蛇。相传唐东征将士，咸殒命此山。故曰白骨山，又曰骷髅山。元贼又道自高丽，往攻倭，败尤甚。其酋既归，几遭虏主所杀。并罚赔金银钞物，咸窘且怒，虏主又谋举攻之。耽罗国航倭甚近，鞑已奔据其国。运饷调兵于彼，为饷众窥倭之地。"郑思肖《心史》卷上页六十七声势煊赫，亦可谓虽败犹荣。岂止于今日书之，而足以资吾民之感喟哉？

其二，则南方之开发，与北方之启发，仍相并而至也。

以北方言之，辽、金、元三代，决非中古史中五胡之比。辽太祖则用韩延徽，"营都室，建宫殿，正君臣，定名分，法度井井"《辽》七十四《延徽传》。金灭辽而兴，则宋人且称之曰："今金源之植根既久，不可以一举而灭。"《宋》四三六《陈亮传》其在于元，忽必烈亦用耶律楚材

"定赋税,草仪制,禁屠杀,进图书",时人比以为治天下匠见陶九成《辍耕录》卷二,《元史》一四五。则北方三大族更迭开化,此固前世所无者也。其在南方,亦以康王南渡,世家从行,故南方益以华奂。陈亮语孝宗:"今卿将相,大抵多江淮闽蜀之人。"《宋史》四〇六《崔与之传》论云:"唐张九龄、姜公辅,宋余靖,皆出于岭峤之南。而为名世公卿。造物者,曷尝择地而生贤?"罗大经曰:"巴邛闽峤,夙称荒陋。而汉唐以来,渐产人材。至本朝益盛,古称山西出将,山东出相,又曰汝颍多奇士,燕赵多佳人,其说拘矣。"《鹤林玉露》卷四南方之日繁荣,此诗人所以有直把杭州作汴州之叹,而金主亮所为起驻马吴山之羡者也。

田汝成《西湖游览志余》卷二云:"绍兴、淳熙之间,颇称康裕。君相耽逸,纵乐湖山,无复新亭之泪。有林升者题一绝旅邸云:'山外青山楼外楼,西湖歌管几时休。暖风熏得游人醉,直把杭州作汴州。'"此南人自道其盛也。《中兴御侮录》卷上页二〇,粤雅堂本云:"亮一日登扬州望江亭,指顾江山之胜,谓其下曰:'朕不入浙,誓不反国。'因改其亭曰不归亭。赋诗于壁曰:'万国车书久混同,江南何尚隔华封,提兵百万西湖上,驻马吴山第一峰。'"《心史》卷下页七七云:"北地称真定府最为繁华富庶。有南人北游,归而言曰:'曾不及吴城十分之一二。他州城郭。更荒凉不足取。宜乎北人来南,遇有所见,率私懽喜嗟讶!'"——此可以见宋元明代之南方矣。

其三,则中古时期所产生之思潮,至近古则混合为一也。

考中古思潮首推儒释道,然《隋书·李士谦传》有日月五星之别。唐咸通中,优人李可及亦戏为《三教论衡》详知不足斋本《唐阙史》卷下,是三教者,盖尚鼎立。其在于宋,则三者混而为一,以为宋明理学之胚。程明道"出入于老释者数十年"《宋元学案》卷十三。朱熹则辛弃疾吊之曰:"案上数编书,非《庄》即《老》;会说妄言,始知道。万句千言,不能自忘堪笑。今朝梅雨霁,青天好。"《稼轩乐府》卷七,四印斋本《读庄子闻朱晦庵即世》——盖宋、元、明经学,实已集三教之大成。胡应麟曰:"宋初,邢昺等尚多以注疏传。至洛闽谈理,而经学迥别前代矣。"《笔丛》卷三十八姚际垣云:"周、程、张、朱皆出于禅。……程朱之学不息,孔孟之道不著。"《四库提要》一百二十九——宋儒理学之功,且莫证;然亦以见宋明人之言经,有以异夫汉唐人之说经,而更有异于清人之说经焉。——此亦文化史中一大事云。

近古学者,损耗精力于道学,较之宋之削弱,其害尤烈。例如太极无极之辨,实不过儒学之张冠李戴。朱彝尊《太极图授受考》云:"自汉以来,诸儒言易,莫有及《太极图》者。……惟道家者流,著太极三五之说,唐开元中,明皇为制叙。而东蜀孟琪注《玉清无极洞仙经》,衍有'无极'、'太极'诸图。按陈子昂《感遇》诗云:'太极生天地,三元更废兴。'……陈抟居华山,曾以无极图刊诸石。为圜者四,位五行其中。……乃方士修炼之术尔。相传抟受之吴嵒,嵒受之钟离权,权得其说于伯阳,伯阳闻其说于河上公,未尝伪为千圣不传之秘也。元公取其图而转易之,亦为圜者四,位五行其中。……更名之曰《太极图》,仍不没无极之旨。由是诸儒推演其说。"《曝书亭集》卷五十八盖宋儒理学之出于释道,而文以儒家之名,灼然无可疑也。包罗为一，所谓推陈出新者是也。皮锡瑞曰："《困学纪闻》云：'自汉儒至于庆历间，谈经者守训故而不凿，《七经小传》出而稍尚新奇矣。至三经义行，视汉儒之学若土梗。'据王氏说，是经学自汉至宋初未尝大变。至庆历始一大变也。《七经小传》，刘敞作。《三经新义》，王安石作。元祐诸公排斥王学，而伊川《易传》专明义理，东坡《书传》横生议论，虽皆传世，亦各标新。"《经学历史》四十八页然则理学固自古所无，而经学亦异于前此也。

其四，则近古期中，颇有新兴之科学也。

雕板且别论，如以大器言之。李慈铭《越缦堂日记》曰："《梁》、《陈》书《华皎传》云：'皎陈于巴州，因便风下船，募军中小舰，令先出当贼。大舰受其拍。贼舰发拍皆尽，然后官军以大舰拍之，贼船皆碎，没于中流。'案此所谓'拍'，即今所谓炮也。彼时皆以石为之。"《荀学斋日记·己集下》然则中古史中，有炮矣，未有炮也。至宋则有炮矣。王得臣《麈史》卷上云："宋次道《东京记》，说八作司之外，又有广备，攻城作。今东西广备，隶军器监矣。其作凡十目，所谓火药，青窑，猛火油，金火……是也。"此则中古所无，而近古所有者欤！

其五，以实业言之，亦有显征焉，中国今日所输诸国外者，非曰丝耶茶耶棉耶。丝导源于上古上古卷廿二节，茶始用于中古中古卷二十一节，而棉则用于近古者也。徐光启《农政全书》卷三十五"李延寿《南史》曰：'高昌国有草，实如茧，中丝如细纩，名曰白叠。取以为帛，甚软白。'李时珍《本草纲目》曰：'木棉有草木二种，交广木棉，树大如抱。……江南淮北，所种木棉，四月下种，茎弱如蔓。……

此种出南蕃，宋末始入江南。今则遍及江北与中州矣。不蚕而棉，不麻而布，利遍天下，其益大矣。'"考《元史·世祖纪》，至元二十六年，特设木棉提举司。明《食货志》亦谓太祖令民田五亩，至十亩，栽桑苎木棉各半亩。盖古及中古，惟有绵耳。"棉字亦始于宋，此字可云新增，不可云俗"《癸巳类稿》卷七"吉贝木棉字"义。"其种本来自外蕃，先传于粤，继及于闽。元初始至江南，而江南又始于松江。"《陔余丛考》卷三十然观东南人之祀黄道婆，知此实业之摇撼中古人士矣。

黄道婆见下二十九节引《辍耕录》卷二十四，乾隆《上海志》卷七有张之象《黄道婆祠记》云："上海西南廿余里为乌泥泾，故有黄道婆祠云。道婆者，姓黄氏，本镇人也。初流落崖州，元元贞间，附海舶归，闽广多种木棉，织纺为布，名曰吉贝。而道婆最善此业，州里宗之。……先王之制礼也，法施于民则祀之。吾松之民，仰机利之食，实道婆发之。无忘追本之思，则祠祀可不废矣。"

第二章　近古文化史中之阴霾

三　妇女地位之降落

中古文化史开始时，颇有阴霾，秦汉专断是也。近古文化史中之阴霾，其惟妇女地位之低落乎？

妇女地位，在上古史之末，固已有低降之象。韩非十八《六反篇》曰："且父母之于子也，产男则相贺，产女则杀之。此俱出父母之怀衽，然男子受贺，女子杀之者，虑其后便计之去利也。"中古时，轻女之风益著。司马彪《续汉书》云："陈蕃谏桓帝，曰：'鄙谚曰盗不过五女门，以女贫家也。'"《太平御览》卷四九五男尊女卑，隐然形成。故东京之季，曹大家作《女诫》曰："生男如狼，犹恐如羊；生女如鼠，犹恐如虎。"《通鉴》一九七胡注惟当时，不曾有守节等事，故光武之寡姊，思嫁宋宏《范书·宏传》。而蔚宗作史传，存列女，不菲陷没胡子，狎生二子之蔡琰。即在隋唐，《刘炫传》虽有逼人守节之议，然兰陵公主死殉后夫，《隋书》尚登之《列女传》之首。纪昀《槐西杂志》卷一以为颇乖史法，殊为不明中古风气。——惟中古之时，政治经济，胥由男子为政；则男子之苛求于女子，而因以造就女权之轻落者，在近古史中，亦履霜坚冰之征云。

《北堂书钞》七十六引谢承《后汉书》云："黄昌为蜀郡太守。初昌为州书佐。其妇归宁于家，遇贼被掳。遂流转入蜀，为人妻。后其子犯事，诣昌自讼。昌疑母，不类蜀人。因问所由，对曰：'妾本会稽余姚戴次公女，州书佐黄昌妻也。为贼所掳，遂至于此。'昌惊呼前，谓之曰：何以志黄昌也。对曰：昌左足心有黑子，自言当为二千石。昌乃出足示之，因相持悲泣，还为夫妇，竟以礼重焉。"可知《史通》所谓："蔚宗《后汉》，传标列女，徐淑不齿，蔡琰见书。彤管所载，将安准的？"《史通》内三〇《人物》非衡时之定论已。然《御览》二三一又引谢承《刑法志》："范延寿，宣帝时为廷尉，燕赵之间，有三男共娶一女，生四子，长各求离别，争财分子，县不能决。于是延寿决之，上言男子贵信，女子贵贞。今三男一女，悖极人伦。比之禽兽，生子属其母，于以四子并付母，尸三男于市。"则男予为政，在中古时，固已有提倡贞节之萌芽矣。

清谈时期中，女子虽或被狎弄，而地位顿似稍高中古卷三二节。《艺文类聚》卷三五引《妒记》云："谢太傅刘夫人不令公有别房。公既深好伎乐，后遂欲颇立伎乐。兄子外生等，微达此意，共问讯刘夫人，因方便言《关雎》、《螽斯》有不妒之德。夫人知为讽已，乃问谁为此诗，笑云：'周公。'夫人曰：'周公是男子相为尔，若使周姥撰此，当无有此。'"——此非特可征中古妇女之拘束较少，亦可知男子自私，则女子更折落其人格云。此又唐武后之所以蓄意更政已。

武后自奇女子，赵翼《廿二史劄记》卷十九"武后纳谏知人"条已言之。宋太祖云："则天一女主耳，虽刑罚枉滥，而终不杀狄仁杰，所以能享国者，良由此也。"李焘《续资治通鉴长编》卷七、《旧唐书》七十八《张昌宗传》载朱敬则诽武后爱阳道壮伟者，后不以为罪，真奇女子也。

以故近古之始，女子之桎梏尚微。史称周祖四娶皆再醮妇《廿二史劄记》卷二一，王定国《甲申杂记》云："李化先少好神仙事，父母强令娶妇，遣行人议曹氏之女。及礼席之日，曹氏已入门，化先逾垣而走。曹氏复归。后曹氏选纳为后，慈圣光宪是也。"页二，知不足斋本慈圣非他，仁宗之后《宋史》二四二，可以见尔时妇人之节，非所忌也。

周密《齐东野语》卷十六载两巨公借用妻妾事，当时以为美谈。范文正公之母吴处厚《青箱杂记》卷五、邹近仁之母《宋元学案》七十四皆再嫁他人，由子奉养，而时人不以为丑。王东溆《柳南随笔》云："改嫁，女子失节事也。而叶水心《翁诚之墓志》云：'女嫁文林郎冯遇，夫死，再嫁进士何某。'"卷一秉笔直书，当日不以为异焉。

然北宋以还，贞节之说愈张。朱子《与陈师中书》云："令女弟甚贤，必能养老抚孤，以全柏舟之节。此事更在丞相夫人，奖劝扶植，以成就之。使自明没为忠臣，而其室家生为节妇。斯亦人伦之美事，计老兄昆弟，必不惮赞成之也。昔伊川先生尝论此事，以为饿死事小，失节事大，自世界观之，诚为迂阔。然自知经识礼之君子观之，当有以知其不可易也。"《朱子文集》卷二十六方苞《望溪集》卷五《曹氏女妇贞烈传叙》云："尝考正史及郡县志，妇人守节死义者，周秦以前，可指计。自汉及唐亦寥寥，北宋以后，则悉数之不可更仆矣。"——可知以妇节为近古史中之特征者，盖非漫然。近古以后，则益变本加厉矣。

考古者虽有男女不杂坐，《曲礼上》、男女授受不亲《孟子·离娄上》之说，要未实行。周亮工《书影》云："相传海忠介（瑞）有五岁女方啖饵，忠介问饵谁与？答曰僮某。忠介怒曰：'女子岂能漫取僮饵，能即饿死，方称吾女。'女即涕泣不饮啖。家人百计进食，卒拒之，七日而死。"据俞樾《茶香室续钞》卷四引流弊至斯，岂又宋儒所及料哉？

《鹤林玉露》卷十二云："胡澹庵十年贬海外，北归之日，饮于湘潭胡氏园。题诗云：'君恩许归此一醉，傍有梨颊生微涡。'谓侍伎梨猜也。朱文公见之，题绝句云：'十年浮海一身轻，归对梨涡却有情。世上无如人欲险，几人到此误平生。'《文公集》全载此诗，但题曰自儆云。"道学诸公律身之严，吾人庸得非议，或恨其副果不佳，遂至有"搭台死节"详施可斋《闽杂记》卷八，可痛事尔。

贞节之外其又有危害女子者，则弓足也。

弓足起始，至早当在北齐以后。《北齐书》《任城王谐传》有男女易舄事可征。弓足起因，当因于男子之玩弄女子。袁枚《随圆诗话》卷四有赵钧台买妾，而不弓纤因以弓足乞其为诗。其人曰："三寸金莲自古无，观音大士亦双趺；不知弓足何时起，起自人间贱丈夫。"盖字字实录也。推寻其朔，当在近世。宋张邦基《墨庄漫录》

卷八云："妇人之弓足，起于近世，前世书传皆无所自。《南史》齐东昏侯为潘贵妃，凿金为莲花，以贴地，令妃行其上，曰此步步生莲花。然亦不言其弓小。如古乐府，《玉台新咏》，皆六朝词人艳纤之书。类多体尚美人容色之殊丽，又言妆饰之华，眉目唇口腰肢手指之类，无一言及缠足者。如唐之杜牧、李白、李商隐之徒，作诗多言闺帏之事，亦无及之者。惟韩偓《香奁集》，有《屧子》诗云：'六寸肤圆光致致。'唐尺短，以今量之亦自小也，而不言其弓。"《道山新闻》以为南唐李后主宫婢窅娘作俑，疑亦故归之于一人。俞正燮《癸巳类稿》卷十三《书旧唐书舆服志后》详举博引，谓："弓足之事，宋以后则实有可征。"——以此为近古妇女之地位低落，要非诬云。

关于此，余女弟谨型为纪念家君六十初度，曾撰《弓足考》。较俞氏所云，颇有增出，不赘于此。盖守节之弊，道学诸君启之；而弓足，则文人之故也。白珽《湛渊静语》卷一云："伊川先生六代孙淮……之族，尚蕃居池阳，妇人不缠足，不贯耳，至今守之。"可见道学者流，于此无与。

近古以后，此风愈敝。清初入关，曾一度严禁，见王士禛《池北偶谈》卷十七及徐珂《清稗类钞》。但匪久即取销此禁令。其以明令禁止此弊习者，实始于民国元年。当时孙文令曰："缠足之俗，由来难考。起于一二好尚之偏，终致滔滔莫易之烈。恶习流传，历千百载。害家凶国，莫此为甚。夫将欲图国力之坚强，必先图国民体力之发达。至弓足一事，残毁肢体，阻碍血脉，害虽加于一人，病实施于子姓。生理有征，岂得云诬？至因缠足之故，动作竭蹶，深居简出，教育莫施，世事罔闻，遑论独立谋生，共服世务？以上二者，特其大端。若他弊害，更仆难数。曩者志士仁人，尝有大足会之设。开通者已见解放，固陋者犹执成见。当此除旧布新之际，此等恶俗，尤宜先事革除，以培国本。为此通令，仰该部通令各省。一体劝禁。其有故违禁令者，予其家属以相当之罚，切切此令。”民国元年三月十五日大总统令内务部

弓足之外尤足以象征女权之微者，则官伎是。

伎，或谓始于管仲之女闾，见《周语》。魏武帝有铜雀故伎，则女乐耳。然唐时之伎，侑酒佐舞而已。未必卖淫，如王之涣旂亭赌酒，是也详辛文房《唐才子传》三。其在于宋，则在官者曰官伎。《西湖游览志余》卷二十六云：“宋时阃帅郡守等官，并得以官伎歌舞。然不得私侍枕席。熙宁中，祖无择坐与官伎薛希涛通，为王安石所劾。”而在家者曰家伎，《东轩笔录》卷七云：“王韶知鄂州，一日宴客，出家伎奏乐；入夜席，客张绩沉醉，挽家伎不前，遽将拥之。家伎泣诉于韶。坐客皆失色，韶徐曰：‘比出尔曹，以娱宾。而今乃令宾客失欢？’命取大杯罚家伎。”——伎之种类加多，又可征女子在社会上之没落也。

而更足以穿阬女子者，则女子无才便是德之谬见也，盖亦近古期始之。

考《御览》一三七引司马彪《续汉书》云：“邓皇后，禹之孙，训之女。……后七岁，读《论语》，十二岁通《诗》。诸兄读经，辄难问征。意在书传。母非之曰：当习女工，以共衣服。今不是务，汝当举博士耶？后重违母意。”而孙光宪《北梦琐言》卷六谓台州妇人“萧惟香，有才思，未嫁。于所居窗下，与进士王玄晏相对。因奔瑯琊，复淫邪不禁，王舍之于逆旅而去，遂私接行客，托身无所，自经

而死。唐有数百首诗，所谓才思非妇人之事，诚然也。"其及于宋，虽朱子"尝病《女诫》鄙浅，欲别集古语成一书，曰正静、曰卑弱、曰孝爱、曰和睦、曰俭质、曰宽惠、曰讲学"。《鹤林玉露》卷十一然先乎朱子，郑侠已言："余尝怪世之人生子女，不知教，豚彘畜之。……其知名教之有益于世者，亦不过以教男子，而女子独不教。曰，妇人之职，无非无议，惟酒食是谋；曾不思夫古之人，所以能尽为妇之道，而至于是诗者，孰非学之力哉？若男子出入闾巷，交际士友，尚可见而识焉。若女子者，深闺内闼，无所闻见，可不使知书哉？是教子之所急，莫若女子之为甚。乃置而不教，此悍妇戾妻，骄奢淫佚，狼狈不可制者所以比比！"《西塘文集》卷四《谢夫人墓表》侠言如斯，正可见北宋人之于女子，已逸养而无教也。

两宋才女如李易安、胡与可，均以诗文出男子上，且以讪人，遂至恶声随之。如《齐东野语》卷十所载黄子由夫人胡与可事，实足以残贼女性。考朱子论"小学"，固自言女子亦当有教。后儒往往不遵其言。《小仓山房集》三十二《金纤纤墓志铭》曰："论者动谓诗文非女子所宜，殊不知……三百篇中，葛覃卷耳，谁非女子之作？迂儒穴坯之见，诚不然也。"盖袁枚知古之女子教育，与近世之蒙锢女子者不同。

况以大家庭制度之丛脞，为女子者，自益无幸福可言。大家庭制者，前史称之曰累世同居详《陔余丛考》三十九。《鹤林玉露》卷五云："陆象山家于抚州金溪，累世义居。一人最长者，为家长；一家之人，听命焉。逐年选差子弟，分任家事，或主田畴，或主出纳。"谢肇淛云："古今同居者，汉有樊重、晋郎、方贵，俱三世；博陵李几，七世;河中姚氏,十三世;宋会稽裘承询,十九世;陆象山等,累世义居,又不知凡几代也。汉称万石君家法,唐则穆质、柳公权两家,为世所崇尚。至宋则不胜书矣。"《五杂俎》卷十四——可知家庭之益大于宋,而株困家内之妇人,其苦自更有进矣。

《旧唐书》一八八《张公艺传》载高宗问公艺,以何故而能九世同居?"公艺书百余'忍'字,高宗为之流涕。"在此百忍之间,女性之受曲抑者何限?故《五杂俎》又言:"浦江郑氏,对(明)太祖之言曰:'臣同居无他,惟不听妇人言耳!'此格论也,虽百世可也。"《五杂俎》卷十四——可知家族之单位愈大,则女子愈受委曲也。

四 臣子地位之低落

女子地位低落以外,臣子地位盖亦低落也。

试以大臣之名实征之,即可知臣之地位之降低。

相者副也,原有副贰君主之义。陈树镛《汉官答问》卷一,振绮堂丛书本云:"汉制,丞相谒见,天子御座为起,乘舆为下。"观于《汉书》八十四《翟方进传》,如淳师古所注,更可见汉帝对于宰臣之礼遇。高祖称萧何:"君自谢民。"景帝语周亚夫:"此亦不足君所。"《汉书》各传其在于晋,成帝幼时,尚拜于王导,元帝亦引导共坐。导辞曰:"若太阳下同万物,苍生何由仰照?"《晋》六十五《导传》即在于唐,相之位置微已,然尚不如近古之微也;读《刘文静传》、《裴寂传》可知已。

《唐书》八十八《刘文静传》高祖即位，“多引贵臣共榻，文静谏曰：‘今率土，莫不臣，而延见臣下，言尚称名，帝坐严尊，屈与臣子均席。此王导所谓太阳俯同万物者也。”又《裴寂传》八十八云：“唐公即位，曰：使我至此者，公也。……日给御膳，视朝必引与同坐，入阁则延卧内。”唐初重视大臣可见。

《晋书·职官志》云：“丞相，相国，并秦官也。晋受魏禅，并不置。……非复寻常人臣之职。”又云：“太尉，司徒，司空，古官也。自汉历魏，置以为三公。及晋受命，迄江左，其官相承不替。”同见《晋》廿四是相之名，至汉末而灭也。《唐书》四十六《百官志》叙云：“宰相之职，佐天子，总百官，治万事，其任重矣。然自汉以来，位号不同，而唐世宰相，名尤不正。初，唐因隋制，以三省之长，中书令、侍中、尚书，令共议国政。此宰相职也。自后，以太宗尝为尚书令，臣下避不敢居其职。……故常以他官居宰相职，而假以他名。自太宗时，杜淹以吏部尚书，参议朝政；魏徵以秘书监，参预朝政；其后或曰参议得失，参知政事之类，其名非一。”驯假而有同三品同中书门下平章事之职，则相之名，至唐而又微也。至近古之宋，则曰参知政事矣。相之头衔，至斯而又一轻。

《宋史》一六一《职官志》叙云：“宋承唐制，抑又甚焉，三公三师，不常置宰相，不专任三省长官，尚书门下，并列于外。又别置中书禁中，是为政事堂。”又云：“宋承唐制，以同平章事为真相之任，无常员。”是宋虽承于唐，抑又减焉。李心传《建炎以来朝野杂记》甲集卷十云：“唐制，中书、门下、尚书三省，中书揆而议之，门下审而复之，尚书承而行之。则是首相不复与朝廷议论矣。”唐初宰相，已权分名微，至宋则益甚。其至于明，则三省之名，一变而为“六部”、“大学士”。袁袠《世纬》卷上《简辅》云：“秦始皇任丞相，专相李斯，……高皇帝深虑远算，因胡李之败，鉴蒙古之失，博稽往籍，略仿周制，革丞相，而置六部，公孤之官，不轻畀人。……”则局势又一变也。《明史》七十二《职官志》云：“明官制沿汉唐之旧，而损益之；自洪武十三年，罢丞相，不设。析中书省之政，归六部，以尚书任天下事，……而殿阁大学士，只备顾问。帝方自操威柄，学士鲜所参决，”即斯之谓。

即宰相之职权，亦渐次而微矣。

汉哀帝欲封董贤，而王嘉封还诏书，后汉钟离意为尚书仆射，数封还诏书。唐制，凡诏敕，皆经门下省，事有不便，得以封。而给事中，有驳正违失之掌，著于《六典》。人臣执法之正，人主听言之明，可以并见。五代废弛，宋太宗淳化四年，始复给事中封驳。而司马池犹谓门下虽有封驳之名，而诏书一切自中书以下，非所以防过举也节录《日知录》卷九“封驳”条。考《宋史·石守信传》，太祖欲官符彦卿，而赵普怀“宣”不发《宋史》二五〇。是门下掌封驳，盖犹可以限制君权；然此制后亦寖废。哲宗之时，朝廷命令，已多不由“门下”《宋史》三四二《王岩叟传》。南渡以后，则斜封、墨敕，一意横行，国愈弱而君愈强矣，而后明清因之。

《宋史》四〇五《刘黻传》谓度宗时，黻上书言曰：“帝王之枢机，必经中书参试门下封驳，然后付尚书省施行。凡不由三省施行者，名曰斜封墨敕，不足效也。……政事由中书，则治；不由中书，则乱。天下事，当与天下人共之，非人主所可得而私也。”君权张大后，流弊可见。

即臣工之礼遇，亦较前世为卑也。

《宋史》二四九《范质传》云：“先是宰相见天子，议大政事，必命坐而议之。从容赐茶而退，唐及五代，犹遵此制。及质等惮帝太祖英睿，每事辄具劄子进呈，具言曰如此庶尽禀承之方，免妄庸之失。帝从之，由是奏御寖多，坐论之礼寖废。”此其说，与王曾《笔录》同，《笔录》页七一八，学津讨原本云：“旧制，宰相早朝上殿，命坐；有军国大事，则议之。常从容赐茶而退。……自唐室历五代，不改其制。抑古所谓坐而论道者欤？国初，范质王溥在相位，上虽倾心眷倚，而质等自以前朝相，且惮太祖英睿，具劄子面取进止。退各疏其事所得圣旨，臣等同署字以志之。如是，则尽禀承之方，免□误之失。帝从之，自是奏御寖多，或至旰昃，固勿暇于坐论矣。”——此亦臣道日卑，君权日盛之一征也参阅《人文》六卷一期拙作《书王定国〈闻见近录〉后》。

王定国《闻见近录》页二，知不足斋本所记略异：“故事，执政奏事，坐论殿上。太祖皇帝即位之明日，执政登殿，上曰：朕目昏，持文字近前。执政至榻前，密遣中使撤其座，执政立奏事，自此始也。”然无论真相如何，要之，尊君卑臣则不可否认也。其流弊有如朱子所云：“古者三公坐而论道，方可子细说得。如今莫说教宰执坐，奏对之时，顷刻即退。文字怀于袖间，只说得几句，便将文字对上宣读过。且说无坐位，也须有个案子,令开展在上,指画利害;上亦知得仔细。今顷刻便退,君臣间如何得同心理会事?"《朱子语类》卷一二八则是宰相入朝,案子都无可凭也。

《道山清话》页二十七:"旧制,讲读官坐而讲读,别置书策于御案上。仁宗(时),忽一日讲读官已班立,忽有内侍,自御屏后立,大声曰:'有圣旨,今后起立讲读。'自是遂为定制。至神宗朝,王安石为侍读,以言道之所存,请复赐座。有旨,下礼官议。韩维以为当赐座,刘攽以为不可。……于是安石之请不行。至元祐初,程颐复请坐讲,太皇以皇帝幼冲,岂可先教改动先人制度,有制令不得行。"——至斯,则师道亦见压于君权唉。

明制臣工谒见,四拜或五拜三叩首《明史》五十三《礼志》。其在于清,则须三跪九叩详《清会典》二十七。尊君卑臣,盖有如斯。《朱子语类》一百三十四云:"黄仁卿问,自秦始皇变法之后,后世人君,皆不能易之,何也?曰:'秦之法,尽是尊君卑臣之事,所以后世不肯变。'"朱子亦知宋之尊君卑臣,而因以致宋以后人之不肯变乎。

然近古之初,与近古之季,要亦有别《宋史》二五一《慕容延钊传》称:"延钊与太祖友善,显德末,太祖任殿前都检点,延钊为副,尝兄事延钊。及即位,每遣使劳问,犹以兄呼之。"王君玉《国老谈苑》卷一页三云:"太祖尝暑月纳凉于后苑,召翰林学士窦仪草诏处分边事。……见太祖岸帻跣足而坐,仪即退立阁门。……太祖自视微笑,遽索御衣。……仪即奏曰:'陛下新即大位,四方瞻望,宜以礼示天下。……恐贤杰之徒,闻而解体。'"君臣相见,犹存敬礼,其在于明，则庭杖诏狱，缇骑东厂，刑不上大夫《曲礼上》之旨，泯矣。

吴瑞登《两朝宪章录》卷三云：嘉靖三年，胡世宁以疾在告，闻大礼之议，廷臣有杖死者。乃上疏曰："群臣有罪，宜悉下司寇问理。罪状明白，轻重诛黜，皆依律断。若乃鞭朴施于殿庭，刑辱上于大夫，非所以昭圣德之美也。"说详拙作《书黄宗羲〈明夷待访录〉》，《金陵学报》四卷二期盖明季君权益重。

五 平民地位之低落

岂特臣子地位低落而已，即平民之地位，亦在低落中也。

中古之时，斥富人为豪民，为兼并之徒，董仲舒、陆宣公均持此论。而赵宋以后，则公然号为田主详《日知录》十《苏松田赋之重》。郑震《读书愚见》《说郛》卷二十有"田可以养气"条曰："孟子云：'无恒产者，无恒心，无恒产而有恒心，惟士为能。'"正虑为士者无田，失其恒心也。苏秦曰："使我有洛阳二顷田，安能佩六国相印？"乃是说无田至此。孔明告先主曰："臣成都有桑八百株，薄田十五顷。子弟衣食，自有余饶。"亦是说有田可以自给。苏老泉亦云："洵有山田二顷，非凶岁可以无饥。有田，真可以养气也。"观于此，可知宋时人之好为地主者，地主多，则农民苦矣，何况农民之更有所苦耶？

宋时农民之苦，又有力役之苦。温仲舒所谓："行者辛苦，居者怨旷。"《宋史》二六六《温传》韩琦所谓："孀母改嫁，亲族分居，或弃田与人，以免上等。或非命就死，以求单丁。"《宋》一七七志“富者休息有余，贫者败亡相继。”同上盖富贵之人，可以窜名军籍仕籍，而不负丁役之义务，役斯全归于平民已。

《宋史》一七三《食货志》云：“福建地狭人稠，无以赡养。生子多不举。”盖当时重租之下，大多数之佃农，固无以为生也。鲁应龙《闲窗括异志》云：“嘉兴纽七者，农佃为业。尝恃顽，抗赖主家田米，种早禾八十亩，悉已成就收割，囤谷于柴稃之间，遮隐无踪，依然入官诉伤。而柴与谷，半夜一火焚尽。壬戌岁，秋，其弟纽十二，亦种早禾八十亩，藏谷于家。又且怨天尤地，次日午间，天宇昏暗，大风卷起。其家一火，灰烬无余。”页二十，稗海本而洪迈《容斋续笔》卷七又载主客分租之制，可知当时之为农民者，不近于佃奴者凡几希？

《宋史》三三三《朱寿隆传》“岁恶民移，寿隆谕富室大姓，蓄为田仆，举贷之息，官为置籍，贫富交利”。寿隆与狄青同时，则当北宋时，而已有佃奴矣。李焘《续通鉴长编》三九七记元祐二年王觌言：“田连阡陌，役属佃户，匹夫用此，雄于一乡。”则佃人为奴，果非虚也。

然固有宋之限田矣，《宋史》一七三《食货志》言之，《宋史》四二六《陈靖传》言之，然所谓“公卿以下毋过三十顷”《志》者，其实则限品官占田免税之田。吾观李心传《建炎以来系年要录》卷五十载绍兴元年“柳约言：‘军兴科需百出，望官户名田过制者，与编户均一科敷。’从之”。又卷五十一载绍兴二年，方孟卿言：“近权户部侍郎柳约，请申祖宗限田之制，凡品官名田数过者，科敷一同编户。今郡县之间,官户田居其半,而占田数过者极少。自军兴以来,科需与编户一同。若以格令免科需,则必取于民,必致重困。臣谓艰难之际,士大夫义当体国,岂可厚享占田之利?又况商富大贾,多以金帛窜名军中,及假名冒户,规免科需者,比比皆是。愿寝前诏勿行。从之。"——然则宋之限田,与王莽异,竟似限官户免税之田;岂限田之数字哉?缩于此者伸于彼,则民户又重困矣。

考宋时地主,非但苛求贫佃,兼尝侵蚀公赋。《江西通志》载胡顺之"景德进士,知浮梁县。豪民臧氏,素横负租。顺之率吏至其家,掩捕,按,致其罪"《江西通志》六十八。此与上述厚享占田之利,均可谓地主之两重兼并。以故两宋所重,重在均赋详下十三节第二十五节岂能均田?《鹤林玉露》卷七载"林勋贺州人,绍兴中,进《本政书》,欲渐复三代井田之法。……今宜立之法:使一夫占田五十亩以上者为良农,不足五十亩者为次农。其无田而为闲民,与非工商在官,而为游惰末作者,皆驱之使为隶农。良农一夫,以五十亩为正田,以其余为羡田;正田毋敢废业,必躬耕之。其有羡田之家,则无有买田,唯得卖田。至于次农,则毋得卖田,而与隶农,皆得买羡田以足一夫之数,而升为良农。凡次农、隶农之未能买田者,皆使之分耕良田之羡田,各如其夫之数,而岁入其租于良农,如其俗之故。"勋所称良农,则地主也。次农、隶农,均输租如旧,未必有力买良农之羡田。勋言未尝合于事也,而朱子陈亮,深爱其书《宋史》四三六《勋传》,亦足以见其时对付豪民之无办法矣。

盖当时富人之势,其大致当有如下列者。

其一，富者贵者，合于一人，宋时景地，与中古史中，未尝殊也。

方太祖之杯酒释兵权也，语石守信，则曰人生白驹过隙耳，不如多积金帛田宅以遗子孙。歌儿舞女，以终天年《宋史》二五〇《守信传》。又曰："汝曹何不释去兵权，择好田宅市之。"司马光《涑水纪闻》卷一又曰："人生如白驹过隙耳。所谓富贵者，不过欲多积金帛，厚自娱乐，使子孙显荣耳。汝曹何不释去兵权，择便好田宅市之。为子孙立永久之业？多置歌儿舞女，日饮食相欢，以终天命。"邵伯温《闻见前录》卷一是则金帛田宅，盖与兵权有同似处也。

《宋史》称王旦不市田宅《旦传》，又称"王渊家无宿储，每言朝廷官人，以爵禄足代耕，若事锥刀，我何爱爵禄？曷若为富商大贾耶"《宋史》三六九《渊传》。考《旧唐书》九十九《张嘉贞传》："所亲有劝植田业者，嘉贞曰：'吾忝历官荣，曾任国相。未死之际，岂忧饥馁？若负谴责，虽富田庄，无所用也。比见朝士，广占良田，及身没后，多为无赖子弟作酒色之资，甚无谓。'闻者叹服。"是贵人多赀，中古已然，但及宋益甚尔。

其二，则富者尊者，集于一身也。

孟子曰："天下有达尊三，爵一、齿一、德一，朝廷莫如爵，乡党莫如齿，辅世长民莫如德。"《公孙丑下》爵者贵也，齿者年也，德者才也。而顾未有以富招人尊者。其在于宋，则廉布《清尊录》云："大梢张氏者，以财雄京师。凡富人以钱委人，权其出入而取其半息，谓之行钱。富人视行钱，如部曲也。或过行钱之家，设特位，置酒，妇人出劝，主人乃立侍。富人逊谢，强令座，再三，主人乃敢就座。"《说郛》十一始知吴敬梓所记程明卿、万雪斋事，盖中古史中实录云。

《儒林外史》二十三回记万雪斋幼时，在程氏司客，后有资产，然程明卿来时，仍不得不叩头拜谒，与银万两。此即行钱部曲之谓也。

其三，则法律方面，亦偏袒富人焉。

绍兴四年四月，王居正言："臣闻杀人者死，百王不易之法，……盖以杀人而不死，则人殆无遗类矣。……臣伏见主殴佃客至死，奏听敕截取赦原。至元丰始减一等，配邻州，而杀人者不复死矣。及绍兴又减一等，止配本州，并其同居并殴至死，亦用此法。侥幸之途既开，鬻狱之弊滋甚。由是人命寖轻，富人敢于专杀，富者有知。沉冤何所诉焉？"李心传《系年要录》七十五是两宋之间，主欺佃，已如斯。其在于元，则《元史》一〇三《刑法志》《户婚》云："诸奴婢背主在逃，杖七十七。"又云："诸典卖佃户者禁，佃户嫁娶，从其父母。"前者不必复论，以后者论之，佃户嫁娶，岂有时干涉于其主；而典卖佃户，岂亦有时而有之耶？

案《朱子语类》一三二云："岳太尉飞，本是韩魏公佃客，每见韩家子弟，必拜。"考《大清律例辑览》卷十七《乡饮酒礼》云："乡党叙齿，士农工商人等平居相见，及岁时揖让之礼，幼者先施；坐次之列，长者居上。如佃户见田主，不论齿叙，并行以少事长之礼。"揆诸朱子言，知此礼由来远矣。

以故时人呼声，注于救济贫民者，盖亦有人。

邵博《闻见后录》卷十页八云："鲍□云：'民有三亡，豪强大姓，蚕食无厌，一亡也。'马援云：'大姓侵百姓，乃太守事耳。然以曹操之勇，尚云先在济南，除残去秽，是以为豪强所忿，恐致家祸，故谢病去。今之君子，欲以区区之礼义廉耻，裁大姓之暴吾民者，计亦疏矣。'"宋垂亡时，庐陵罗大经著《鹤林玉露》卷五云："本富为上，末富次之，奸富为下，今之富者，大抵皆奸富也。而务本之农，皆为仆妾于奸富之家矣。"观于志士仁人之言若斯，则近古史中，所以有王荆公之新法，朱元晦之社仓，其故自有在矣。而平民之疾苦，自在其中。

顾宁人《窳中随笔》云："宋时诸郡，有慈幼局。贫家子不能育者，许抱至局中。书年、月、日、时，局有乳媪鞠养之，他人家或无子女，来取于局，岁祲，子女多入慈幼局，故道无抛弃子女。"据惠栋《九曜斋笔记》卷一引此可以表示社会病态之一方面，然《明史》一六五《丁瑄传》，又记邓茂七为地主虐政而纠众叛变之事，则社会病态已深，微末之救拯，无以已之也。

六　民族地位之降低

岂特平民地位降低而已，即全民族之地位，亦在降低中。

赵翼论宋事云："盖其兵力素弱，而所值辽、金、元三朝，皆当勃兴之运，天之所兴，固非人力可争。"《廿二史劄记》廿六"和议"条又谓"宋真宗与辽银十万两，绢二十万匹，仁宗加岁币银绢各十万两匹。夏元昊既纳款，又赐银绢茶彩各二十五万，南渡后，高宗与金和，岁币银绢二十五万两匹，孝宗改为二十万两匹。开禧用兵，既败，增为三十万两匹。至金哀宗时，宋停其岁币，元太宗曾来征岁币，宋不与。”同上“岁币”条是两宋三百年，可云以和与币而存也。而其端，由宋开国时启之。

太祖之时，以契丹而曲容李汉超之不法欧阳修《归田录》一，《宋史》李传，李焘《续长编》卷八乾德五年亦记太祖为契丹故而优容张美之不法，具征畏敌如虎。其在太宗，则虽伐契丹，而至于大败：“凡行在服御宝器，尽为所夺，从人宫女，尽陷没。股上中两箭，岁岁必发。其弃天下，竟以箭疮发云。”王铚《默记》页二十二而真宗时澶渊之盟辽，沈括记其事云：“景德中，河北用兵，车驾欲幸澶渊，中外之论不一。独寇忠愍（準）赞上意，乘舆方渡河，虏骑充斥，人情恟恟。上使人微觇準所为，而準方酣寝，鼻息如雷。人以其一时镇物，比之谢安。”《梦溪笔谈》卷九仁宗庆历三年一〇四三辽又来胁，乃使富弼聘焉，卒加币而和。“王拱辰曰：‘戎狄无厌，好窥中国之隙，且陛下只一女，万一欲请和亲，则如之何？’仁宗闵然动色曰：‘苟利社稷，朕亦岂爱一女耶？’拱辰语塞。”魏泰《东轩笔录》卷九——昌炽盛大之时，而其势已如斯！

陈师道《后山集》卷二十四《谈丛四》云：“熙宁中，张文定公以宣徽使召，众谓天子修贡为辱，而陛下神武，可一战胜也。公独曰：‘陛下谓宋与契丹战，凡几战胜负若何？两府八公皆莫知也。’神宗以问公，公曰：‘宋与契丹大小八十一战，惟张齐贤太原之战才一胜耳。陛下视和与战孰便？’上善之。”是北宋之辱于辽者至矣。

神宗以还，女真勃兴，徽宗约金攻辽，卒以召亡。然宋“阒其无人矣。虽微童贯，挑女直以进之，其能免乎？”《宋论》八“靖康之祸”条其后靖康祸作，高宗南渡。“自金人犯中国，所过名都大都，率以虚声喝降，如探囊得之。”李心传《建炎以来系年要录》卷三十七“梁王自马家渡渡江，江之南，虽有兵；望见吾军，即奔走。”同上卷一九四引金人语高宗建炎三年“上遣使诣金主晟请和，且致书宗维。略曰：‘古之有国家而逼于危亡者，不过守与奔而已。今以守则无人，以奔则无地，此所以谡谡然惟希阁下怜之而已。’”同上卷二十六哀怜之态，视中古史中之东晋，过而无不及已。故议和之过，亦不当专责之秦桧也。

放翁《追感往事》云：“诸公可谓善谋身，误国当时岂一秦？不是夷吾出江左，新亭对泣亦无人。”然东晋时尚得新亭对泣，盖“宋以前入寇者，无如金源之强。建炎之时，尽有将材，势不敌也。十六国僭伪之主，惟苻坚、慕容垂有大志。刘、石虽坚，要是草窃之资。故东晋得以晏然江左。使当金源时，势如破竹矣”朱一新《无邪堂答问》卷一自允论也。

南渡以后，宋金间有两大战，一为采石，一为符离。然采石之胜，要亦危而后济者详李心传《要录》一九三，又一九四，“是时（金主）亮虽遭杀，残虏北归，纪律肃然；无一人叛亡。此岂易胜之师乎。朱文公曰：‘谢安之于桓温，陈鲁公之于完颜亮，幸而捱得他死尔。’”《鹤林玉露》卷四至于张浚符离之败，详周密《齐东野语》卷二《魏公三战本末》。孝宗恢复之念，由是熸焉。王弱生《读〈宋史·张浚传〉》云：“十万良家等蠛蠓，符离一夕水流红，魏公心法由来异，鼻息如雷学寇公。”彭遵泗《蜀碧》卷九引此鼻息如雷者，《鹤林玉露》卷六笑浚之败也。嗣后而有韩侂胄之伐金，亦不出于败之一途。无惑

乎于叶水心之慨然而语曰："天下之弱势。历数古人之为国，无甚于本朝者。"《水心集》五《纪纲二》

宁宗时，李璧使北诗云："天连海岱压中州，煖翠浮岚夜不收。如此山河落人手，西风残照懒回头。"《宋诗记事》五十六又刘改之《题京口多景楼》诗云："壮观东南二百州，景于多处却多愁。江流千古英雄泪，山掩诸公富贵羞。北府只今惟有酒，中原在望莫登楼。西风战舰成何事，只送年年使客舟！"《玉露》卷五亦黍离麦秀之意云。

不久而蒙古来矣，元兴宋亡矣。吕留良《东庄诗存》《伥伥集》页十一云："如此江山亭，宋末陈仲美画。按叙，宋南渡后有如此江山亭，宋(亡)遗民，画此图以见意。"昔尚有亭，今则存图，文文山《过安庆》诗云："风雨宣城路，重来白发新；长江还有险，中国自无人。"刘壎《隐居通议》卷十二引郑元佑《遂昌杂录》页十七，读画斋丛书本云："宋末琴士汪水云者，工于诗，诗皆清丽可喜。杭城破后，其诗有曰：'西塞山边日落处，北门关外雨来天。南人堕泪北人笑，臣甫低头拜杜鹃。'又曰：'钱塘江上雨初干，风入端门阵阵喧；万马乱嘶临警跸，三宫洒泪湿铃鸾，童儿賸遣追徐福，厉鬼终当灭贺兰。若说和亲能活国，婵娟剩遣嫁呼韩。'又《题王导像》云：'秦淮浪白蒋山青，西望神州草木腥，江左夷吾甘半壁，只缘无泪泣新亭。'"——三百年来民族之辱，至于斯而极矣。

《宋遗民录》卷十二引梁隆吉《四禽言》云："行不得也哥哥，湖南湖北春水多，九疑山前叫虞舜，奈此乾坤无路何？行不得也哥哥。”又《遂昌杂录》页十四载邓光荐为文信国旧客，“宋亡以义行著。其所著《鹧鸪词》有云：行不得也哥哥，瘦妻弱子骡赢牸驼，天长地阔多网罗，南音渐少北音多，肉飞不起可奈何，行不得也哥哥！”——均民族之血泪也。故记之不厌其详云。

然民族之创痛，亦有代价在焉，则南华之开化是焉。

考五胡乱华时，南方曾一次开化详中古卷二十节。然在唐时，宋璟开府广州，尚教广人以瓦居《旧唐》九六《宋璟传》。其在于宋，闽峤亦与大漠对举详《默记》页三七。似不甚发达。然北宋时代，杭州已十渐发扬。欧阳修所云：“又其俗习工巧，邑屋华丽，盖十余万家。环以湖山，左右映带，而闽商岭贾，风帆海舶，出没于江涛浩渺，云烟杳霭之间，可谓盛矣。”《文忠集》四〇《有美堂记》而“陈止斋谓本朝名节，自范文正始。议论文章，自欧阳子始。道学自周子始。三君子皆萃于东南，殆有天意”《困学纪闻》卷十五。《宋史·崔与之传》论云：“唐张九龄、姜公辅，宋余靖，皆出于岭峤之南。而为名世公卿。造物者，曷尝择地而生贤哉？”《宋史》四〇六——第在南渡以后，则南方更启朗矣。

南渡后之临安，观《宋史》四三六《陈亮传》可见；《竹坡诗话》页二，津逮本云：“维扬之扰，衣冠皆南渡。”而柳永词有“荷花十里，桂子三秋”之句，金主亮遂以萌南侵之心详罗大经《鹤林玉露》卷一。林升诗云：“山外青山楼外楼，西湖歌舞几时休。熏风吹得游人醉，直把杭州作汴州。”详田汝成《西湖游览志余》卷二朱子亦谓杭州，“今宫室台榭之盛如斯，如何动得？”详《语类》一百三十一周密《武陵旧事》卷三又载当时西湖游幸之乐。蒋正子

《山房随笔》，又载贾似道之奢华页十七，知不足斋本。周煇《清波杂志》下，稗海本、吴自牧《梦粱录》卷十二均载当时湖船之胜。——知浙江华奂极已

且他处未尝不繁盛也，罗大经言：“巴邛闽峤，夙称荒陋，而汉唐以来，渐产人材，至本朝益盛。古称‘山西出将，山东出相’，又曰‘汝颍多奇士，燕赵多佳人’，其说拘矣。”《玉露》卷四可知南宋之时，南北文野有间者，盖不止一杭州焉。

自此以往，以至明清，唐甄《潜书》下之上曰：“吴越之民，衣谷帛，食海珍；河汾之民，衣不过布絮，食不过菜饼。”顾亭林曰：“使我泽中有牛羊百，江南不足怀也。”《先正事略》卷二十七《亭林事略》此盖主开放北方之词耳。异日洪、杨贪恋江南，不肯北伐，卒以致败参看章炳麟《检论》七页二十二。叶昌炽于拳变亟时，曰：“闻宣武门外，人似潮涌，市肆皆焚香以迎。乃知北人，无一非混小子也！”《缘督庐日记》卷八庚子五月盖于南北之差异，益有微词已。

其他，则《易》有之曰：“尺蠖之屈，以求信也。”盖有两宋九六〇——一二七六三百余年之屈，而后有元明二代之伸。如元之征日本是也。抚今思昔，近古史上之殊色异荣，盖何时而能再来乎？谢肇淛《五杂俎》云：“元之盛时，外夷朝贡者千余国，可谓穷天极地，罔不宾服。而惟日本倔强不臣，阿拉罕等率师十万往征，得还者三人耳。”卷四周密《癸辛杂识》续集下页二四云：“至元十八年，大军征日本。船军已至竹岛，与其太宰府甚迩。方号令翌日分路以入，夜半，忽大风暴作，诸船皆击撞而碎。四千余舟，所存二百而已。全军十五万人，归者不能五之一。凡弃粮五十万石，衣甲器械称是。

是夕之风，木大数围者皆拔，或中折，盖天意云！”——非战之罪，天不佑我，然亦空前绝无之大事焉，视宋之屈辱者有间已。

当时遗民对元，多恶感，故深以其见败于日本为快。郑思肖《心史》卷上页五六，上虞罗氏钞本有《元贼谋取日本二绝》录一云：“涉险应难得命还，倭中风物素横蛮。纵饶航海数百万，不直龙王一怒间。”参看本卷第二节要亦因噎废食之论。赵翼《陔余丛考》卷十八有“元时疆域之大”一条可参看。

第三章　抗衡黑暗之文治

七　印刷术

然中古文化中有一极焜耀之事物，则印刷术之盛行是已。

印刷之兴，远当溯诸拓墨，拓墨亦复印之一焉。而拓墨，则与石经有关。

考自汉至宋，石经有七参《困学纪闻》卷八，本卷第一节已引。《后汉书·吕强传》、《蔡邕传》，均言其事。《水经注》卷十六《谷水》云："光和六年，刻石镂碑，载五经，立于太学讲堂。蔡邕以熹平四年，奏定正书六经文字，灵帝许之，邕乃自书丹于碑，使工镌刻，立于太学门外。于是后儒晚学，咸取正焉。及碑初立，其观视及笔写者，车乘日千余两，填塞巷陌矣。魏正始中，又立篆古隶三字石经。"杨衒之《洛阳伽蓝记》卷三云："报德寺，有汉国子学堂。堂前有三种字石经二十五碑，表里刻之，写《春秋》、《尚书》二部，作篆、科斗、隶三体字。汉右中郎将蔡邕笔之遗迹也。犹有十八碑，余皆残毁。复有石碑四十八枚，亦表里隶书，写《周易》、《尚书》、《公羊》三部。"——自此以后，代有踵述。如唐有开成石经《通鉴》二四五是也。石经功能所在，固有同于印板，以其能是正文字；后更拓墨，施于石经;则愈似印刷之复印也。

王国维《观堂集林》卷二〇《魏石经考》云:“拓石之法,未识始于何时,然拓本之始见于记载者,实自石经始。《后汉书·蔡邕传》,碑始立,其观视及摹写者,车乘日千余两。《晋书·赵至传》,至游太学,遇嵇康于学,写石经。《石季龙载记》,遣国子博士诣洛阳,写石经。自汉至晋之中时,尚无拓墨之法。《隋志》注载梁有一字石经、三字石经,其为拓本或写本,并无可考。惟《隋志》之两种石经,确为拓本。志与《封氏闻见记》,均明言之。”可知拓本始于隋唐间,已有明征。惟此为凹板之石印,而印刷则为凸板木刻耳。故叶昌炽《语石》卷九云:“长兴雕造经典,始用黑字。若唐以前石刻,惟碑额兼用阳文案《指海》第一集有顾炎武《石经考》,可参看。”

至于正式之雕版,论其源起,亦有数说。

其一,则《河汾燕间录》云:“隋开皇十二年五九二,敕遗经废像,悉行雕撰。”据顾槐三《补五代艺志》引渔洋以为雕撰所自。但雕者,或指雕像,且初唐不闻有此如《旧唐书》一六五《柳仲郢传》言仲郢钞书,只证难从,置之不论,可已。

其二,则白氏《长庆集》,有勾勒炫售于市之语。王国维云:“雕板之兴,远在唐代,其初见于记载者,吴蜀也,而吾浙为尤先。元微之作《白氏长庆集叙》,自注云:‘扬越间,多作书,摹勒乐天及予杂诗,卖于市肆之中。’夫刻石亦可云摹勒,而作书鬻卖,则非雕板不可。然则唐之中叶,吾浙已有刊板矣。”《观堂集林》二十一《两浙古刊本考》此所记似较隋时之说稍妥。然为审慎计,而不废前人之说者,则元白之诗之勒卖，固未可轻视为雕板也。故王辟之《渑水燕谈录》卷六云：“白乐天尝谪官江州，多游东林，即今庐山寺，寺有莲花庄，藏有白集七十卷，传云：居易自写同远大师大集，不许出寺，广明初，高骈强取去”云。

宋宋敏求《春明退朝录》卷下页十一云：“唐白文公自勒文集，成五十卷，后集二十卷，皆写本，寄藏庐山东林寺，又藏龙门香山寺。高骈镇淮南，寄语江西廉使，取《东林集》而有之。《香山集》，经乱亦不复存。……后唐明宗子秦王从荣，又写本，寘院之经藏，今本是也。后人亦补东林所藏，皆篇目次第非真，与今吴蜀摹板无异。”考白氏置集寺中，原为不朽计；如其时已有印刷，以助不朽，则曷为不自付印刷，而但以写本藏寺哉？说者谓白自写白集，人自印白集，二事并行，——恐匪然也。

但唐季已有雕板之说，则可谓颠扑不破者尔。

顾槐三《补五代史艺文志》云：“案《通考·经籍门》以为刻书始于后唐冯道，沈存中《笔谈》、孔平仲《谈苑》、王仲言《挥麈后录》、陶岳《五代史补》同。然案《猗觉寮杂记》云：‘唐末益州，始有墨板。’《石林燕语》则谓‘唐柳玭《家训》序中和三年，在蜀见市肆字书雕本’，是唐时已有印刷矣。至《河汾燕间录》又谓隋开皇十二年十二月，敕遗经废象，悉令雕撰，王新城尚书，以为刊书之所自。然则雕板固肇于隋，行于唐，扩于五代，精于宋，如胡应麟之说无疑也。郎瑛《七修类稿》又谓唐时不过有一二，至冯道始撰印五经。”前人之说如尔。

日本宝龟元年有《陀罗尼经》之刻，此可傍证唐人雕板见本卷第一节引王修《版本述》。《册府元龟》云：后唐长兴中，冯道、李愚奏曰："尝见吴蜀之人鬻印刷文字，色类繁多。"据王氏《两浙古刊本》转引长兴离唐亡，不过二十余年。曰色类繁多者，则二十余年前，庸得即曰无之。善乎，叶梦得之言，曰："世言雕板印书，始冯道，此不然。但监本五经板，道为之尔。柳玭《家训》叙言其在蜀时，尝阅书肆云：'字书小学，率雕板印纸。'则唐固有之矣，但恐不如今之工。"《石林燕语辨》卷八页三，儒学警悟本马令《南唐书》二十六《浮屠应之传》云："元宗喜《楞严经》，……敕应之书镂板，既成，上之。"朱新仲《猗觉寮杂记》下五三页云："雕板文字，唐以前无之，唐末益州，始有墨板。"——均其征焉。

至于五代以迄于宋，则工事愈兴矣。

明宗长兴三年，宰相冯道、李愚，请令国子监正田敏，校正九经刻板印卖。又中书门下，请依石经文字，刻九经写板。同时，则又有毋昭裔，仕于伪蜀者也。秦再思《记异录》云："毋公者，蒲津人也。仕蜀为相。先是，公在布衣日，尝从人借《文选》及《初学记》，人有难色。公浩叹曰：'予恨家贫，不能力致，他日稍达，愿刻板印之。庶及天下习学之者。'后公果于蜀显达，乃曰：'今日可以酬宿愿矣！，因命工匠日夜雕板，印成两部之书。公览之，欣然曰：适吾愿矣。复雕九经诸书，两蜀文字，由是大兴。"《古今类事》卷十九引蜀中如斯，中土可想已。

案王溥《五代会要》云："长兴三年，中书、门下奏请依石经文字，刻九经印板，敕令国子监集博士儒徒，将西京石经本，各以所业本经，句度钞写，注出仔细看读。然后召能雕字匠人刻印，广颁天下。”又“周广顺三年判国子监事田敏，献印板九经书、五经文字样各二部，一百三十册”据徐炯《补五代史考》二十二引。毋昭裔之时代，据王明清所云，则似比冯、李为早。《挥麈余话》卷二云：“毋昭裔贫贱时，尝借《文选》于交游间，其人有难色。发愤异日若贵，刻板以镂之，遗学者。后仕王蜀，为宰，遂践其言。印行书籍，创见于此。事载陶岳《五代史补》。后唐平蜀，明宗命太学士李鹗书五经，仿其制作，刊板于国子监监中。明清家有鹗书印本存，后题长兴二年也。”然王国维驳之云：“案后唐始刊九经，据《册府元龟》所载冯道、李愚等奏，固发端于吴蜀印板文字。然以为仿蜀毋昭裔《文选》之制，又大不然。昭裔相蜀，在孟昶明德二年，后唐清太二年，至广政十六七年，尚在相位。仲言言其相王蜀，已非事实。其刊《文选》，在相蜀后。自不得在长兴之前。孔平仲《珩璜新论》云：‘周广顺中，蜀相毋昭裔请刊印九经，《通鉴》载昭裔刻九经在广政十六年，即周广顺二年，正田敏板成之岁也。’”《观堂集林》卷二十一《覆五代刊本尔雅跋》可知蜀与后唐同时印刷，具征当时印事之滋兴也。

综言之，印刷者导源于唐季，演进于五代，盛行于宋初。殆可谓为无语病也。

《宋史》二〇二《艺文志》叙云：“周显德中始有经籍刻板，学者无笔札之劳。”《邢昺传》《宋史》四三一载景德二年昺答太宗之问谓：“国初不及四千，今十余万。臣少从师业儒，经有疏者，百无一二。盖力不能传写。今板本大备，儒庶家皆有之。”然则印刷之昌明，其便利于学者何限？时人因噎废食之论，不足道也。

盛如梓《庶斋老学丛谈》卷中上页三云："书籍板印，始于后唐。昔州郡各有刊行文籍，《寰宇书目》备载之。虽为学者之功，而读书之功，不及古人矣。"前人持此说者甚众，然究为因噎废食，当以昺传为正也。且宋初印刷，固无今日之便。《东坡集》五十一《与陈秀才书》云："儿子到此，钞得《唐书》一部，又借得《前汉》欲钞。若了此二书，便是贫儿暴富也。"程俱《麟台故事》武英殿本卷三云："淳化三年，帝登阁观群书齐整，谓侍臣曰：'丧乱以来，经籍散失，周孔之教，将堕于地。朕即位之后，多方收拾，钞写购募，今方及数万卷。'……他日又谓侍臣曰：'尔来武臣子孙，颇有习儒学者；盖自人所好耳。'吕蒙正曰：'国家褒待文士，爵禄非轻；故人人自劝，乃圣化所及。'"——则宋初犹多钞书供读者。非如南宋，则李心传《建炎以来朝野杂记》甲集四云："监本书籍者，绍兴末年所刊，九年九月，张彦实为尚书，即请取各州郡学旧监本书籍，镂板印行，从之。"镂板之事，竟如家常便饭也。

印刷发明以后，书之装订，亦起变化。考古时有简有册，郑注《中庸》，以单执为简，连简为册。《左氏传》叙云：大事书册，小事书简。卷简与册，则谓之卷。刘熙曰：卷，绻也。自纸发明，而卷子本盛行。盖卷子与手钞，实为相系之事。其后印刷昌明，而有旋风装焉四角向外，蝴蝶装焉板心向内正文向外，而有包背装焉如《永乐大典》装略似今日和装，而再后则有线装焉。文化工具，日趋便利，印刷昌明，真近古史上大事哉！与近古史上之火药发明，同于焜耀已。

案火药之发明，见本卷第二节引《荀学斋日记》己集下及《麈史》卷下，而《金史》一一六《蒲察官奴传》又详言其制，《陔余丛考》卷三十亦有所记，收入本卷二〇节《宋人学艺》中。

八 杯酒释兵权

印刷之盛行，盖适在北宋粉饰文治之时。今存北宋类书，如《太平御览》、《册府元龟》、《太平广记》皆成于宋初。然其动机，则与中古之汉武修书，近世之清开四库，盖同出于铺饰文治，销磨英才之一念尔。王明清《挥麈后录》卷一云："太平兴国中，诸降王死，其群臣或宣怨言。太宗尽收用之，寘之馆阁，使修群书。如《文苑英华》、《太平广记》之类，厚其廪禄，赡给以役其心，多卒老于文字之间云。"元刘壎《隐居通义》卷十三云："宋初编《文苑英华》之类，并不足采。或谓当时削平僭伪，其降臣聚朝多怀旧者，虑其或有异志，故皆位之馆阁，厚其爵禄，使编纂群书。如《御览》、《广记》、《英华》诸书，迟其岁月，困其心志，于是诸降国之臣，俱老死文字间。世以为深得老英雄法。"——有是哉，此言也！盖征之于宋初之削夺武人，即所谓杯酒释兵权者而益信也。

杯酒释兵权，即指宋祖曲宴石守信等，讽其谢病引退，事具《宋史》二五五《王彦超传》、二五〇《石守信传》、王辟之《渑水燕谈录》卷一、司马光《涑水记闻》卷一、邵伯温《邵氏闻见前录》卷一、王曾《文正笔录》页九—十，学津本，其详见余弟叔陶所著《杯酒释兵权考》。

考唐季以来，武人跋扈中古卷四十二节。寖假而至“天子之废立，出于士卒，（则）由唐明宗始。明宗以此得之，而反尔之报，在其后人”。《困学记闻》卷十四盖“大历、贞元之间，节度固已为士卒所立。唐末尤甚。而五代接于本朝之初；人主之兴废，皆群卒为之拥戴。一出而天下俯首听命”。《水心集》卷五《兵论二》夯市靖市已见中古卷四十二节，无论已。即宋祖本人，叶梦得云：“太祖皇帝微时，尝被酒入南京高辛庙。香案上，有竹杯筊，因取以占己之名位。俗以一俯一仰为圣筊，自小校而上，至节度使，一一掷之，皆不应。忽曰：‘过是则为天子乎，一掷而得圣筊。’”《石林燕语》卷一为官当作节度使，此其征矣。他日之所谓“黄袍加身”，不过武人拥立耳。

黄袍加身之事，详《宋史》卷一《太祖纪》、李焘《续通鉴长编》卷一页三、司马光《纪闻》卷一页三、苏辙《龙川别志》卷上页二，考《渑水燕谈录》卷八记：“李淑守郑州，题（后周）少主陵曰：‘弄耜牵车晚鼓催，不知门外倒戈回。荒坟断陇才三尺，刚道房陵半仗来。’”明敖英《绿雪亭杂言》页十云：“岳蒙泉咏陈桥兵变，有曰：阿母素知儿有志，外人翻道帝无心。又曰：‘黄袍不是寻常物，谁信军中偶得之。’或曰：‘使艺祖闻此，亦将无以自解。’”可谓得史事之真！

然武人何以如此有权耶？

所谓有权，盖宋初五季之武人，一则专用人之权《廿二史劄记》二十二“五代藩镇皆用武人”条，二则专财赋之权同上同卷《五代藩镇劫财之习》，故《水心集》卷四《财总论》云：“唐末藩镇自擅，财赋散失。更五代而不能收。加以非常之变屡作，排门空肆，以受科敛之害，而财之匮甚矣。”三则专司法之权，李焘《续长编》卷二云：“唐季以来，典刑弛废。州县掌狱吏，不明习律令，守牧武人，率恣意用事。”参《宋史》二五〇《王审琦传》而军权之不统于中央，士仅知效死于其将，犹不与！——在如斯之景地中，宋祖既以赵孟而贵，能不虑于赵孟之亦能贱之乎！宋之初年，武人仍横，宜宋祖之不得安枕焉。

明李日华《六砚斋三笔》卷一云：“太祖赐王审琦铁券，券文曰：负运鼎之雄材，统经邦之大略。一言兴天地之机，万世开磐石之固。黄河有如带之流，泰山有如拳之石。故使我念卿使卿，常袭宠荣，克保富贵。今恕卿九死，子孙恕五死，云孙恕三死。如违此誓，天不盖，地不载，国祚倾危。建隆三年□月□日赐秦王券誓。”——可见当时安反侧之至。太祖尝与慕容延钊相尔汝，而即位后仍此《宋史》二五一《钊传》。《归田录》卷一又记李汉超所为不法，而太祖不敢诘。王定国《闻见近录》页二五，知不足斋本云：“太祖即位，方镇多偃蹇，所谓十兄弟者是也。上一日，召诸方镇，授以弓剑，人驰一骑，与上私出周子门大林中。下马酌酒，上语方镇曰：‘此处无人，尔辈欲作官家者，可杀我而为之！’方镇伏地战恐，上再三喻之，伏地不敢对。上曰：‘尔辈是真欲我为主耶？’方镇皆再拜称万岁。上曰：‘尔辈既欲我为天下主，尔辈当尽臣节，毋或偃蹇。’方镇复再拜呼万岁，与饮尽醉而归。”事虽莫须有，然太祖之有戒心也可知。

故太祖于杯酒曲宴之外，更有文治者数事焉。

其一，则王君玉《国老谈苑》卷一云：“太祖尝语赵普曰：‘唐室祸源,在诸侯难制。何术以革之?'普曰:'列郡以京官权知,三年一替,则无虞,因从之。'"盖初下湖南,即置通判《宋史》一六七《官志》。《归田录》卷三极言通判权大,监制驻在长官,夺武人行政之权。则太祖之措处一也。

其二,创番休之制,使兵均依时而迁《宋史》一八七。故将不专其兵;又收郡国强悍之兵,"联营厚禄,以收材武之士,屯重兵于京师,以销四方不轨之气。"《续长编》三〇一"数遣使者,分诣诸道,选择精兵,凡其材力技艺,有过人者,皆收补禁军,聚之京师。居尝躬自案阅训练,皆一以当百,诸镇皆自知兵力精锐,非京师之敌,莫敢有异心!"《涑水纪闻》卷一"悉招聚四方无赖不逞之人,刺为兵连营而居之,所以太平之业定!"朱弁《曲洧旧闻》卷九——兵既全在国家控制之下,文治自易,此则太祖之措处二也。

其三,叶水心曰:"太祖之制诸镇,以执其财用之权为最急。"《水心集》四《财二》陈傅良云:"国家肇造之初,创方镇专赋之弊,以天下留州钱物,尽名系省。"《止斋集》卷十九《赵桂阳日奏事劄子》而转运使《宋史》一六《职官志》之设,尤能使财在上,此则太祖之文治三也。

以上三则,别详王仲言《挥麈余话》卷一页二五—三一,津逮本。

太祖以后,至太宗行此诸端尤亟。"艺祖思靖天下,以为不削节度,其祸不息。……(然)其时太原强盛,所以备守之者,犹倚边将。至太宗则又渐收之,虽边庭亦如内地矣"《水心集》五《纪纲二》。因之而宋之节度使,甚非唐旧,"节度使皆留京,遥领官职,不必赴任。"《挥麈余话》卷一"国初节度使,犹有赴治所者,谓之归镇,以为异礼。"徐度《却扫编》卷上——武臣既束手归朝,在文治之下,甘听文人之嘲弄，而莫敢谁何矣。

> 故北宋一代，武臣甚见侮于文臣，如王德用应人之求，则曰："某武人，素不阅书，若奉荐，则色叫矣。"王得臣《麈史》卷中太宗内宴，曹翰欲与于赋诗，则曰："卿武人也，宜以刀字为韵。"王处厚《青箱杂记》卷六焦用犯韩琦军法，狄青以焦用好儿为请，"魏公曰：'东华门外，以状元唱出者，乃是好儿。此岂得为好儿耶？'立青而面诛之。"王銍《默记》页二十欧阳修则劾许怀德谢表怠慢《宋史》三二四。昭梿《啸亭杂录》曰："有宋一代，武臣寥寥。惟狄武襄立功广南，稍为生色。……乃欧阳公露章劾之，至恐其有他心。狄公终以忧愤而卒。其后贼桧得以陷岳武穆，亦袭欧阳之故智耳。"《啸亭杂录》卷二此武人低抑，盖矫唐乱而过甚者也。

但削夺将权之文治，较诸印刷术之于文治，其结果自异矣。《朱子语类》一二八云："本朝鉴五代藩镇之弊，遂尽夺藩镇之权，兵也收了，财也收了，赏罚刑政，一切收了，州县遂日就困弱，靖康之祸，虏骑所过，莫不溃散。"——使州郡之兵单弱，此则其敝一也。

吕东莱曰："国家治体，有远过前代者。……然文治可观，而武迹未振。多胜相望，而干略未优。故虽昌炽盛大之时，而此病已见。是以元昊之难，韩范皆一时之选。而莫能平殄，则事功之不竞，从可知已。"《东莱集》卷一淳熙四年劄子良由文臣统军，当然有疏虞之咎，《梦溪笔谈》卷九所载，宝元中，夏元昊叛，上问边备，而辅臣皆不能对者，即可见其病已。蓄狗捕鼠，以文监武，斯则其敝二也。

《宋史》三三五《种世衡传》论云："宋惩五季藩镇之弊，稍用逢掖治边陲，领介胄。然兵势国之大事，非素明习，而欲应变决策于急遽危难之际，岂不仆哉！"意同。

至于分裂将权，莫相统属。《却扫编》云："范文正公为陕西招讨使，以边兵训练不精，盖无专任其责者。又部署钤辖等，权任相并，莫相统一，是以屡致挫衄。"卷上页三〇仁宗时侬智高之乱，庞庄敏谓："向者主师所以屡败，由大将不足以统一，裨将人人自用，故遇敌辄北。"《渑水燕谈录》卷二将权分裂，莫为节度，斯则其敝三也。

又如番休更戍之制，则使"兵不知将，将不知兵"《宋史》一八八，《通考》一五三，屯重兵于京师，使足抵衡诸道，则军费日繁《东坡集》卷十八《定军制十四》。真、仁之际，国用于以不足，斯则其敝四也。

有斯四敝而又乘之以辽、宋新发于型之势，因而北宋之削弱成。《路史·国名纪》卷信《封建后论》曰："天下之枉，未足以害理；而矫枉之枉常深，天下之弊，未足以害事；而救弊之弊常大。"顾宁人云："呜呼，人徒知艺祖罢节度为宋百年之利，而不知夺天下之兵与财，其害至于数百年而未已也。"《日知录》九《藩镇》李塨《阅史郄视》卷三云："颜习斋先生曰：'宋主以将得众心，而窃天下；故销将权，去藩镇。而不知将缩兵弱，遂至于积衰而丧亡。'"——救弊之弊常大，盖痛乎其言之已。

故北宋号称承平，而其中自有宁静苟安，与勉求出路之二大运动也。

第四章　宁静与挣扎

九　书院制度

宁静者，盖由臣子地位低落而来，武人低头而来，印刷昌明而来，国家文治而来；挣扎者，则由民族地位低落而来，武力不振而来，平民地位低落而来。——由宁静而孕育者，则道学及书院是已，由挣扎而表现者，则荆公变法是已。请先述书院制度。

考有唐书院之制，业见上卷中古四十二节。至宋则更盛矣。在唐以前，私人授学之所，名曰精舍。谢承《后汉书》云："陈实字仲弓，归家立精舍，讲授诸生数百人。"《御览》一八一"董春，会稽余姚人。立精舍，远方门徒，从学者常数百人。诸生多升讲堂，鸣鼓三通。横经捧手请问者百人，追随上堂，问难者百余人。"《御览》四〇四此即书院之前身。六朝以还，此风愈盛，僧道又各有精舍，以授其徒，此盖书院之前身云。

吴曾《能改斋漫录》卷四云："王观国《学林新编》云：'《晋书》孝武帝幼奉佛法，立静舍于内殿，引沙门居之。因此世俗谓佛寺为静舍。观国案：古之儒者，教授生徒，其所居，皆谓之精舍。故《后汉·包咸传》云："咸住东海，立精舍讲授。"又《檀敷传》云："立精舍讲授。"又《姜肱传》云："盗就精庐求见。"注曰："精庐，即精舍也。"以此观之，精舍本为儒者设，至晋武立精舍，以居沙门。非有儒释之别也。'——以上皆王说，余案，《三国志》引《江表传》云：'于吉来吴，立精舍，烧香读道书，制作符水，以疗病。'然则晋武以前，道士亦立精舍矣。"吴说释精舍之起，案曹公亦欲筑精舍以读书《魏志》一注，《贾长江集》有《延长里精舍独居》诗徐星伯《唐两京城坊考》卷四，则精舍之生命又甚长也。

宋时，官立学校，其制固班班可考，如太学生之议论朝政，其事历历可举。如为徐元杰讼冤者，太学生也《宋史》三二四《元杰传》；请起李纲、黄潜善者，太学生也《宋史》四五五《陈东传》。刘汉弼之卒也，"太学生蔡德润等百七十有三人，伏阙上书，以为暴卒"《宋》四〇六《汉弼传》。然私人授学之风，固已不替。《曲洧旧闻》云："宋次道龙图云：'校书如扫尘，随扫随有。'其家藏书，皆校三五过。居春明坊，昭陵时，士大夫喜读书者，多居其侧，以便于借置故也。当时春明坊宅子，比他处僦直，常高一倍。"《旧闻》卷四则私人来学之风也；《宋史》三三六《范镇传》云："薛奎守蜀，一见爱之，馆于府舍，俾与子弟讲学。"则私人聘师之习也。而私塾之设，亦当时所习见者。

魏泰《东轩笔录》卷十四云："范文正公在睢阳，掌学有孙秀才者，索游上谒，文正赠钱一千。明年，孙生复道睢阳谒文正，又赠一千。因问何为汲汲于道路？……文正曰：'吾观子辞气，非乞客也。二年仆仆，所得几何？而废学多矣。吾今补子为学职，月可得钱三千，以供养，子能安于为学乎？'孙生再拜大喜：……后十年，闻泰山下有孙明复先生，以《春秋》教授学者，道德高迈，朝廷召至太学，乃昔日索游孙秀才也。"则私人自行授徒，如今世之私塾者，固亦有之。《涑水纪闻》卷二载李穆，"闻酸枣王昭素先生善《易》，往师之，昭素喜其开敏。"则私人从学于私人者亦不少矣。

而书院，则规模较大，立法较细。《通鉴》二一二称唐玄宗开元十一年，置丽正书院，其事不甚可详。其在北宋，则胡瑗之安定书院，史称其盛云："瑗教人有法，科条纤悉备具，以身先之。虽盛暑，必公服坐堂上，严师弟子之礼。……从之游者，常数百人。庆历中，兴太学，下湖州，取其法，著为令。"《宋》四三二《瑗传》盖"瑗之弟子千数，别其老成者为经社"《宋》三四四《孙觉传》，则班级之设，安定盖已有之，事具《宋元学案》云。

《宋元学案》卷一《安定学案》云："先生倡明正学，以身先之。虽盛暑，必公服坐上，严师弟子之礼，视诸生如子弟，诸生亦爱敬如父兄。其教人之法，科条纤悉具备。立经义治事二斋，经义则选择心性疏通，有器局可任大事者，使之讲明六经。治事则一人各治一事，又兼摄一事，如治民以安其生，讲武以御其寇，堰水以利田，算历以明数，是也。"

然北宋书院，犹设治事之斋，其在南渡以后，则纯然以书名院，而宁静之讲读，遂为当日之学风。宋初，有四大书院，曰白鹿洞，曰岳麓，曰应天，曰嵩阳。南宋之时，书院尤夥。如杜州书院等是，然案白鹿洞之规抚，初不过“缉先儒纯固悫实之遗风，复大学离经辨志之始教”淳熙六年《白鹿洞书院记》，见吕祖谦《东莱集》卷六；杜州书院之讲堂，不过“有六斋，曰尚德、曰复礼、曰守约、曰慎独、曰志道、曰养浩”全祖望《鲒埼亭外编》卷十六《杜州书院记》。白鹿洞《讲学录》卷三载朱子《四时读书歌》，云：“蹉跎莫遣韶华老，人生惟有读书好（春）。北窗高卧羲皇侣，只因曾稔读书趣（夏）。床头赖有短檠在，对此读书功更倍（秋）。读书之乐何处寻，数点梅花天地心（冬）。”盖官学与书院，同为宁静之学而已。

《宋史》四三四《陆九渊传》，载九渊在白鹿洞，讲君子喻于义一章，听者至为泣下，朱熹以为切中学者隐微之病：然徒重于讲，何益之足云？

盖南宋之时，国难愈益。士子之持敬持静，亦愈甚。而书院乃益发达。《续通考》卷五十云：“宋自白鹿、石鼓、应天、岳麓四书院后，日增月益。书院之建。所在有之。宁宗开禧中，衡山有南岳书院，掌教有田，育士有田，略仿四书院之制。嘉定中，涪州有北岩书院，至理宗时尤夥。其得请于朝，或赐额，或赐御书。及间有设官者，应天有明道书院，苏州有鹤山书院，丹阳有丹阳书院，太平有天平书院。……”余不录平情论之，设书院以济科举之穷，官学之敝，其意不可厚非。独憾其与道学一齐发达，无非僧侣习静之所，竟标圣贤绝学之名。时势愈急，而所教于儒子者，愈空静而无用。故周密《志雅堂杂钞》卷下，稗海本云：“尝闻乡曲沈子固先生云，道学之党，名起于元祐哲宗，盛于淳熙。其徒甚盛，蟠结其间，假此以惑世者，真可以吹枯嘘生。凡治财赋者，则目为聚敛。开阃捍边者，则目为麄材。读书作文者，则目为玩物丧志。留心吏事者，则目为俗吏。盖其所读书，止《四书》、《近思录》、《通书》、《太极图》、《西铭》及《语录》之类。自诡为绝学，首正心齐家，以至治国平天下。故为之说曰：为天地立心，为生民立命，为前圣继绝学，为万世开太平。为州为县，为监司，必须建立书院，或道统诸贤之祠。"——此可以见书院与道学之关系，而于宋之国势，为功为罪，固难论定。然介乎南北宋间之书院，其不足以应付民族屈辱之时势者，则固明甚。

且宋时书院，如安定白鹿洞等等，尚多以私人诚信，相孚号召，无官场习气。《宋元学案》："象山在应天书院精舍，学者坐以齿，傅子云坐末席，象山令设一席于旁，时令代讲。或疑之，象山曰：'子云，天下奇材也。'及出守荆门，尽以书院事付之"《宋史》四三四《蔡元定传》。记韩平原设禁伪学时，捕元定，"朱熹与从游者数百人，饯别萧寺中。坐客兴歎，有泣下者。熹微视元定，不异平时。因喟然曰：'友朋相爱之情，季通不挫之志，可谓两得之矣。'"是宁静之中饶有栩栩生动之意。

其在于元，则书院之长，命之于官。《元史·选举志》："凡师儒之命于朝廷者，曰教授，路府上中州置之；命于礼部，及行省等者，曰学正、山长。路州县及书院置之。路设教授、学正各一员，上中州设教授一员，县设教谕一员，书院设山长一员。"《元史》八十一则迂腐之学，而又杂之官僚之习，虽私人所设，在所而有，要与书院初创时之旨趣异矣。

船山《宋论》卷三谓："真宗咸平四年，诏赐九经于聚徒讲习之所，此书院之始也，嗣后胡安定、孙明复起师道，立学者兴，以成乎周、程、张、朱之盛。……(然)既立太学于京师,立儒学于郡邑,……而乌用草茅之士,私立门庭以抗君师,以擅尸其职?使支离之异学,雌黄之游士,荧天下之耳目,而荡其心!”——船山诋私人设学之非,实误。考书院之精神,惟在私人讲授,无学官冷迂习气,并此而不存,则书院真不如无有矣!妄书所见于此。

一〇　官学与选举

但书院之制,虽半为宁静之代表,犹不如其时之官学,其时之选举,为呆板而不适于用也。

考宋初用士,本以诗赋论策帖为主详《宋史》一五五《选举志》。其制举则无常科,所以待天下之材《宋史》一五六志。又有律学、武学、书学、画学、医学诸科均在《宋》一五七志,而其所重者,胥在善作诗论之进士,善帖墨义之明经《宋》一五五。本已虚静无用,而又重烦其手续,如禁止挟书入场,及口接目语《宋》一五五。试官入院,则即行锁闱欧阳修《归田录》卷三。举子之文,别加誊录《能改斋漫录》一。举子之名,别加糊名考校《芦浦笔记》三。具详中古卷中四十节。上以斯求,下以斯应,其士子固已如奴隶已。盖以视夫唐,制愈严已。

王圣涂《渑水燕谈录》卷二云:“进士之举,本朝尤盛,而沿革不一。开宝六年,因徐士廉伐鼓诉讼,帝复试,复试自此始。分甲次,自兴国八年,王世则榜始。赐袍笏,自祥符中姚晔榜始。赐别科出身,自咸平三年陈尧咨榜始。唱名自雍熙二年梁灏榜始。弥封誊录,复校编排,皆始于景德、祥符之间。”又云:“唐制礼部试举人,夜试以三鼓为定。后唐长兴,改用昼试。侍郎窦贞固以短晷难成,文字不尽意,非取士之道。奏复夜试。本朝引校多士,率用白昼,不复继烛,”则科令之严,可想见已。

求之狭而督之严,故士子有不通古今之病。《程史》卷九云:“欧阳文忠公知贡举,故事,士子有疑,许上请。……士忽前曰:诸生欲用尧、舜事,而疑其为一事,或二事,惟先生幸教之!观者哄然,文忠不动色;徐曰:‘似此疑事,诚恐疑误,但不必用可也。’”《曲洧旧闻》卷三载韩察院言:“元丰初读举人试卷,其程文中,或有云,古有董仲舒,不知何许人?当时传者,莫不以为笑。此与定陵时省试举子于帘前,上请云:‘尧舜是一事,是两事,绝相类。’”《文昌杂录》卷一云:“刘莘老言,昔在郓州,进士李矩赴公试,问里人李演云:‘尧舜如何,可以对天地否。’闻者无不大噱!”——此王安石所以相神宗而一反之以经义取士也。

案胡仔《渔隐丛话》前集卷二十九云:“世传欧阳公掌贡闱,举子问尧舜是几种事,公曰:‘疑事不须用此。’或曰:此乃南唐汤悦、杨鸾问答,见郑文宝《江表志》。”——疑此事流转久云!

安石相神宗,“罢诗赋帖经墨义,士各占治《易》、《诗》、《书》、《周礼》、《礼记》一经,兼《论语》、《孟子》”。《宋史》一五五《韵语阳秋》云:“荆公深不喜诗赋,有试院中五绝。其一云:少年操笔坐中庭,子墨文章颇自轻,圣世选才终用赋,白头来此试诸生。作详定官后,有诗云:‘童子尝夸作赋工,暮年羞悔有扬雄。当年赐帛倡优等,今日论材将相中。细甚客卿因笔墨,卑于尔雅注鱼虫。汉家故事真当改,新咏知君胜弱翁!’”阮阅《诗话总龟》后集三七引安石既蚤非诗赋取士,因而,唐以来思用经义试士之潜意义,现于行事矣。

《朱子语类》一百二十八云:“学究,即唐之明经也。进士科,则试文字,学究科,则试墨义。有才思者,多试进士科;有记性者,则应学究科。凡试一大经,兼一小经。每段举一句,令写上下文,以通不通为去取。……但未必晓文义,正与和尚转经相似。又有司待之之礼,亦不与进士等。进士入试之日,主文者设案焚香,垂帘讲解。至学究则撤幕以防传递,其法极严。有渴至饮砚水因而黥其口者,当时以为笑。欧公亦有诗云:焚香礼进士,撤幕待诸生。此荆公所以恶而罢之。”虽然,荆公所以恶诗赋而专用经义者,则亦有历史之背景焉,《通鉴》二四四称唐文宗时“上患今世文士,不通经术,李德裕请依杨绾议,进士试论议,不试诗赋”。亦见《旧唐》二九《杨绾传》则用经义以取士,其由已久。

然于士子之不能应世,经义取士,果有济否?陈师道《后山谈丛》《后山集》二十一云:“王荆公改科举,暮年乃觉其失。曰:‘本欲变学究为秀才,不谓变秀才为学究也。’盖举子专诵王氏章句。而不解义,正如学究诵注疏耳。”是安石晚年,盖亦悔之。终宋之世,经义与诗赋,究为何者宜于取士,实不易置答云。

李心传《建炎以来朝野杂记》甲集十三云:“祖宗以来,但用诗赋取士。神宗重经术，遂废之。元祐兼用两科，绍圣又废诗赋。建炎三年，王唐公为礼部侍郎，言复以词赋取士。自绍兴二年科场始。曾侍御统，请废经义，而专用词赋，上意向之，吕元直不可而止。十三年，国学司业高抑崇建言，士以经术为本，请头场试经义，次场试诗赋，末场试子史论时务策各一。十五年，诏经义试赋，分为两科，于是学者竞习词赋，经学寖微。三十年冬，上谕沈守约曰：恐数年之后，经学遂废。明年二月，诏举人兼习两科。三十一年，言者以为老成经术之士，强习词章，不合声律，请复舍科取士。仍诏经义合格人有余材，许以诗赋不足之数通取，迄今不改！”——可见变革纷然，而终于不得择善以从也。

取士不足以应世变，则学校之制，亦须因时而更定焉。

国子监之在宋初，本无定员《宋》一五七志。**至神宗熙宁四年十月，中书省言，“近制增广太学，益制生员，除主判官外，直讲以十人为额。每十员共讲一经。委中书选差。其生员分三等，以初入学者为外舍，不限员；自外舍升内舍，内舍升上舍，上舍以百员，内舍以二百员为限”。**李焘《续通鉴长编》三二七**至元丰二年，“太学有斋舍八十斋，斋容三十人，外舍生二千，内舍生三百，上舍生百，总二千四百”。**《续长编》三〇一**此盖有近于今世班级之制，而足以破除考试制度，争一日之短长之弊也。**

《宋史》一六五《职官志》，谓诸生始入学在外舍，后升内舍。凡内舍行艺，与所试之等俱优者，为上舍《国子监》条。——然则三舍之制，颇似今日之学校升级，盖颇可救科举凭文之穷！又一五五《选举志》云："王安石谓，古之取士，俱本于学，请兴建学校以复古。"是三舍之制，原为救科举之弊来也。

然三舍之法，不过思于宁静中，略得改革士风，又岂无弊者哉？吕祖谦《宋文鉴》卷六十载王岩叟《请罢三舍法疏》云："自三舍之法立，虽有高行异材，未见能取而得之，而犇竞之患起，犇竞之患起，而贿赂之私行！贿赂之私行，而狱讼之端作；狱讼之端作，而防猜之禁严；博士劳于簿书，诸生困于文法。……臣窃谓……不必于科举之外，别开进取之多歧，以支离其心，而激其争端。使利害得失，日交战于胸中。"盖聚士于一处，名曰"三舍"，而责其应选举之求，则争激乃愈甚于科举，此实选举制度之不善，而非三舍法之不善也。

《宋史》一六五国子监谓熙宁立三学，"总二千八百人，隶籍有数，给食有等，库书有官，治疾有医"。可与今制对比。其后新旧党争，多陷意气，如蔡京"罢科举法，悉仿太学三舍法"。《宋史·京传》陈善《扪虱新话》云："崇观三舍，一用王氏之学，文字语言，习尚浮虚，千人一律。"卷十一则以制度为政争之具，更不必论其与科举之优劣已。

宋南渡后，太学三舍法仍通行。赵升《朝野类要》卷二云："入外庠宗学者，皆外舍生；公试中等，即依例升补内舍。""内舍校定分数，人二年一试，升上舍。""上舍试中优等者，释褐。以分数多者为状元。其名望重于科举状元。"可知宋之三舍与常科，正如清季之学堂与常科，同为登用人材之制。惟宋重三舍清季则尚右科试，而左学校卒业者耳。

平情论之，三舍与科举之制，其利敝不在乎制度之本身，而在乎学科之颁定。三舍学经义，科举试经义，率天下之聪明才智，而试之以无用之科；拱手以求其为孔孟立言。学士之心，诚静而拘于书矣；然而无如世变何也。但观宋亡时，三学之制，可以见当时之科举与学校，均教人以宁静也。

吴自牧《梦粱录》卷十五记宋季临安学制，“太学有二十斋，匾曰服膺、禔身、习是、守约、存心、允蹈、养正、持志、节性、率履、明善、经德、循理、时中、笃信、果行、务本、贯道、观化、立礼、十七斋匾，俱米友仁书。余节性、经德、立礼、各匾，张孝祥书。……绍兴间，太学生员额三百人，今为额千七百十六。以上舍三十人，内舍三百六人，上舍千四百人，国子生员八十人，……日供饮膳，为礼甚丰。……于此，见平日朝廷教士之厚，而平时教养之功，所以为他日大用之地也。”——他日有何用，徒以供贾似道之利用耳？详周密《志雅堂杂钞》卷下

一一　道　学

科举及三舍，宁静而不足救世，而道学，则静之源矣。亦北宋之始所产焉。

《宋史》四二七《道学传》叙云：“道学之名，古无是也。……至宋中叶，周敦颐出于舂陵，乃得圣贤不传之学。作《太极图说》、《通书》，推明阴阳五行之理，……张载作《西铭》，又极言理一分殊之

情，然后道之大原，出于天者，灼然而无疑焉。仁宗明道初年，程颢及弟颐实生，及长受业周氏，已乃扩大其所闻。"道学之来由如斯。惠栋《松崖笔记》卷三云："梁元帝撰《孝德传》、《道学传》。道学者，道家之学也。《宋史》以周、程、张、朱入道学传，误袭其说，而濂溪之太极，朱子之先天，实皆道家之学。"道学之真相如斯濂溪者，周敦颐也。盖长于神宗国家多难之世，而实与王安石同时者。二程其弟子焉。

仁宗、神宗之世，正北宋挣扎求生之时，而周子适出，其弟子二程适与荆公更法同时，读史者可以睹世变矣！

盖自六朝、隋、唐以来，三教之势，常鼎立而莫相上下中古卷三十七节。时方粗平虽外患甚烈，调和夹杂，固宜有由云。

唐人重佛而宋初未尝不重佛，《冷斋夜话》卷十页八云："朱世英言余昔从（王）文公（安石）定林，数夕闻所未闻。……曰：'成周三代之际，圣人多生儒中，两汉以下，圣人多生佛中。'"故《宋史》二四二记太祖后孝明晨起读佛书也。

考道学之学，确有出于佛者。二程者，史称其"年十五六时，其弟正叔，闻汝南周茂叔论，慨然有求道之志。泛滥于诸子，出入于老释者，数十年，反求之六经，而后得之"。《宋元学案》卷十三《明道学案》，参《宋史》四二七《颢传》此其征也，朱熹因之，愈可见已。

陈亮《龙川集》十六《跋朱熹送郭秀才叙》后："晚得从新安朱元晦游，见其于阴阳卜筮书画技术，皆世所有而未易去者，皆存而信之。岂悦物而不留于物者，固若斯乎？"陆云锦《芝园杂记》卷四《朱子注书有原本》云："虚灵不昧，出《大智度论》；不可限量，出《华严经》；物我之理，固有之性，心之体用，吾心正而天地之心亦正，活泼泼地皆出佛书。"——果如所言，宋儒之由甚明，无怪乎刘祈《归潜志》卷九述李屏山语，谓伊川诸儒窃我佛书也。

更有出于道者，张端义《贵耳集》卷下页二十三云："濮上陈抟以先天图传种放，放传穆修，修传李之才，之才传邵雍。放以河图洛书传许坚，坚传范鄂昌，鄂昌传刘牧修，牧修以太极图传敦颐，敦颐传二程。濂溪得道于异僧寿涯，晦庵亦未然其事，以异端目之。"陈抟等人，盖道教之流，而宋儒之师也。异日朱子之注《参同契》，盖不能与魏伯阳绝缘，而伯阳则道家也详《四库提要》一四六。

案太极图者，本卷二节，已引《曝书亭集》五十八有《太极图授受考》。至河图洛书，其源非出于儒家，事亦至明。纪昀《槐西杂志》卷一论之云："世传河图洛书出于北宋，唐以前未见也。河图作黑白圈五十五，洛书作黑白圈四十五。考孔安国《论语》注，称河图即八卦孔氏注今佚，此乃何晏《集解》所引。是孔门本无此五十五点之图。陈抟何自而得之？至洛书既谓之书，常有文字，乃亦四十五圈，与河图相同。是宜称洛图，不宜称书。……刘向、刘歆、班固并称洛书有文。孔颖达《正义》，并详载其字数。虽所说字数不同，而足见自汉至唐，洛书无黑白点之伪图也。"此中情节，朱子亦微认之。《文集》三十八《答袁枢仲问易》云："此非熹之说，乃康节之说；非康节之说，乃希夷之说。但当日诸儒，既失其传，而方外之流，转相付受。以为丹灶之术。至于希夷、康节乃反之于《易》，而后其说始得复明于世。”是朱子谓道学受道家之所遗，岂不明哉？

至于承受儒教之名，盖可莫论。全祖望《鲒埼亭集》外编三十一《题真西山集》云：“临川李侍郎《穆堂类稿》讥其真西山沉溺于两氏之学，此岂有闻于圣人之道者。……两宋诸儒，门庭径路，半出入于佛老。然则其不能攘斥佛老，固其宜耳。”——盖儒其名而释道其实，宋儒之谓乎！

今考其所用之工具，一则曰《易》也。以其玄焉，袁本晁公武《郡斋读书志》云：“《程氏易》十卷，皇朝程颐正叔撰。朱震言：‘颐之学出于周敦颐，得之于穆修，亦本于陈抟，与邵雍之学本同。然老欧之解，不及象数。颇类胡瑗尔。’景迂云：‘胡武平、周茂叔同师润州鹤林寺僧寿涯，其后武平传其学于家，茂叔则授二程。’与震之言不同。”卷一上——自有《易》而阴阳等无稽之谈，可以文托于其上矣。

二则曰《学》、《庸》也。《学》、《庸》二篇，本《戴礼》之文，惟与《语》、《孟》比较，则玄虚为甚。故宋儒特提而出之，尊而奉之。朱子《黄州二程祠堂记》《文集》八〇云：“先生之学，以《大学》、《论语》、《中庸》、《孟子》为标指，而达于六经。使人读书明理，以诚其意，正其心，修其身，而自家至国以及于天下。其道坦而明，其说简而通，其行端而实，盖将有以振百代之迷，而纳之圣贤之域。”此其征焉。

《十驾斋养新录》十八“道”条云：“《中庸》，言道之书也，曰：‘天命之谓性，率性之谓道。’盖道本于天也。又曰：‘天下之达道五，君臣、父子、夫妇、兄弟、朋友之交。'是道不外于五伦也，故曰：'道不远人'。又曰：'道也者，不可以须臾离也。'……孟子曰：'夫道若大路然。'岂有索之虚无以为道者哉？"盖宋儒利用《中庸》，言性言道，非先秦儒家之旧也。

其三，则杂糅夹杂，如无极太极之说。考"韩康伯注《易》'一阴一阳之谓道'云：道者何，无之称也。其注太极云：夫有必生于无，故太极生两仪也。《正义》申之云：太极谓天地未分之前，元气混而为一，即是太初太乙也。《老子》云：道生一，即此太一也。混沌既分，即有天地。故曰太极生两仪，即《老子》云：一生二也。晋人以《老》、《庄》说《易》，后儒知其非，而终不脱此窠臼"。《养新录》十八——道本在迩，而宋儒说之远已。

无极太极之理，生平不甚解，亦不求甚解，即《通书》、《西铭》，姑亦略之云。

以此为体，则其用相何似，以今考之，盖有四者。

一曰迂腐。沈作喆《寓简》卷五论："二程之学，自有住处。……其实土木偶也。而盗一时之名。……刘元城言：哲宗尝因春日，……自起折一枝柳，程颐为说书，遽起谏曰：'方今万物生荣，不可无故摧折。'哲宗色不平，因掷弃之。温公闻之，不乐。谓门人曰：'使人主不欲亲近儒生者，正为此等人也。'"此其征也。

二曰向里。程子释穷理云："诵《诗》、《书》，考古今，揆人事，反复研究而思索之，求止于至善，盖非一端。"《二程粹言》卷一朱子《答窦文卿书》云："为学之道，只在着实操存，密切体认，自己身心上理念，切忌轻自表襮，引惹外人辩论，枉费应酬，分却向里工夫。”《朱子全书》卷三因之而有半日读书，半日静坐之谬论生已。

三则曰主敬。程子谓：“主一之谓敬，所谓一者，无适之谓一。且欲涵泳主一之义，一则曰无二三矣。言敬，无如圣人之言《易》，所谓敬以直内，义以方外。须知直内，乃是主一之义。至于不敢欺，不敢慢，内不愧于屋漏，皆是敬之事也。”《二程遗书》卷十五朱子则明示及门曰：“敬以直内，是持守工夫。义以方外，是讲学工夫。”《全书》卷二十八程、朱之说如斯，不才者得以自文矣。

邵博《闻见后录》卷十云：“绍兴以来，赵元镇好伊川之学。元镇不识伊川，士资以进。反用妖妄，眩惑一世。每拱手危坐，竟日无一言。或就之，则曰吾方思诚，姑去；为奸为伪者，十人而九。”主敬之所致如斯。

而最后所以统摄三者者，则静也。程明道言：“性静者可以为学。”《宋元学案》十三“伊川每见学者能静坐，便叹其好学。”《鹤林玉露》卷三其弟子杨时，因有师门立雪可笑之事《宋》四二七《时传》。朱子述程子故事云：“用功处，伊川言之详矣。但庄齐整肃，则心便一；一则自无非僻之干。”而朱子本人，尝“问伯羽如何用功？曰且学静坐，痛抑思虑。”《宋元学案》卷四十八岂待末流之弊，固已陷恶道矣。

罗大经《鹤林玉露》卷六引：“南轩言，符离之役，诸军皆溃，惟存帐下千人。某终夕旁皇，而先公方熟寝，鼻息如雷。”可笑已！

于是乎，而有玩物丧志之说：谢良佐“学于河南程夫子之门，颇以该洽自多。讲贯之间，旁引传记，至或终篇成诵。夫子笑曰：子可谓玩物丧志矣。先生闻之，爽然自失，面热汗下”。《朱子文集》八〇《上蔡祠记》而有薄鄙事功之说“（二程）……之学，其视一时之事业，词章、论议、气节，所系孰为轻重，所施孰为短长，当有能辨之者？”同上八〇《二程祠记》故二程在时，才气横溢之人，多致其不满。吾曹因世论人，在北宋杌陧不安之日，忽有如此等儒衣儒冠之僧道，亦当为北宋叹不幸者也。

故程子当日，已为人所轻薄。元祐之初，时人有“五鬼十物十八奸之号”详李焘《续通鉴长编》四〇五。吴曾《能改斋漫录》卷十“东坡诋程颐”条云：“东坡才气高，一时未肯下人。故自言疾程颐之奸，见公奏议。又诋程为糟麋陂里叔孙通，见孙君孚《谈圃》，然议者以为过。”张端义《贵耳集》云：“司马温公薨，东坡欲主丧，遂为伊川所先。东坡不满意，伊川以古礼敛，用锦囊囊其尸，东坡见而指之，曰：‘欠一件物，当写作信物一角，送上阎罗大王。’东坡由是与伊川失欢。”卷上页二十二，学津讨原本是道学初起之时，不能满人意如斯。

李焘《续长编》三百七十三元祐元年引刘挚言：“若夫纷纷之论，致疑于颐者，非独如臣言也。直以自古以来，先生处士，皆盗虚名，无益于用，若颐者，特以迂阔之学，邀君索价而已。”是程氏并世之人，雅有疑之者。参见本卷十四节

道学功罪，本可不论。惟在北宋紧张之秋，发为性理恬静之说，其不足以匡救时艰，自令人不能无憾已。故崔铣《后渠漫记》卷三，明人小说本引谢枋得言“宋亡于道学大明之日”，责贤

者备。非无以夫！

一二　神宗熙宁前之时世

道学起于宋初，盛于英、神之际，神宗之立，自太祖历太宗、真、仁以至神宗熙宁元年九六〇——〇六八，盖百余年也。此百余年者，当宁静而无所事事，抑当挣扎以求出路哉？盖国家民生之所需，熙宁前后固非袖手以谈性命之时。

其一，则军备不修也。

欧阳修《归田录》卷一页六云："李汉超为齐州防御使，……关南百姓，诣阙讼汉超贷民钱不还，及掠其女为妾。太祖召百姓入见，徐问曰：'自汉超在关南，契丹入寇者几？'百姓曰：'无有也。'太祖曰：'往时契丹入寇，边将不能敌，河北之民岁遭劫虏，汝于此时能保全其资财妇女乎。今汉超所取，孰与契丹之多？'"可征一代真龙，畏敌似虎，其后嗣盖益有甚。石晋以"幽蓟十八年陷北虏，（至宋时）几二百年。豪杰之士每每叹嗟而痛惜"。《渑水燕谈录》卷十顾宁人云："宋以金币和戎，张元一浮薄亡命尔，一佐元昊，即举世不能一御，其武备胥可知也。"《郡国利病书》六十二《陕西八》叶水心云："天下之弱势，历数古人之为国，无甚于本朝者。真宗之末，仁宗之初，契丹守和约者三十八年。赵德明亦三十年。文恬武嬉，舞蹈太平，不见其为弱也。及元昊始叛，章得象毅然愤其小丑，欲翦灭之，立论必于不赦。既而屡出屡败，潼关以西，人无固志。而契丹遂拥兵境地，以邀索周世宗之故地。使富弼重为解之，然后乃已。然后形势大屈，而天下皆悟其为弱症矣。"《水心集》五《纪纲三》《名臣传》虽云:"仲淹与韩琦协谋,必欲收复灵夏横山之地。边人谣曰:'军中有一韩,西贼闻之心骨寒;军中有一范,西贼闻之心破胆。'"朱子《五朝名臣言行录》七之二引亦当日谀辞尔,非信史也。

冯辰《恕谷年谱》卷五引恽皋闻《与恕谷书》云:"生平读书善疑,见有宋韩、范、司马诸公,声光震煜,居然大人。而国势厌厌,日就迫蹙,以成靖康之祸。窃谓西贼破胆之谣,中国复相司马之戒,直是当日谀辞,全无实验。"有是哉,其言也中国复相司马,见《名臣言行录》七之二。

其二,则国用困疲也。

熙宁四年,东坡《上神宗万言书》云:"我仁祖之御天下也,持法至宽,用人有叙。专务掩覆过失,未尝轻改旧章。然考其成功,则曰未至;以言乎用兵,则十出而九败。以言夫府库,则仅足而无余。"《东坡集》二十四,眉州本仅足无余,盖犹美言之云。知《水心文集》卷五《财总论》第二所言,则洞若观火矣。

水心《财总论》云:"唐末藩镇自擅,财赋散失,更五代而不能收。……故太祖之削藩镇,以执其财用之权为最急。既而僭伪次第平一,诸节度伸缩惟命,遂强主威,以去其尾大之患者,财在上也。至于太宗真宗之初,用度自治,而犹不闻以财为患。及祥符、天禧而后,内之畜藏稍已空尽,而仁宗景祐、明道天灾流行,继而西事暴兴,五六年不能定。夫当仁宗四十二年号为本朝至平极盛之世,而财用大乏;天下之论,扰扰皆以财为虑矣。是以熙宁新政,重司农之任,更常平之法,排兼并,专敛散，兴利之臣四出。”——熙宁以前，国用之匮可见。

其三，则民生病苦也。

盖宋初之民，苦于力役者一，“或弃田与人，以免上等，或非命求死，以就单丁”《宋》一七七《志》。苦于贫穷者一，元祐初上官均言：“天下之民，十室之中，资用匮乏者，十之六七。”《续长编》三六七苦于地主者一，郑侠《西塘集》卷四《王孺人墓志》云：“熙宁、元丰之交，里中荐饥，富民闭廪，以高其粜。”斯伊川所以致虑于瓦解，荆公所以痛恶乎兼并也。

安石变法前十八年，皇祐二年伊川上仁宗书云：“今天下民力匮竭，衣食不足。春耕而播，延息以待。一岁失望，便须流亡。……国家财用，又多不足。……臣观京师缘边，以至天下，率无二年之备。卒有连岁凶灾，如明道中，不知国家何以待之？坐食之卒，计逾百万，强敌乘隙于外，奸雄生心于内，则土崩瓦解之势，深可虞也。”《伊川集》一，两程遗书本《临川集》卷四《兼并》云：“三代子百姓，公私无异财。人主操擅柄，如天持斗魁。赋予皆自我，兼并乃奸回。后世始倒持，黔首遂难裁。秦王不知此，更筑怀清台。礼义日已偷，圣经久尘埃。”又卷十二《感事》云：“贱子昔在野，心哀此黔首。丰年不能食，水旱尚何有？虽无剽盗起，万一且不久。特愁吏之为，十室空八九。……取资官一毫，奸桀已云富。彼昏方怡然，自谓民父母。”则奸富之困民，又何加焉。

其四，则曰政事萎沉也。

考仁宗以后，英宗已欲更法奋起，刘元城云："天下之法，未有无弊者。祖宗以来，以忠厚仁慈治天下，至于嘉祐末年，天下之事，似乎纾缓萎靡不振。"《三朝名臣言行录》六之二朱子云："且是仁宗朝，是甚次第时节。国势却如此缓弱，事多不理。英宗即位，已自有性气，要改作。但以圣躬多病，不久晏驾，所以当时谥之曰英。"《语类》一三〇盖赵普之大甕，李沆之无口瓠，至英、神之际，而其弊见矣。

《鹤林玉露》卷十一："赵韩王为相，置两大甕，于坐屏后，凡有人投利害文字，皆置其中，满即焚之于通衢。"文莹《续湘山野录》云："李相沆尝被同年马亮责之曰：'外议以兄为无口瓠。'公曰：'吾居政府，然无良才。但中外所陈利害，一切报罢，聊以补国尔。'"页二六，津逮本叶水心云："自景德以后，王旦王钦若以歌颂功德，撰次符瑞为职业，上下之意，以为守邦之大猷，当百世而不变，盖古人之未至，而今人之独得也！"《水心集》五《纪纲二》苏子由云："真宗初即位，李沆为相，帝雅敬沆，尝问治道所宜。沆曰：不用浮薄新进喜事之人，此为最先。"《龙川别志》上此足见太宗、真、仁号为极盛之宋之政治也。

以故神宗熙宁以前，西夏、契丹倔强之时，变法更法，雅为时代要求。范仲淹云："国家革五季之乱，富有四海，垂八十年。纲纪法度，日削月侵。官壅于下，民困于外，不可不更张以救之。"文正《奏议上·应诏条陈十事》《东轩笔录》卷九云："欧阳公自历官至为两府，凡有建明，词意坚确，王荆公尝叹其可任大事。"《东坡集》四十五，道光壬辰刊本《上富相书》云："自明公执政，而朝廷之间，习为中道。……轼之不肖，窃以为天下未治，兵之未振，财之未丰，夫天下之有望于明公，而未获者，其或由此也欤？”《朱子语类》曰：“子由初上书，煞有变法意；只因当时非独荆公要如是，诸贤都有变更之意。”又云：“熙宁变法，亦是势当如此。凡荆公所变更者，东坡亦欲为之。及见荆公做得纷扰狼狈，遂不复言，却去攻他。”上两同见《语类》一三〇考程明道于熙宁二年《论王霸之辨》云：“或谓人君举动，不可不慎，易于更张，则为害大矣。臣独以为不然。所谓更张者，顾理所当耳。……岂若因循苟简，卒致败乱者哉？……愿陛下奋天锡之勇智，体乾纲而独断，霈然不疑，则天下幸甚。”《明道文集》卷二——盖当时有名诸公，大抵思因弊而更法，荆公上《百年无事劄子》，正缘神宗思有所为，王安石乃起而谋“解吾君之忧”也。

《临川集》四十一有荆公上神宗《本朝百年无事劄子》云：“一切因任自然之理势，……上下偷惰，取容而已。……故虽俭约，而民不富，忧勤，而国不强。”是荆公变法，为针对敌强、国困、民贫、政萎四大问题而来。而神宗为人：“至神庙即位，富于春秋，天资绝人。是时见两蕃不服，及朝廷州县，多纾缓不及汉唐全盛时。每与大臣论议，有拂然不悦之色。当时执政从官中，以为方今天下，正如大富家，上下和睦，田图开辟，但屋宇少修饰，器用少精巧，仆妾朴鲁迟钝。但有邻舍相侵侮，不免岁时以物赠之，其来已久。……遂不敢承当上意，改革法度。独金陵揣知上意，以一身当之。”《三朝名臣言行录》六之二——于是而熙宁挣扎之变法来已。老泉《嘉祐集》卷十六《上韩舍人书》云：“方今天下虽号无事，而政化未清，狱讼未息，赋敛日重，府库空竭，而大者，又有二虏之不臣。天子震怒，大臣忧恐，自两制以上，皆宜苦心焦思，求所以解吾君之忧者。”荆公盖为解吾君之忧而来也。

一三　熙宁更法

故自宋兴九六〇至神宗熙宁元年一〇六八已届百年，而王安石更法之事起。

安石以嘉祐三年一〇五八上万言书，以为财力困穷，风俗衰坏，患在不知法度耳。神宗熙宁元年召安石入对，二年拜参知政事，以经术经世，"于是设制置三司条例司，……而农田、水利、青苗、均输、保甲、免役、市易、保马、方田诸役，相继并兴，号为新法"。以上摘录《宋》三二七《安石传》——以今论之，盖应世变之挣扎也。

盖新法之作，有基于作兴人材者，三舍及经义取士是已详前本卷第十节。

有基于强兵者，保甲是已。保甲者，民兵也《宋史·安石传》，盖自太祖杯酒释兵权后，屯重兵于京师，以抗衡诸道，则军费日繁详本卷第八节，参王仲言《挥麈余话》一页二五—三一。故更法之前，"韩魏公在中书，同列议养兵之弊。无术以革之。魏公沉思良久曰：'养兵虽非古，然积习已久，势不可废。'"沈作喆《寓简》卷五《东坡集》卷十八《定军制》《进策》十四云："兵农异处，兵不得休而为民，民不得息肩而无事于兵者，千有余年而未有如今日之极者也。……秦汉以来，天下何其残败之多耶？其弊皆起于分民而为兵。……近岁以来，募兵之多，无如今日，然皆老弱不教，而衣食之费，百倍于古。"——故安石以民兵矫之。

《朱子语类》一三〇云："京畿保甲之法，荆公做十年方成。至元祐时，温公废之，深可惜。盖此是已成之事，初时人固有怨者。后来做得成，想人亦安之矣。却将来废了，可惜！"盖荆公保甲之制，固自有其背景，及成功也。

有基于练武者，保马是也；保马者，民牧官马也《王安石传》。考古时民原牧马，"马以驾车"《左》昭二五年《正义》。故《论语》称有马者借人乘之，《国策》亦称："卫人迎新妇，妇上车，问骖马：谁马也？"《卫》页七汉时，始有官马之制，然犹不废民马。徐彦登《历代茶马奏议》卷一。自唐以来，马常仰给于蕃，故宋初余靖上言："近自西贼不庭以来，买马数少不足。此盖中国久隳马政，故不能蕃息。"宋祁亦言："今议者但欲益兵破贼，不知无马，且不能为兵也。"同见《茶马奏议》卷一——此安石保马之制之所由作也。

文彦博曾反对保马，以为"户配一马，系之维之，皆可蕃息乎？既不蕃息，则后将可继乎？"《奏议》卷一然《大元马政记》言官括民马页二十五；明时边疆之地，亦曾定"均给俵夫牧养之规，上户领骒马二匹，中户领骒马一匹，下户只领儿骟马一匹"。《奏议》卷二则保马之政，亦未必不可行也。

有基于富国者，均输、和买、市易是也。

均输者，令官测京师所缺，度贵贱远近，以上供也《王安石传》。此其法，桑弘羊盖已行之于汉《史记·平准书》。史称其节制富商大贾，民不益赋，而天下用饶。唐时，刘晏亦行之《旧唐》一二三《刘晏传》："自诸道巡院距京师，募捷足置递相望，四方物价之上下，不四五日知。故食货之重轻，权在掌握，朝廷获美利，而天下无甚贵贱之忧。"《晏传》——盖以夺富商垄断之利焉。

和买者，贷款于民，而预买民之制造品也。"真宗祥符初，王旭知颍州，值饥岁，尝出款贷民，而翌年官收其绢。其后李士衡行之陕西，民以为便。"详吴曾《能改斋漫录》卷十二王丝为县令，亦以岁歉，贷公款于民，而于翌年收其绢详《范文正集》四《王丝墓表》，盖以救工商之窘焉。

市易者，则有二义：一则官贷钱于商人，出息什之二《安石传》。一则"审知市物之价，贱则增价市之，贵则损价鬻之，因收余息以给公上"《宋》一八六志。——以前者言，曾巩知越州"岁饥度常平不足赡，……风富人自实粟，视常平价，稍增，以予民。……"《宋》三一九《曾传》以后者言，则魏泰《东轩笔录》卷四云："天下之财匮，良由货不流通；货不流通，由商贾不行；商贾不行，由兼并之徒，巧为挫折。故朝廷设市易司于京师，以售四方之货，常低昂其价，使高于兼并之家，低于倍蓰之直。而官不失二分之息，则商贾自然无滞矣。"——审是道也，亦可行也。

案《水心集》卷四《财计上》云："当熙宁之大臣，慕周公之理财，为市易之司。以夺商贾之赢。分天下以债，而求取其什二之息。曰此周公泉府之法也。天下之为君子者，又从而争之，曰：此非周公之法也。……然而其法行而天下终以大敝。"——水心所斥，公卖式之市易耶？银行式之市易耶？有鉴于宋时兼并之烈，则两者，宁非当必行乎。

富国而外，新法而有基于便民者，方田、免役是也。

方田之制，盖以四到各千步，岁量其肥瘠，而定税宋《安石传》。盖自唐两税制后，均田不能，故为均税。安石以前，欧阳修为滑州通判，时书丞孙琳，已行其法事详徐度《却扫编》下页十二。时在仁宗庆历二年。欧氏曾有《论方田均税劄子》，以为“公私皆利，简当易行”。《文忠集》百三——是此法，亦饶有历史之背景者。

《东坡文集》卷九《策别四》云：“今夫一户之赋，官知其为赋之多少，而不知其地之几何？如是其增损出入，惟其意之所为。官吏虽明，法禁虽严，而其势无由以止绝。”则方田均税，固有必要云。

免役之制，即废除以前差役之制，令民出钱雇役，使役者自役，农工自农工，以分其业《宋·安石传》。考差役之弊，《宋史·食货志》明言之，如“韩绛言：闻京东民，有父子两丁，将为衙前役者，父告子曰：吾当就死，使汝曹免于冻馁”。则免役之行，使人但出钱雇游手以充役，不亦便于人乎？且《宋史》一七七原言里正衙前，以赔累破家，“嘉祐中，欲稍宽其法，乃命募人充役”已。

《明夷待访录》《胥吏》云：“宋时差役，……衙前以主官物，……户长以督赋税，……丁壮以逐捕盗贼，……手力散从以供驱役……。”此等事，似非有专业不可。若一一差用，自能劳民。故荆公未秉政前，韩琦已言：“州县生民之苦无过于里正衙前”已详《宋》一七七志。

便民之外，而又有救民于兼并之中者，青苗是已。

青苗之法，盖于秋收以前，官贷钱与农，及其获而还之《宋·安石传》及一七六志。安石先为鄞令庆历三年，“濒海民采捕为生，质田贷豪右金，得乘机重息之。安石特出官钱，轻息以贷，至秋则田亩之入，安然足偿”。光绪《鄞县志》二十五《名宦传》盖试之前而有效者。周煇《清波别志》下页一九云：“陕西兵兴时，经略使贷三司钱以佐军，……李庆程权庆州，钩考得所贷八万缗，悉偿之，遂令废其库。视民缺乏时，令自总度谷麦之入，预贷官钱。至谷麦熟，则偿，谓之青苗钱。数年后，军食常有余。其后青苗法，盖取诸此。”此则稽之昔而有征者。——日后南宋朱熹，有《建阳社仓记》《朱文公集》七十九云：“绍兴某年，岁适大侵，奸民处处群聚，饮博啸呼。……邑名士魏君为言于常平使者袁侯，得米若干斛以贷。于是物情大安，奸人自折。及秋将敛，魏君又请筑仓长滩，厩置之旁，以便输者。且为后日凶荒之备，毋数以烦有司。自是岁小不登，即以告而发之。如是，数年，三里之人，始得饱食安居，以免于震扰夷灭之祸。”周密《癸辛杂识》后集五十一云：“朱元晦平生，议论前无古人。独庙议以僖祖东向，及社仓二事，与王介甫正同，殊不可晓。”——然则青苗之制，盖亦垂诸后而不废者矣。

青苗与社仓，固略有不同。《朱子文集》七十九《金华社仓记》云：“以余观于前贤之论，而以今日之事验之，则青苗者，其立法之本意，固未为不善也。但其给之也以金，而不以谷；其职之也以官吏，而不以乡人士君子；……是以王氏能以行于一邑，而不能以行天下。”可知在原则上言之，朱子固许赞青苗法者。“吕本中《杂说》云：神宗病甚，不能言。宣仁谓曰：我欲为汝改某事某事，凡二十余条。神宗皆点首应。独至青苗法，再三问，皆不应。”李焘《续长编》三八四元祐元年八月条引足见神宗之笃信青苗，且青苗至高宗建炎元年，始明诏停放《宋史》二四。行之几六十年。熙、丰间之争青苗，殆为私人意气之争？不然，害民之法，何以可延至六十许年之久乎？

李日华《六砚斋笔记》云：“王介甫字吾浙之鄞，鄞滨海，其民冬夏乘筏采捕为生。有田率在田麓，故民得指田为质，以贷豪右之金。而豪右得乘机重息之。介甫特出官钱，轻息以贷。至秋则田亩之入，安然足偿。所谓青苗法也。于鄞实善政，及为相，必欲推而遍之于天下，非矣。鄞人至今德之，立祠陀山下，神亦甚灵。”卷二页三三是青苗本无可议。林槩为仁宗康定时人，劝民养马又请土民为兵《宋》四三二《槩传》，是保甲之制，安石以前有之。仁宗时常命石曼卿籍乡兵《宋》四四二《石延年传》，是乡兵之制，安石以前有之。当时韩涛定减役之计《宋》三三〇《涛传》，是免役之法，尤非安石所创者《汉书·昭纪》元凤四年有“过更”之制，尤与免役似。仁宗时，丁度“请令民畜一战马者，免二丁”《宋》二九二《度传》。皇祐时叶清臣亦言监牧之敝，赋马于民之得《宋》二九五《叶清臣传》。是保马之制，固非安石所能创者矣。——然则所谓新法，固非突然而来。

船山《宋论》卷六“熙丰新法”条谓经义、保甲、保马、免役，宋后迄不能废。然如青苗法者，在南宋即有社仓。《朱子文集》七十九《建阳长滩社仓记》已言其利，则似亦可垂诸后者。

然安石变法，原以恢宏弱症为主，故熊本兴泸渝之役详《宋》三三四本传，章惇发梅山之师《宋》四七一《惇传》，王韶主熙河之攻《宋》三二八《韶传》。后者针对外患。邵伯温云：“熙宁初，王荆公已有宠，劝帝用兵，以威四夷。于是用王韶取熙河，以断西夏右臂。又欲取灵夏，以断大辽左臂。”《闻见前录》卷五是已。前者则开启荆榛。王夫之云：“章惇之邪，灼然无待辨者。……然而澧、沅、辰、靖之间，蛮不内扰，而安化、靖州等州县，迄今为文治之邑，与湘湖郡县相齿，则其功岂可没乎！”《宋论》卷六是也。

《齐东野语》卷一《诗用史论》云：“刘贡父咏史诗云：‘自古边功缘底事，多缘嬖佞欲封侯；不如直与黄金印，惜取沙场万骷髅。’盖指当日王韶、李宪辈耳。”然当日国事，固非空谈厌武可救。张横渠欲结客以取洮西之地《宋》四二七载传。他可知已。

然而，熙宁变法，终乏善果，盖行法之“人”，如陈世隆《北轩笔记》页五，知不足斋本所谓：“新法既行，散青苗钱于议厅，而设酒肆于谯门。民持钱出，诱之使饮。又恐其不欲也，则令伎女坐肆鼓乐以蛊惑之。小民无知，争竞斗殴。则又差兵校，列枷杖，以弹压之。”——是人固不甚得焉。而行法之“时”，则如郑侠所谓“臣伏睹去年大蝗，秋冬亢旱，以至于今，经春不雨。麦苗枯焦，夫黍麻豆，粒不及种。……皆由中外之臣，辅相陛下不以道以至此。……臣愿陛下开仓库，振贫乏。其诸有司敛掠不道之政，一切罢去。庶几早召和气，上慰天心。……窃闻南征西伐者，皆以胜捷之势，山川之形，图而来献。料无一人以天下之民，质妻卖子，流离逃散，斩桑伐枣，拆毁庐舍，皇皇不给之状，为图而献于前者。臣不敢以所闻闻，谨以安上门所见，绘成一图。……谨附状投进”《西塘集》卷一《熙宁七年上流民图疏》——是“时”固不甚宜焉。

于是熙宁七年权停新法，元丰中虽曾踵行，而已为强弩之末已。

一四　自元祐至崇宁

神宗死而哲宗一〇八六——一〇〇继，其初则元祐之罢新法也，其继则绍圣之绍述也。徽宗欲建中靖国，而卒为崇奉熙宁之崇宁一一〇二— 一一〇七，经政和、宣和以至于靖康一一二六，卒亡于金，此北宋政治略史也。

元祐者，哲宗幼，高后听政，相司马光，而务反新法也。当时温公执政，盖未免有意气用事之处。如欲反熙宁、元丰之用武，则宁弃河湟；幸得孙路一言，始得全陕西一路于夏人觊觎之手详《宋史》三三二《孙路传》。必欲反荆公新法之文治，则宁罢免役；——责贤者备，书此为后世政争者戒尔。

沈作喆《寓简》卷五："温公主差役之法，虽其门下士如范忠宣，亦未以为便也。东坡议如忠宣，温公不听。至与东坡，几不相乐。又意在必行，限止五日。时奸臣蔡京知开封府，迎合温公意，用五日限，尽改畿县雇役为差役。至政事堂白温公，温公喜曰：'使人人如待制，何患法之不行？'呜呼，用小人而行法者，王介甫之术也。温公以道德居相位，亦效尤；何哉？"考荆公新法，亦有不可非处；故蒋士铨《忠雅堂诗集》卷十三《读荆公集》云："事业施行与志违，当年得失咎何归！更张治国求强富，错误随人著刺讥。立法至今难尽改，存心复古岂全非！终身刻苦无知己，文字难参意旨微。"又《读宋人论新法劄子》云："三代而还不可为，汉唐刑措且难期。群黎福薄人焉救，累叶财空运久亏。本欲镞刀苏痼疾，岂知药石付庸医；后来十九遵遗教，功罪如何请细思！”——亦至论也。

盖元祐元年一〇八六四月：“王安石卒，司马光手书与吕公著曰：‘介甫文章节义，过人处甚多。但性不晓事而喜遂非，致忠直疏远，奸佞辐辏。败坏百度，以至于此。今方矫其失，革其弊，不幸介甫谢世，反复之徒，必诋毁百端。光意以为朝廷特宜优加厚礼，以振浮薄之风。全力主张，则全仗晦叔也。’”《续长编》三七四昔“荆公闻温公入相，则曰司马十二作相矣。盖二公素相善，荆公以行新法作相，温公以不行新法辞枢密使。反复辩论，三书而后绝。荆公知温公长者，不修怨也，至荆公薨，温公在病告中，闻之，简吕申公曰：‘介甫无他，但执拗耳；赠恤之典，宜厚大哉。’”《邵氏闻见前录》卷十二郑子产曰：“吾闻为政者不改其度，故以能有济也。”《左》昭四年朱子《答王子合书》云：“若一一顾恤，必待人人情愿而后行之，则无时可行矣。”《朱子文集》四十九或《鹤林玉露》十六以执拗罪人，诚莫须有；且新法之败，荆公以外之人，亦须同负责任哉。

《二程遗书》卷二上：“新法之改，亦是吾党争之者有太过，成就今日之事，涂炭天下，亦须两分其罪可也。……以今日之患观之，犹是自家不善从容，至如青苗，且放过，又是何妨！”《闻见前录》卷十五云：“明道先生尝曰：‘介甫性很愎，众人以为不可，则执之愈坚。君子既去，所用皆小人。争为刻薄，故害天下益深。使诸君子未与之敌，委曲平章，尚有听从之理。且小人无隙以乘，其为害不至如此之甚焉。’天下以先生为知言。"盖安石用章蔡，而温公亦用蔡京详《宋史》四七二。是用奸之失，未可全非安石也。

尤可惊者，当日辽夏势炽，而北宋自哲宗初年，司马疾殁之前后，所谓贤者，又复自树朋党："当时有洛党、朔党、川党之语。洛党以程正叔侍讲为领袖，朱光庭、贾易为羽翼；川党以苏子瞻为领袖，吕陶等为羽翼。朔党者以刘挚、梁焘、王岩叟、刘安世为领袖，羽翼尤众，诸党相攻击而已。正叔多用古礼，子瞻谓其不近人情，如王介甫，深疾之，或加抗侮。故朱光庭贾易不平，皆以谤讪诬子瞻。执政两平之，是时既置元丰大臣于散地，皆含怨刺骨，而诸贤不悟。……"《邵氏闻见前录》卷十三——洛、蜀互争，匪久而哲宗绍述之说起已。

当时谓程氏党与为五鬼见李焘《续长编》四〇五。《寓简》卷十又载温公薨时，苏轼戏侮小程之事。邵博《闻见后录》二十二云："刘莘老著论曰：'纷纷之论，致疑于程颐者，直以自古以来，先生处士，皆盗虚名。若颐者，特以迂阔之学，要君索价而已。……圣人自有中道，过之则偏。天下自有常理，背之则乱。伏望审真伪，重名器云云。'孔文仲论曰：'颐在经筵僭横，造请权势，腾口间乱，以偿怨仇。致市井之间，目为五鬼之魁。……污下佥巧，素无乡行。经筵陈说，僭横无分。遍谒贵臣，历造台谏。宜放还田里，以示典刑云云。'刘器之论曰：'程颐、欧阳棐、毕伯游、杨国宝、孙朴交结执政子弟，缙绅之间，号为五鬼。'又曰：'进言者必曰五鬼之号，出于流俗不经之言。臣亦有以折之。方今士大夫，无不出入权势，何不尽得鬼名？

惟其阴邪潜伏，进不以道，故颐等五人，独被恶声。'……苏子瞻奏，则曰：'臣素疾程颐之奸，形于言色。……'"此即所谓洛、蜀党成也。

张端义《贵耳集》上页十九云："自范文正公论事，始分朋党。伊川则曰洛党，朱光庭、贾易附之；力攻洛党，苏氏父子也。……君子不立党，伊川见道之明，未能免此。淳熙则曰道学，庆元则曰伪党，深思由来，皆非国家福。"朋党之纷如此。及哲宗年长，于是杨畏发难于前《宋》三五五《杨畏传》，章惇用事于后《宋》四七一《惇传》，而绍述之议起。然人材日下，较诸神宗季年"护法沙门"者流，盖犹不及，世事可知已。

李焘《续长编》二五二："熙宁七年，安石以旱灾罢政，知江宁府。神宗约其复来，曰：'无或食言，从此浩然长往也。'——安石荐（元）绛代己，仍以（吕）惠卿佐之。于安石所为，遵守不变也。时号绛为传法沙门，惠卿为护法善神。"然哲宗时之传法者，盖愈降已。

哲宗死而徽宗继，建号为建中靖国一一〇一。其初尝"语辅臣，语及元祐绍圣时，皆欲以大公至正之道，扶偏救弊。……乃改元曰建元靖国"《清波别志》上页二，"明年亲政，则改元崇宁，崇宁者，崇熙宁也"蔡絛《铁围山丛谈》卷一，其事盖发于蔡京《宋》四七二《京传》而人材愈下，国事愈不堪也。

《宋史·蔡京传》："徽宗决意用京，……赐坐延和殿，命之曰：'神宗创法立制，先帝继之；两遭变更，国是未定。朕欲上述父兄之志，卿何以教之？'京顿身谢，愿尽死。"崇宁二年，乃令州县立元祐党人碑事具王仲言《挥麈后录》卷一，——自此行新法，以至于北宋之亡。

徽宗对内，则粉饰升平。虽有宋江《宋史·张叔夜传》、方腊《宋史·童贯传》之乱，而歌舞自如。对外则又动收复燕云之念。岳珂《桯史》卷九云："宣政将伐燕，用其降人马植谋，自登莱航海，以使于女真，约尽取辽地而分之。子女玉帛归女真，土地归我。议已定矣，宇文虚中上书谏曰：'……中国与契丹讲和，已逾百年。——自女真侵削以来，向慕本朝，一切恭顺。今舍恭顺之契丹，不封植拯救，为我藩篱；而远逾海外，引强悍之女真以为邻国。……以百年怠惰之兵，当新锐难敌之虏。以久安闲逸之将，而角逐于鱼肉之林。巧拙异谋，勇拙异势，臣恐中国之边患，未有宁息之期也。'"盖变法所以图强，图强所以克敌，而变法之副果，竟以之而致北宋于亡。此又王安石、宋神宗所岂及料哉？

恢复幽蓟之动机，据王辟之《渑水燕谈录》卷九云："幽蓟十八州，陷北虏者，几二百年。其间英主贤臣，欲图收复，功垂成而辄废者，三矣。此豪杰之士，每每深嗟而痛惜。初，周世宗既下关南，欲乘胜进攻幽州。将行，夜中疾作，乃止。艺祖贮财别库，欲事攻取，会上仙乃寝。柳仲涂守宁边，结客……以为内应，掩其不备，疾趋直取幽州。会仲涂易地而罢。河朔之人，逮今引为憾。"是北宋用武之背景，固甚明显也。且以金之强，即无宋之夹攻，讵不足以灭契丹？故王夫之云："夹攻也，援辽也，自保也，三者俱无以自全。”详《宋论》八《靖康之祸》可知靖康之祸，固非全然宋启兵端之故。但百年来积弊相乘，一旦蹶发而用武，于以自速其崩溃，则亦明甚。

徽宗之即位，继屡次党争之后，士气固已消沉。《宋史》三五六《崔鸥传》云：“比年以来，谏官不论得失，御史不劾奸邪，门下不驳诏令，共持暗默，以为得计。”是内政之敝，即无外敌乘之，奚可久哉？

第五章　新外族之陶冶

一五　西夏与辽之开发

然北宋在武力上，固不足戡平五季以来多事之边疆，而在文物上。则所以启发中国文明于他族者，深矣。

其一，则西夏也。

西夏本姓拓跋，唐太宗赐姓曰李，世镇夏州。周世宗封为西平王。然中国迄不能平服之。仁宗之世，元昊益强，论官则有御史枢密之制，论教则有国学蕃学之制，寖寖然为一大国矣。而大有造于彼者，则不得志之汉人也以上录《宋》四八六《夏国传》。

洪迈《容斋三笔》卷十一云："西夏曩宵之叛，其谋皆出于华州士人张元与吴昊。……张元、吴昊、姚嗣宗，皆关中人。负气倜傥，有纵横才。相与友善，尝薄游塞上，觇观山川风俗，有经略西鄙意。姚题诗崆峒山寺壁云：'南粤干戈未息肩，五原金鼓又轰天，崆峒山叟笑无语，饱听松声慵昼眠。'……张为《鹦鹉》诗，卒章曰：'好著金笼收拾取，莫教飞去别人家。'……韩范二帅，……踌躇未用，……径走西夏，范公以急骑追之不及。乃表姚入幕府，张吴既至夏国，夏人倚为谋主，以抗朝廷。连兵十余年，西方至为疲敝。"

以宋论之，二人固为汉奸；以文化论之，盖亦开辟西陕之功狗云。

陈鹄《耆旧续闻》卷六曰："华山狂子张元，天圣间坐累终身，尝作雪诗云：'七星仗剑搅天池，倒卷银河落地机。战退玉龙三百万，断鳞残甲满天飞。'……韩魏公在鄜延日，元以策干公，不用。后流落窜西夏，教元昊为边患。"王定国《闻见近录》页十三云："张元，许州人也。……元累举进士不第，又为县宰笞之。乃逃诣元昊，将行，过项羽庙，乃竭囊沽酒，对羽痛饮。……悲歌累日，大痛而遁。及元昊叛，露布有朕欲亲临渭水，直据长安之语，元所作也。后鄜延被围，元实在兵中。于城外寺中，题曰：'太师尚书令兼中书令张元，从大驾至此。'昊虽强黠，亦元导之也。"考黄巢以不解进士，而后反；牛金星以不第秀才，而助李闯。人材登用，不能符合实际，为中国史中一病征。至今未已。元之助夏，虽宋之不竞，有以张之。然科举制度之病，固不止显于有清之末造矣。

西夏之困宋也，约在仁宗庆历之世。至赵元俨，有元昊未平，安用宰相之嘲《宋》二五五《元俨传》，可觇当时事势。当时，韩琦为经略，范仲淹谓："但见败形，未见胜势。"韩云："大凡用兵，当先置胜负于度外。"然"举兵入界，师次好水川，元昊设复，全师陷没，大将任福死之。魏公遽还，至半途，而亡卒之父兄妻子号于马首者，几千人。皆持故衣纸钱，招魂而哭曰：'汝昔从招讨出征，今招讨归，而汝死矣。汝之魂，不识亦能从招讨以归乎？'既而哀恸声震天地，魏公不胜悲愤，掩泣驻马不能前者数刻。范公闻而叹曰：当是时，难置胜负于度外也"。魏泰《东轩笔录》卷七——此在熙宁更法之前，宋之弱势可知已。

盖西夏之努力，固有令人可称者。《宋史·夏国传》论："德明在祥符间，已追帝其父，元昊称帝，厥后因之，与金同亡。……元昊结发用兵，凡二十年。无能折其强者。乾顺建国学，设弟子员三百；立养贤，务仁孝，增至三千，尊孔子为师，设科取士。又置官学，自为训导。观其陈经立纪，传曰：'不有君子，其能国乎？'"——所谓君子者，殆指华人以文明开化西夏焉。

西夏之外，其二则契丹辽也。

契丹起于唐之中世《旧唐》一九九，《新唐》二一九，唐季多故，役属诸部，其势日炽。石敬瑭建后晋时，曾得其力。即以燕云十六州，为贿与之九三六年。契丹亦正号为辽。文物制度，渐有建树。如耶律德光尝问冯道曰："天下百姓，如何救得？"《五代史》五四《道传》足征其略具人心。但其时蛮力尚强，故宋初对之，不能奈何，听十六州之割去而已。

《渑水燕谈录》卷一云："（宋）太祖讨平诸国，收其库藏，贮之别府，曰封椿库。每岁国用之余，皆入焉。尝语近臣曰：'石晋割幽燕之地，以与契丹。朕悯八州之民，久陷于虏。俟所畜满五百万缗，遣使赠北虏，以赎山后。如不吾从，即散府财，募战士，以图攻取。'会上晏驾，乃寝，"可见一代真龙，能盗天下于孤儿寡妇之手，然不能奈契丹何焉。

考辽之所以为辽，而不致为刘石之继者，亦有故焉。

其一，则多用汉人为政也。《韩延徽传》："太祖召与语，合上意，命参军事。服诸部落，延徽之筹居多。乃请树城郭，分市里，以居汉人之降者。……居久之，慨然怀其乡里，遂亡归唐。……初，延徽南奔，太祖梦白鹤自帐中出。比还复入帐中，太祖谓侍臣曰：'延徽至矣，'已而果然。太祖初元，庶事草置，凡营都邑，建宫殿，正君臣，定名分，法度井井，延徽力也。"《辽史》七四《张砺传》："太宗见砺刚直，有文采，擢翰林学士。……未几，谋亡归。……曰：臣不习北方土俗饮食居处，是以亡耳。上顾通事高彦英笑曰：'……砺去，可再得耶？'遂杖彦英而谢砺。"《辽史》七六举斯两列，足概其余。

案《辽史》一〇一《张琳传》云："旧制，凡军国大计，汉人不与。"或仅指军事秘密尔。立制创法，固未必尔。

其二，则渴慕华化也。朱彝尊《日下旧闻》卷十八《补遗》页三云："契丹主鸿基，以白金数百两，绣两佛像，铭其背曰：愿后世生中国。"鸿基者，道宗也，与宋仁宗同时。《辽史·百官志》言："太宗兼制中国，官分南北，以国制治契丹，以汉制待汉人。"《辽史》四五从张俭之言，则兴宗罢南征之议；美贞观之治，则圣宗纳得臣之书俱详《辽史》八十，渴慕汉化，以中国为标的，不亦显乎？

《辛斋诗话》据《日下旧闻》二十九引云："苏子由为贺辽生辰国信使，在元祐四年八月；既至，国人每问大苏学士安否？子由经涿州寄诗曰：谁将家谱到燕都，识底人人问大苏；莫把声名动蛮貊，恐妨他日卧江湖。子瞻次韵云：毡毳年来亦甚都，时闻鸩舌问三苏：那知老病浑无用，欲问君王乞镜湖。”此或苏氏饰辞，然辽人慕宋文化，要亦可睹。

其三，则吸收中国之文明也。宋代最以词著，然天祐帝后萧氏《辽史》七一能作《回心院词》事具王鼎《焚椒录》，津逮秘书本，汤显祖《玉茗堂诗集》卷十二《萧台怀古》云：“木叶山烟海色移，旧家帘影扇开时；那将十段回心曲，并作千秋绝命词。”是辽人能取宋人之词也。宋代以雕版名，然苏子由《栾城集》卷四十有《论北朝事宜劄子》云：“本朝民间，开板印行文字，臣等窃料北朝无所不有。臣等初至燕京，留守邢希古……传语臣辙云：‘令兄内翰《眉山集》，已到此多时。内翰何不印行文籍？……亦使流传至此。其间章疏策令，言朝廷得失，……若使尽得流传北界，上则泄漏机密，下则取笑夷狄。……惟可禁民，不得擅开板。欲开板，先具本申所属州县，不犯上件事节，方得开行。其今已开本，仍委官定夺，有涉上件事节，并令破板毁弃。’”是辽人能利用宋人之印刷也。——举此两端，余可知已。

又如宋人好言经史，而《辽史》百四《耶律孟简传》云：“作《放怀诗》二十首，自序云：禽兽有哀乐之声，蝼蚁有动静之形，然贤达哀乐，不在穷通祸福之间，《易》曰乐天知命，予虽流放，以道自安，又何疑耶？太康宋神宗时中，……上表曰：本朝之兴几二百年，宜有国史，以垂后世。……上命置局编修。……”则经史之学，固亦有迹可寻已。

然则统西夏与辽而言之，斯二国者，非特武力为宋之劲敌，文物上亦不能指之以与刘渊、石勒并论。故辽之抗宋者，直至金兴而始亡一一二五年宋徽宗宣和七年，夏之困宋也，直至元兴而始熸南宋理宗宝庆三年，一二二七年。苏颂以宋神宗时使辽，神宗“因问其山川人情向背，对曰：彼讲和日久，颇窃中国典章礼义以维持其政。上下相安，未有离贰意”《宋》三四〇《苏颂传》。《宋史》四八六《夏国传》云：“夏之境土，方二万余里。其设官之制，多与宋同；朝贺之仪，杂用唐宋，而乐器与曲，则唐也。……立旋风炮于橐驼案，纵石如拳，得汉人勇者为前军，号撞令郎。若脆怯无他技者，迁河外耕作。”——可知兹二国之持久也，盖有礼仪、法度、典章、文物之慕为华汉者在焉。

一六　宋金文物关系

在宋神宗更法以前，宋之荆棘，夏也，辽也。后此，则女真或金兴矣。盖契丹与夏先服属于北魏，魏入中国，而契丹始兴。金本属于契丹，辽势削弱，而金始大。蒙古本系属于金，金弱而蒙古始强。——斯四者，皆两宋三百年之劲敌也。

> 金之先，在古曰肃慎，元魏时有勿吉，在唐曰靺鞨。五季时，属于契丹。至太祖阿骨打收国元年，始以辽取宾铁，乃取金胜于铁之义，建号为金，是岁，宋徽宗政和五年一一一五宋神宗死后之三十年也《金史》一《世纪》。《通鉴》二七四胡三省注云：“其国本肃慎氏，东汉谓之挹娄，元魏谓之勿吉，隋唐谓之靺鞨。五代时，始号女真。在混同江之南者，为熟女真；江之北，

为生女真。混同江即鸭绿水。”林寿图《启东录》卷二云：“金国本名珠里真，后讹女真，常避辽主真宗讳，更为女直。”于此见金之初时，乃蜷伏于辽以下者。

金与近世史之满族，虽未必绝对同种。然案李心传《建炎以来系年要录》卷二十八云：“建炎三年秋，金元帅府禁民汉服，又下令髡发，不如式者杀之。”是薙发之禁，有同似已。

然就文明言之，则金固宋之别支焉。

金之文明，有间接取之于辽者。《金史》卷一称“辽主将刻印与之，景祖不肯系辽籍，辞曰：‘请候它日。’辽主终欲与之。（生女直部落节度使）……景祖诡使部下扬言曰：主公若受印系籍，部人必杀之。辽使乃还。既为节度使，有官属纪纲，渐立矣”。《金史》一是金之政治，因于辽也。太祖收国五年一一一九将伐辽，诏曰：“若克中京，所得礼乐仪仗，图书文籍，并先次津发赴阙。”《金史》一《金图经》云：“金本无宗庙，不修祭祀。自平辽后，所用执政大臣，多汉人。往往说天子之孝在尊祖；尊祖在宗庙；金主多开悟。”《日下旧闻》卷三引——金虽有得于辽，其后则后来居上，金且轶辽而上之已。

赵氏《廿二史劄记》二十七有“辽俗好文学”一条，但又谓金代文物远胜辽元，卷二十八此其征也。

亦有直接取之于宋者，其一，则人材也。“金初多汉人宰相”、“金元俱有汉人南人之名”《劄记》二八，汉人者旧属于辽之中国人也，南人者属于宋之中国人也。其二，则制度也，盛如梓《老学丛谈》下页三云：“金国议以时务策诸生，兴女直进士科。礼部以所学与词赋，劳佚不同，不可概称进士。诏耶律公定其事。公谓进士之科，始于隋大业中。始施策一道，唐初不改。至高宗时，杂以赞铭赋颂，临时不一。逮至文宗，始专用赋。既进士初试，上试以策，而今女直诸生，以策试进士，于体为得。世宗大悦，遂施行。”是宋在訾议词赋取士，而金亦因唐以垂制也。其三，则文献也。《宋史·宇文虚中传》：“虚中恃才轻肆，好诋讪。凡见女真人，辄以矿卤目之。贵人达官，往往积不平。……由是媒孽，成其罪。……乃罗织虚中家图书为反具。虚中曰：死自吾分，至于图籍，南来士大夫，家家有之。高士淡图书尤多于吾家，岂亦反耶？”《宋史》三七一是南方史籍，多有北入金中者矣。其四，则文学也，《金史·文艺传》叙：“金初，未有文字。……及伐宋，取汴经籍图，宋士多归之。……章宗之世，儒风丕变；庠序日盛。……而朝廷典册邻国书命，粲然有可观者矣。金用武得国，无以异于辽；而一代制作，能自立于唐宋之间，有非辽世所及，以文而不以武也。”《金史》一二五《归潜志》卷一云：“金海陵庶人，读书有文才，为藩王时，尝书人扇云：‘大柄若在手，清风满天下。’正隆南征至维扬，望江左赋诗云：‘屯兵百万西湖上，驻马吴山第一峰。’其意气亦不浅。”又卷一云：“章宗父追谥显宗，好文学，作诗善画，人物马尤工，迄今人间多有存者。”刘祈所云不止此，姑略是南方诗文，金人多有能之者矣。其五，则理学也。故“李屏山喜佛学，……以为宋伊川诸儒，虽号深明性理，发扬六经，然皆窃吾佛书者也。因此，大为诸儒所攻”。《归潜志》卷九曰诸儒者，明金国自有伊雒之学也。其六，则科学也。如宋东京有火药作本卷第二节，然《金史》一一六《蒲察官奴传》亦述火枪之制，此其征也。

金之政制，有与宋极似者。《刑法志》谓亦稍用辽、宋法

《金史》四五。《礼志》谓金人入汴，得宋礼乐，后乃仿制《金史》二七。《乐志》谓得宋钟虡以归《金》三九。《舆服志》谓克宋以后，于是有车辂之制《金史》四三。《兵志》谓签军募军，兼用汉制《金史》四四。《选举志》谓进士之科，兼用唐宋之法《金史》五一。《百官志》谓大率皆循辽、宋之制《金史》五五。《食货志》述通检推排之制，即平均田税。考元氏《长庆集》三十八已有《同州奏均田状》。徐度《却扫编》卷下页十二又述欧阳修方田均税之事。与荆公新法之方田，固亦绰有渊源焉。

其在金之末造，则武人如"斜烈毕里海，世袭猛安也。性好士，幕府延致文人"。"移剌买奴，喜交士大夫，视女直同列诸人，奴隶也"。"移剌粘弟兄，俱好文"。"南渡后，诸女直世袭猛安谋克，往往好文学，与士大夫游"上四俱见刘祈《归潜志》六。彬彬尔雅之风，与宋殆不殊已。

然而金人之所以为金人者，则尚有武力者在焉。

自熙宁法扰，崇宁党扰之后，宋之积弱，固愈显明。金先约宋以亡辽一一二五，继则陷汴以亡宋一一二七。其民族之勇武，吴璘尝追称之曰："璘与先兄，束发从军，屡胜西戎。不过一进却之间，胜负决矣。至金人则胜不进，败不乱。整军在后，更进迭却，坚忍持久，令酷而下必死。盖自昔用兵，未见胜之之道。非屡与之角者莫能尽知。"《十三处中兴战功录》页六，藕香另拾本则其士卒之劲也。郦琼尝追指其事曰："琼尝从大军南伐，每见元帅国王，亲临阵督战，矢石交集，而王免胄，指麾三军，意气自若。用兵制胜，每与孙吴合，可谓命世雄材矣。……江南诸帅，才能不及中人。每当出兵，必身居数百里外，谓之持重。或督召军旅，易置将校，仅以一介之士，持虚文谕之，谓之调发。制敌决胜，委之偏裨。是以智者解体，愚者丧师。”《金史》七九《琼传》则其将帅之劲也。——于是文化上为金师保之宋人，不得不忍辱而言和，不得不侥幸以图存；而秦桧南自南北自北之议起矣。

关于北南宋之间，金人之强，李心传《建炎已来系年要录》卷二十六云：“建炎三年，上使使遣金主晟议和，且致书左副元帅宗维，略曰：‘古之有国家而不濒于危亡者，不过守与奔而已。今以守则无人，以奔则无地，此所以偲偲然，惟冀阁下怜之而已。’”可知秦桧之和，固不得不然。

绍兴三十一年，金主亮南侵，虞允文等败之于采石。然《鹤林玉露》卷四云：“采石之师，若非逆亮暴急嗜杀，自激三军之变，亦未易驱攘。是时，亮虽遭杀，残虏北归，纪律肃然，无一人叛亡。此岂易胜之师乎？文公曰：‘谢安之于桓温，陈鲁公之于完颜亮，幸而捱得他死尔。’”金之强可见。

朱一新《南宋论》云：“论其形势，虽较东晋为强。然南宋之敌，亦比东晋为强。自宋以前入寇者，无如金源之强悍者。建炎之时，尽有将材，未得抵也。十六国僭伪之主，惟慕容垂、苻坚有大志。刘、石虽强，要是草窃之资。故东晋得以晏然江左；使在金源时，势如破竹矣。”《无邪堂答问》卷一以今论之，既有其蛮武，而又摹中国之文教，斯金之所以为金。而宋之所以终于为南宋也。

《宋史》三七五《邓肃传》：肃对高宗曰：“外夷之巧，在文书简：简故速。中国之患，在文书烦，烦故迟。”此盖指其一端而言之。陈亮告孝宗云:“昔者金人,草居野处。往来无常,能使人不知所备,而兵无日不可出也。今也城郭宫室,政教号令,一切不异于中国。”华化以外,又拥武力,则“金源之根既久,不可以一举而遂灭”。上见《宋》四三六《陈亮传》岂无故哉?

无名氏《中兴御侮录》卷上页二十云:(金主)“亮一日,登扬州望江亭,指顾江山之胜,谓其下曰:‘朕不入浙,誓不返国。’因改其亭曰不归亭。赋诗于壁曰:‘万国车书久混同,江南何尚隔华封?提兵百万西湖上,驻马吴山第一峰。’”则金主之有文学,又可见已。卢文弨跋刘祈《归潜志》云:“此书记金源人物,文雅风流,殊不减于江以南。即一二谐谑语,亦多有可观。”——以金之文雅风流,乃知其异于五胡,益可知南宋之不能有所为也。

第六章　旧民族文明述

一七　宋代诗文

以金主亮之好为华诗言之，则知两宋虽绌于外族，而在文明上，则远轶之焉。

《归潜志》载雷渊事云：“公博学，有雄气。为文学专学昌黎，尤长于叙事。诗杂(东)坡(山)谷，喜新奇，好收古人书画碑刻，……尝为文，祭高献臣，其词高古，一时传诵，工于尺牍，辞简而甚文。”卷一页八—九是金之文人，固以昌黎、东坡为师矣。然而，言宋之文者，则固有力接昌黎之绪者，即所谓古文是也。

> 《宋史·文苑传》叙云：“国初杨亿刘筠，犹袭唐人声律之体。柳开、穆修，志欲变古，而力勿逮。逮庐陵欧阳修出，以古文倡。临川王安石、眉山苏轼、南丰曾巩起而和之，宋文日趋于古矣。”《宋史》四三九《文苑传》叙——盖言宋文主韩、欧也。

盖唐季之文，近于曼丽，长庆以后，斯风愈张，所谓文沿燕许，不沿韩、柳是也《四库提要》一五二《徐铉集》提要。太宗太平兴国中，南唐降王李煜薨，徐铉撰碑云："东邻构祸，南箕扇疑。投杼致慈亲之惑，乞火无邻祸之辞。始劳因垒之师，终后涂山之会。"《东轩笔录》卷一俪偶之词，视唐韩、柳有间。太宗以后，时届升平。曲厌常态，反而求古。而柳开、穆修等，遂鸭噪春江也。

柳开字孟涂，太祖开宝六年进士。以"五代文格浅弱，慕韩愈、柳宗元为文，因名肖愈字绍元。既而改名字，以为能'开'圣道之涂也"《宋史》四四〇。"今第就其文而论，则宋朝变骈俪为古文，实自开始。"《提要》一五二《河东集》盛如梓《庶斋老学丛谈》中之上页十二云："柳仲涂云：古文非在辞涩言苦，使人难读诵之。在于高其意，古其理，随言语短长，变变作制，同古人之行事，是谓古文。"然开虽"始为古文，（而）其后杨亿、刘筠，尚声偶之辞，天下学者，靡然从之。修于是时独以古文称"《宋》四四二《穆修传》。可知仁宗庆历以前，古文犹未通行。

且修等初反唐季偶俪之作风，推而求诸柳、韩，其风习盖至幼稚。彭乘《墨客挥犀》卷二记其事云："往岁士人，多尚对偶为文。穆修、张景辈始为平文，当时谓之古文。穆、张尝同走朝，待旦于东华门，方次论文。忽见有一奔马，践死一犬。二人各记其事，以较工拙。穆修曰：'马逸，有黄犬过，蹄而毙。'张景曰：'有犬死奔马下。'时文体新变，二人语皆拙涩，当时已谓之工，传至于今。"——夫以如斯为工，则又何以服杨亿、徐铉之心？

案此"逸马毙犬"一事，彭乘记之，而陈善《扪虱新话》卷五记之。沈括《梦溪笔谈》卷十二又记之。可知文体改革，亦振撼一时云。

仁宗庆历以还，杯酒释兵权之效愈著。外患亦在忍受中，不至横决。于是而范文正之儒将风流，欧阳修之文人倜傥，烧烛翦髻之余，于俪偶及晦涩外，又开一面。“修游随，得唐韩愈遗稿于废书簏中，读而心慕焉。苦志探颐，至忘寝食。必欲并辔绝驰，而追与之。”《宋》三一九《欧传》此欧阳之古文也。毕仲洵《幕府燕闲录》页一，五朝小说本云：“范文正公尝为人作墓志，已封将发，忽曰：不可不使师鲁见。明日以示尹师鲁，曰：君文名重一时，后世所取信，不可不慎也。今谓转运使为都刺史，知州为太守，诚为清佳。然今无其官，后必疑之。此正起俗儒争论也。希文抚之曰：赖以示子，不然吾几失之！”此范仲淹之古文也。——欧阳之力，则尤为大已。

欧阳力之所以大者，一则以其克享遐龄于承平之中也。二则自致其力甚邃也。“世传欧阳公平昔为文章，每就纸上净讫，即粘挂斋壁，卧兴看之，屡思屡改，至有终篇不留一字者，盖其精如此。”《扪虱新话》卷五三则及门弟子，或友好之多也。《宋史·修传》称曾巩、王安石、三苏未达时，“修即游其声誉”。陈善《扪虱新话》云：“予观国初文章，气体卑弱，犹有五代余习。自穆修等始作为古文，学者稍稍从之，然未盛也。及欧阳公尹师鲁出，然后国朝之文，始复于古。”卷五即其征焉。

自兹厥后，韩、刘、欧、苏之名走天下。《石林诗话》页三九，津逮本云：“至和嘉祐间，场屋举子为文，尚奇涩，读或不能成句。欧阳文忠公欲力革其敝，知贡举，凡文涉雕刻者，皆黜之。”场屋之文尚尔,可以见北宋文风之丕变已。——然而其敝也,则更易新好字面,观夫南宋时朱子云云,则知古文之敝,无异于骈四俪六之文也。

南宋时吕祖谦编《皇朝文鉴》,多不取俪偶之文《四库提要》一五二《骑省集》,当时重古文可见。《朱子语类》一三九《论文》云:"今人为文,皆不是为文。大抵专务节字,更易新好字面,至说义理处,又不肯分晓。观前辈欧苏诸公,作文何尝如此。圣人之言,坦易明白;因言以明道,正欲使天下后世由是求之。使圣人立言,要教人难晓,圣人之经,定不作矣。"是古文家之炼句作词,又未必不如骈文之有弊已。

言文如斯,言诗亦何尝不尔。

唐自李杜以后,国运益微,殿军称李义山,以雕刻秾丽显。宋太宗、真宗之际,杨刘承之,即所谓西昆体者也。田况《儒林公议》云:"杨亿变文章之体,刘筠、钱惟演辈,从而效之。以诗更相属和。亿后编叙之,曰《西昆酬唱集》。"盖"其诗宗法唐李商隐,取词华而不乏兴象,效之者渐失本真"。刘克庄《后村诗话》云:"杨、刘诸人,师李义山可也;又师唐彦谦。……若《西昆酬唱集》,对偶字面虽工,而佳句可录者殊少。"《后村诗话》前集卷二盖"时际承平,从容典赡,……极一时之丽"《四库提要》一五二《武夷集》提要。——与宋初声律之文,若一出焉。

文变于欧阳,时在仁、神之间,而诗亦然。文推唐季,而之柳、韩,诗则推之李、杜矣。王禹偁诗云:"本与乐天为后进,敢期杜甫是前身。"《提要》一五三叶梦得《石林诗话》云:"欧阳文忠诗,始矫昆体,专以气格为主,故其言多平易疏畅。"《石林诗话》页五欧阳平日,推重其《明妃曲》、《庐山高》二篇，以今视之，容亦有未然，然其追慕李、杜之风，则益可征。

《石林诗话》页三一云："毗陵张子厚善书，余尝于其家见欧阳文忠公子棐求书文忠《明妃曲》二篇、《庐山高》一篇。略云：先公平日，未尝矜大所作文，一日被酒语棐曰：'吾庐山高，今人莫能为，惟李太白能之。'《明妃曲》后半，太白不能为，惟杜子美能之。至于前篇，则子美亦不能，惟吾能之也。"——于此，正见其崇高李杜处。

平心论之，嘉祐、崇宁之间一〇五六——一一〇六，宋虽内弱，而外表未衰。欧阳修者，不愧为盛世文人之翘楚。其从游如梅尧臣，"有人得西南夷布弓衣，其织文乃尧臣诗"《宋》四四三《尧臣传》。然文体以新为贵，故大变时来。苏轼、黄庭坚继之，离李、杜远矣，去欧亦远矣。庭坚者，即世所称为江西派之主也。庭坚死于哲宗绍圣三年一〇四六正新旧党争剧烈之时，而"蜀江西君子，以庭坚配苏轼"《宋史》四四四《庭坚传》。陈无已等继之，造句以孤诣生硬为宗，隐宗贾岛、孟郊僻涩之风，正如朱子讥宋中叶以后之文，以雕模为工也。宋诗之有山谷，犹文之有欧阳欤？

严羽《沧浪诗话》云："东坡、山谷始自出己意以为诗，唐人之风变矣。山谷用工尤为深刻。其后法席盛行海内，称为江西宗派。"《后村诗话》云："国初诗人，如潘阆、魏野，规规晚唐格调，寸步不敢走作。杨、刘则专为西昆体，故优人有挦扯义山之诮。苏（舜钦）梅二子，稍变以平淡豪俊，而和之者尚寡。

至六一、坡公，学者宗焉。然二公亦各极其才力之所至而已，非必锻炼勤苦而成也。豫章（黄）稍后出，会百家句律之长，究历代体制之变，蒐猎奇书，穿穴异闻。作为古律，自成一家。虽只字半句，不轻出，遂为本朝诗家宗祖。”赵彦卫《云麓漫钞》卷十四：“吕居仁作《江西诗社宗派图》，其略云：李、杜之出，后莫能及。韩、孟、张籍，诸人自出机杼，别成一家。元和之末，无足论者。衰至唐季，极矣。然乐府长短句，有一唱三叹之声。至国朝穆伯长、尹师鲁，始为古文，成于欧阳氏。歌诗至于豫章，始大出而力振之，后学同作共和，尽发千古之秘矣。录其名字曰江西宗派，其源流皆出豫章也。”以下有人名二十五人，起山谷讫高子勉

盖“江西”之末流，与韩柳之末流，其趋势正如两宋国势、政治、民生之日薄崦嵫。昔人称陈无已江西派第二人，据《漫钞》“意所孤诣，殆不可攀。而生硬之处，则未脱江西之习”。“往往逼杜甫，而闲失之僻涩。”《提要》一五四《后山集》后世人因有宋诗非但不及唐，兼亦不如元人之讥矣。

明都穆《南濠诗话》：“昔人谓诗盛于唐，坏于宋，近亦有谓元诗过于宋者，陋哉见也。刘后村云：‘宋诗岂惟不愧于唐，盖过之矣。’余观欧、梅、苏、黄、石湖、放翁诸公，视之唐诗，未可便谓之过，然真无愧色者也。元时大家曰虞（集）、杨（维桢），而以视宋，特泰山之卷石耳。方正学诗曰：‘前宋文章配两周，盛时诗律亦无俦；今人未识昆仑派，却笑黄河是浊流。’非具法眼，乌能道此。”考南宋时杨、陆之诗，固无遗议。然江西末流，

及韩、苏末流之敝，则固不容否认者，都说过矣。

一八　经学语录及小说

宋诗文之所以不如前代者，正如其国治武功之不及前代；所以然者，盖与经学理学有关，《升庵诗话》："唐诗主情，去三百篇近。宋诗主理，去三百篇远。"《石林燕语》云："政和末，李彦章为御史，言士夫作诗，有害经术请送敕局立法。何丞相执中为提举官，遂定命官传习诗赋，杖一百。"据俞氏《茶香室丛钞》八引周密《癸辛杂识》续集下云："刘后村尝为吴恕斋作《文集叙》曰：'近世贵理学，而贱诗赋。间有篇咏，率是语录讲义之押韵者耳。'"——是诗人因性理而摧抑也。周密《浩然斋雅谈》卷上云："宋之文治虽盛，然诸老率崇性理，卑艺文。朱氏主程而抑苏，《吕氏文鉴》去取多朱意。故文字多遗落者。水心叶氏曰：洛学兴而文字坏。至哉言乎。"是文人因性理而摧抑也。性理学者，以论理治经学也。何益于诗文国政乎？

案以诗文为玩物丧志，已见本卷十一节引《朱子文集》八〇《上蔡祠堂记》。《四库提要》一五三论邵氏《击壤集》云："班固咏史，始兆论宗。方朔诫子，始涉理路。沿及北宋，于是以论理为本，以修辞为末。而诗格于以大变，此集其尤著者也。"

考宋人经学，其初固沿唐人注疏之旧。苏子由《龙川别志》卷上云："王文正为相，南省试'当仁不让于师赋'。贾边以落韵，李迪以师为众，与注疏异。……文正议：'落韵失于不详审耳，若舍注疏而立异论，恐从今士子放荡，无所准的。'遂取边而黜迪。"吴曾《能改斋漫录》卷二引"国史云：庆历以前，学者尚多守章句注疏之学，至刘原父为《七经小传》，始异诸儒之说。王荆公修经义，盖本于原父云"。——经学之转方向，殆与安石创熙宁之法，欧公修韩愈之体，山谷创江西之宗，时先后不十分远也。

> 《十驾斋养新录》十八《宋人经学》云："王伯厚曰：自汉儒至于庆历间，谈经者守训故而不凿。《七经小传》出，而稍尚新奇已。至三经义行，视汉儒之学如土梗。古之讲经者，执经而口授，未尝有讲义也。元丰间陆农师在经筵，始进讲义。自是厥后，上而经筵，下而学校，皆为支离蔓衍之辞，说者徒以资口耳，听者不复相问难，道愈散而习愈薄已。"
>
> 又云："宋初儒者，皆遵守古训，不敢妄作聪明。宋景文《唐书·儒学传》，于《啖助传赞》深致贬斥，盖其时孙复石介辈，已有此等议论。而欧阳公颇好之，故于此传，微示异趋，以防蔑古之渐。其后王安石以意说经，诋毁先儒，而轻薄之徒，同风效尤。如孙奕说《诗》黾勉，以黾为蛙。说《论语》老彭，以彭为傍《示儿编》；罗璧以《公羊》、《谷梁》皆姜姓，真可以入《笑林》矣。"

然宋人经学有或可以为功而是非之难明者，其一，则谶纬之学之屏埽也。其二，则语录体之成立也。

以前者言："纬书者，汉儒以为孔子所修，七经之纬凡三十六篇。……以为孔子既叙六经，以明天人之道，知后世不敢指同其意，故别立谶纬，以遗来兹。其书出于汉哀、平之间，盖夏贺良之徒为之。至光武亦以赤伏自累，笃好而推崇焉。当时儒者，习为内学，如郑玄辈专以谶言经，而何休之徒，又不足言矣。桓谭、张衡力非之而不能回也。先是，孔安国、毛公以来，皆以为妖妄乱中庸之典。因鲁共王之所得古文，参而考之，以成其义，谓之古学。世儒惑于谶纬，反非毁之。至魏王肃推行其学，王弼、杜预从而明之，自是古学稍立，而谶纬之学寝微。逮宋大明中，始禁谶纬之书。至隋末，遣使括天下书籍，与谶纬相涉者，悉焚之。然考之《唐志》，犹存九部四十八卷。而孔颖达作《五经正义》，犹引用纬书之说。欧阳公尝欲删去之，以绝其言，不果行。迨魏翁山作《九经正义》，始加黜削，而其言绝焉。今《易纬乾凿度》尚存。"王祎《青岩丛录》页一，五朝小说本——此是非之难明者一也。

考谶纬颇存古人之说，隋人禁之，殊亦非是，但其书神秘不可尽信耳。语在中古卷三十四节中。

以后者言，语录者，俚语也。晁氏《郡斋读书志》卷四页三云："伊川《论语说》十卷，门人记其师所解《论语》也。不为文辞，直以俚语记之。"钱大昕《十驾斋养新录》卷十八《语录》云："佛书初入中国，曰经曰律曰论，初无所谓语录也。达摩西来，自称教外别传，直指心印。数传以后，其徒日众，而语录兴焉。支离鄙俚之言，奉为鸿宝。并佛所说之经典，亦束之高阁矣。释家之语录，始于唐，儒家之语录，始于宋。儒其行而释其言，非所以垂教也。语录行而儒家有鄙倍之言矣，语录行则有有德而不必有言者矣。"——此是非之难明者二也。

盖宋人文言白话，已有歧异，《说郛》卷三十四，吕居仁《轩渠录》云："族侄大琮过严州，陈婶令作代书寄子，因口授云：'孩儿要劣，你子又吸吸霍霍地，且买一柄小翦子来，要剪脚上骨出儿肐胝儿也。'大琮迟疑，不能下笔。婶笑曰：原来这厮也不识字，"即此可征。则语录之兴，自有可取者。周煇《清波杂志》卷十云："沈隐侯曰：古儒士为文，当从三'易'。易见事，一也；易识字，一也。易诵读，一也。"——此即异日胡适"八不主义"之祖欤？朱子《答曾景建书》云："文字之设，要以达我之意而已。故使极其高妙，而于理无得焉，则亦何所益于吾身？而何所用于斯世？……故公家舍人谓曾子固谓王荆公曰：文字不必造语，及摹拟前人，孟韩文虽高，不必似之也。"《朱子全书》六五此于文，主张达意为贵也。《答谢成之》云："渊明诗所以为高正，不待安排，胸中自然流出来。东坡乃篇篇句句，依韵而和之，虽其才高，似不费力，然已失自然之趣。"据《日知录》卷二十一《次韵》引此于诗主自拓胸襟也。然则语录体的文人的见解，不可一概非之也。

然语录体之反抗宋代的复古的诗文，要为一腔正经，其才智之士，不愿为一格所限者，则又有小说焉。

《汉志》以里井闲谈为小说，其意盖与后世异。考《庄子》多寓言，《列子》又载土偶桃人对话。则小说之风，古已启之。魏晋以后，仙异之体日张，干宝《搜神》是也。及唐有传奇之体，而牛僧孺《周秦行纪》等书，于今犹在。然短篇小说之蔚为大宗，则两宋人之力实多。良由北宋之时，承平无事，因而小说之体繁焉。此亦可谓语录体，韩柳体、西昆、江西之外，别树一帜者矣。

郎瑛《七修类稿》卷二十二云："小说起于宋仁宗时，盖太平盛久，国家闲暇，日欲进一奇怪之事，以娱之。故小说得胜头回之后，即曰话说赵宋某年云云。闾阎淘真之本之起，亦曰太祖、太宗、真宗、仁宗四帝有道国君。国初瞿存斋过汴之诗，有'陌头盲女无愁恨，能拨琵琶说赵家'，皆指宋也。"

桃源溪父《宋人小说叙》云："古史亡而后小说兴，齐谐见述于漆园，梦卜多载于盲史。即宋玉之赋行云，子长之传琴心，斯体滥觞，实托之始。魏晋而下，搜神、志怪，莫可殚纪。——然莫盛于唐。当时长安逆旅，落魄失意之人，往往寓讽而为之。然子虚乌有，美而不信；惟宋则多出士大夫手，非公余纂录，即林下闲谈。虽奇丽不足，而朴雅有余矣。"——以今论之，宋之小说有恢宏前人之书者，王性之《传奇辨正》是也，有自辟蹊径者，宋江等三十六人是也。前者则《西厢》之前身，后者则《水浒》之粉模。承前启后，知宋诗人文人之外，无名之小说家，所以惠迪后人者，盖亦不甚少也。

唐元稹作《会真记》叙张生、莺莺事，而东坡从游者赵德麟，于其《侯鲭录》卷五页一中著《辨传奇莺莺事》，杂附诗词，其文甚长，兹不录，——此元人《西厢》之粉本焉。周密《癸辛杂识》续集上页三十云："龚圣与作宋江三十六赞，并叙曰：宋江事见于街谈巷语，不足采著。余年少时，壮其人。欲存之画赞，以未见信书不敢为。后见《东都事略》中载《侯蒙传》陈制贼之计云：'宋江等三十六人横行河朔，……'余然后知此辈，真有闻于时者。"其名目则为呼保义宋江、智多星吴学究、玉麒麟卢俊义、大刀关胜、活阎罗阮小七、赤发鬼刘唐、没羽箭张清、浪子燕青、病尉迟孙立、浪里白条张顺、船火儿张横、短命二郎阮小二、花和尚鲁智深、行者武松、铁鞭呼延绰、混江龙李进、九纹龙史进、小李广花荣、霹雳火秦明、黑旋风李逵、小旋风柴进、插翅虎雷横、神行太保戴宗、先锋索超、立地太岁阮小五、青面兽杨志、病关索杨雄、双枪将董平、两头蛇解珍、美髯公朱仝、没遮拦穆宏、拼命三郎石秀、双尾蝎解宝、托塔天王晁盖、金枪班徐宁、扑天雕李应，此亦明人《水浒传》所取资者也。

吴自牧《梦粱录》二十载小说讲经史云："谈论古今，如水之流。……听者纷纷，盖讲得字真不俗，记闻渊源甚广耳。"此则又一体变已。

一九　宋词概说

然论宋人文学者，岂小说哉？要当以词为首屈一指云。

词固非始于宋者，《通鉴》一八〇隋炀大业元年，炀帝作《清夜游》曲，于马上奏之。又卷一八三记炀帝大业十三年，民间歌桃李子云："桃李子，皇后绕扬州。宛转花园里，勿浪语，谁道许？桃李子！"胡三省注《通鉴》云："《杨柳枝》即今之令曲。今令曲如《清平调》、《水调歌》、《柘枝》、《菩萨蛮》、《八声甘州》，皆唐季之余声。"《通鉴》二六四注姚宽《西溪丛话》卷下页十一云："《望江南》者，朱崖李太尉镇关西日，为其亡姬谢秋娘所作，后进入教坊。"朱新仲《猗觉寮杂记》：云："弹曲起于唐懿宗时。《曹确传》云：'优人李可及能为新声，自度曲。'"卷下页二十六——以上云云，可见唐人固已有词之酝酿已。近王国维《人间词话》上页七云："四言敝而有楚词，楚词敝而有五言，五言敝而有七言，古诗敝而有律绝。律绝敝而有词。盖文体通行既久，染指者多；自成习套。英雄之士，亦难于其中自立新意；故遁而作他体，以自解脱。"此言甚允，可以为词究始谁，作答已。

张宗橚《词林纪事》卷一载李白《菩萨蛮》、《忆秦娥》二阕为词祖。考胡少室《庄岳委谈》《笔丛》四十一云："余谓太白在当时，直以风雅自任。即近体或七言律，鄙不肯为；宁屑事此？且二词工丽而衰飒，于太白超然之致，不啻霄壤。"王世贞《四部稿》一五一云："昔人谓李白《菩萨蛮》、《忆秦娥》，杨用修复传其《清平乐》二首，以为调祖，不知隋炀帝已有《望江南》词，盖六朝诸君，重酒赓色，务裁丽语，默启词端，实为滥觞之始。"

至于词的由来，则昔人有诗余乐府长短句三说。乐府起于汉世本书中古卷十一节，王世贞云"词者，乐府之变"是也《四部稿》一五一。有谓诗之余者，陈卧子云"宋人不能诗，故发于诗余"是也《人间词话》上卷引。有谓长短句者，朱彝尊云："用长短句制乐府雅词，自汉迄南北朝皆然。唐初以诗被乐，填词入调，则自开元、天宝始。逮五代十国，作者渐多。遗有《花间》、《尊前》、《家宴》等集。"《曝书亭集》四〇《群雅集叙》若以臆见论之，诗律至唐已臻繁细。而词者，句有长短，韵有转换，自更足吐泻人情。《诗话总龟》前集四二云："（唐）昭宗在河东，作《菩萨蛮》云：'登楼延望秦宫殿，茫茫不见双飞燕。渭水一条流，千山与万丘。野烟生碧树，陌上行人去。何处有英雄，迎归大内中？"案唐宣宗亦好《菩萨蛮》词，见《北梦琐言》《西清诗话》

云:“(南唐)李后主归朝后,每怀故国,且念嫔妾零落,郁郁不自聊。尝作《长短句》云‘帘外雨潺潺,春意阑珊。罗衾不耐五更寒,梦里不知身是客,一向贪欢。独自莫凭栏,无限江山。别时容易见时难,流水落花春去也,天上人间!’”《渔隐丛话》前集五十九引——此皆在宋人以前,以错综之韵,长短之句,自写哀情,较之于诗,已别有天地已。

胡应麟云:“宋、元词曲,陈、隋实始之。齐、梁月露,固已兆端。陈、隋二主,所为长短歌行,率宋人词中语也。……词曲滥觞,实始此际。自文皇以鸿材硕藻,拨六朝余习,子昂、太白,相望并兴。逮少陵氏作,出经入史,划绝淫靡,有唐三百年之诗,遂屹然羽翼商、周,驱驾汉、魏。藉令非数君子砥柱其间,则《草堂》、《花间》,将踵接于武德、开元之世,讵待宋、元而后显哉?”《笔丛》四十一《庄岳委谈》下此谓如无李、杜之诗,则词或在唐已盛。——反之即谓诗衰于宋,故词亦乘机崛起;盈虚倚伏,盖亦可谓为定论已。

然宋初词人之所以突然光大者,则亦有故:

其一,则由于贵人之提倡也,《宋史》二五〇《张怀德传》:“善音律,自为新声,度曲极精妙。”《李邦彦传》:“每缀街市俚语,为词曲,人争传之。”《宋》三五二范公称云:“张子野郎中《一丛花》词云:‘怀高望远几时穷,无端似情浓。离魂正引千丝乱,更南陌香絮蒙蒙。嘶骑渐遥,征尘不断,何处认郎踪?双鸯池沼水桡通,梯横画阁黄昏后,又正是斜月朦胧。沉思细恨,不如桃李,犹解嫁东风。’一时盛传。欧阳永叔尤爱之,恨未识其人。子野家南地,后至都谒永叔，阍者以通。永叔倒履迎之曰：'此乃桃李嫁东风郎中！'"《过庭录》页三九，稗海本贵人之作词好词，此不足以想见乎。

张先以词知重于晏殊，见《道山清话》页十八可参看。

其二，由于个人之浪漫也。如柳永（字耆卿）撰《鹤冲天》："忍把浮名，换了浅斟低唱。及临轩放榜（仁宗）特黜落之曰：'且去浅斟低唱，何要浮名？'"事具吴曾《能改斋漫录》卷十六此即异日周邦彦《少年游》之所以作也。

柳永有《屯田词》，邦彦字美成，有《清真词》，张端义《贵耳集》（卷下页七）载"道君幸李师师家，邦彦先至，闻道君至，遂匿床下。道君自携新枨一颗，云江南初进来，遂与师师谑语，邦彦悉闻之，檃括成《少年游》云：'并刀似水，吴盐胜雪，纤手剖新枨。锦幄初温，兽香不断，相对坐调笙。低声问：向谁行宿，城上已三更。马滑霜浓，不如休去，直是少人行。'师师因歌此词，道君问谁作，师师奏曰：'周邦彦词。'道君大怒，因加邦彦迁谪。"可见承平之世，文人荡佚之风。即如柳永，流落不偶，死于襄阳。然群伎会葬南门外，每日上冢，谓之吊柳云见《艺苑雌黄》。此亦可见北宋词人之风致耳。

其三，则由于个人之才气也。《吹剑录》云："东坡在玉堂日，有幕士善歌，因问我词何如柳七？对曰：'柳郎中词，只合十七八女孩儿，按红牙拍，歌杨柳外晓风残月。学士词，须关西大汉，执铜琵琶，铁绰板，唱大江东去。'坡为之绝倒。"张宗橚《词林纪事》卷五引赵德麟《侯鲭录》卷八云："东坡居士曲，世所见者数百首。或谓于音律小不谐，居士词横放杰出，自是曲子缚不住者。"此其征焉。

陆游《老学庵笔记》卷五云："世言东坡不能歌，故所作乐府，词多不协。晁以道云：绍圣初，与东坡别于汴上，东坡酒酣，自歌古阳关。则公非不能歌，但豪放不喜剪裁，以就声律耳。"宋词绮腻者多，然豪放者亦不少。如"范文正公守边日，作《渔家傲》词数阕，皆以塞上秋来为首句，颇述边境之劳。及王尚书素，出守平凉，文忠作《渔家傲》一章以送之，其断章云：'战胜归来飞捷奏，倾贺酒，玉阶遥献南山寿。'顾谓王曰：'此真元帅之事也。'"魏泰《东轩笔录》十一是已。

然其最大之原因，则在于词之能歌。唐人之诗，本属可歌详中古卷四十三节引王灼《碧鸡漫志》卷一；其后诗不能歌，则必将有以代之，而词遂为天之骄子。昔人评黄庭坚词："鲁直间为小词，固高妙；然不是当行家语，乃着腔子唱好诗也。"《侯鲭录》卷八又王铣撰《忆故人》词，"徽宗喜其词意，犹以不丰容宛转为憾。遂令大晟府别撰腔，周美成增益其词，而以首句为名，谓之《烛影摇红》云"《能改斋漫录》。盖词之敛板可歌，颇便于诗之仅足寄托欤？

词之可歌，今犹可想见大略。吕居仁《轩渠录》《说郛》三四云："王彦龄为太原掾官，尝作《青玉案》、《望江南》，以嘲监司。监司大怒。彦龄敛板向前答曰：'居下位，尝恐被人谗。只是曾填《青玉案》，如何敢做《望江南》？请问马初监！'……马皇恐，亟自辨，诘彦龄曰：'某旧不知，子乃以我为证何也？'

彦龄笑曰：'且借公趁韵，幸勿多怪。'"敛板向前，歌态可见。陈师道《后山集》二十九《谈丛九》云："柳三变游东都，南北二巷，作新乐府，骫骳从俗。天下咏之，遂传禁中。仁宗颇好其词，每饭必使侍从歌之。"词所以胜诗者在此。

能歌者，尤在乎其时之多官伎也。伎女之起，陶九成以为："今以伎为官奴，即官婢也。《周礼·天官·酒人》，'奚三百人'，注：'今之侍史官婢。'"《辍耕录》卷六更有人以为管仲置"女闾三百，以便行商"《国语·周语》，即伎自所起。考先秦时，齐人曾有女乐《史记》四七。而汉时则武帝后卫子夫尝为讴者《史记》四九，魏武遗令，则有铜雀伎人《全三国文》三。隋炀亦设伎船《通鉴》一八三。六代淫佚，此风愈张。如谢安以伎女自随《晋》七九《安传》，苻坚赐王猛以上伎中伎《晋》一一四《谢安传》。至唐，则伎女尤多，《李娃传》、《霍小玉传》均可复案即王昌龄旗亭赌酒见于《碧鸡漫志》卷一者，亦指伎女也。至宋则官伎、家伎尤盛已。

《癸巳存稿》卷十四《家伎官伎旧事》云："古有家妓官妓，《齐策》云：'孟尝君之舍人与夫人相爱。'此夫人，盖家妓美称。《开元天宝遗事》云'长安平康坊，妓女所居之地。'……《宋史·蒋堂传》云：'知益州，或以为私官妓，徙河中府。'《齐东野语》云：'浙漕坐唐仲友与官妓为滥，笞妓使承。而杨诚斋以教授狎官妓，乃黥妓面以耻教授。'……"是皆妓之故事。

洪巽《旸谷漫录》云："京师中下之户，不重生男重生女。生女，则爱如拱璧掌珠。甫长成，则随其资质，教以艺业。用备士大夫家采拾娱侍。名目不一，所谓身边人、供过人、针线人、堂前大杂剧人，就中厨娘最为下色，然非绝富贵家不可用。”与妓女有关附录之。

妓之佐词家之清兴者，如东坡有朝云，见惠洪《冷斋夜话》卷一。贺铸恋一妓，见吴曾《能改斋漫录》卷十六。仅举东坡一事，可征其余，《渔隐丛话》后集三九云：“苏子瞻倅杭日，府僚湖中高会，群妓毕集。有秀兰者后至，……（府僚怒）……秀兰含泪力辨，子瞻亦从旁为解。府僚终不释然。适榴花盛开，秀兰以一枝藉手献座中，府僚愈怒，责其不恭。秀兰进退无据，但低首垂涕而已。子瞻乃作一曲，名《贺新凉》，命秀兰歌以侑觞，声容俱妙，府僚大悦。”歌也，妓也，词也，三者之因缘，可见已。

词自与“女人”有关，张舜民《画墁录》卷一云：“柳三变既以词忤仁庙，吏部不复放官。三变不能堪，诣政府。晏公曰：‘贤俊作曲子么？’三变曰：‘如相公亦作曲子。’公曰：‘殊虽作曲子，却不道绿线慵拈伴伊坐。’柳遂退。”《冷斋夜话》云：“鲁直名重天下，诗词一出，人争传之。（法秀）师尝谓鲁直曰：‘艳歌小词，可罢之。’鲁直笑曰：‘空中语耳，非杀非偷，终不致坠畜生道。’师曰：‘若以邪言荡人淫心，吾恐非止畜生道而已，’鲁直颔之。”——此其证也。

以上述种种故，宋词遂极一时之盛。叶梦得云：“予仕丹徒，尝见一西夏归朝官云：‘凡有井水饮处，即能歌柳词。’《避暑录话下》，页二《挥麈后录》卷八则述蔡京能词，异日徽宗北辕，有《燕山亭》一阕中云‘万水千山，知他故宫何处，怎不思量，除梦里有时曾去。无据，和梦也新来不做。'"《词林记事》卷三昔太祖谓人："李煜若以为词者治国，何至为我禽？"信斯言也。词与北宋之萎，盖偶然相关哉。

二〇　北宋人学艺

然在北宋未隳以前，岂特诗文、词歌、语录、小说，或迂儒穷经，或文人倜傥而已？盖犹有无名之英雄在也。如苏颂者，其人卒于徽宗建中靖国元年。史称其于"经史九流百家之说，至于图纬、律吕、星宫、葬法、山经、本草，无所不通"。《宋史》三四〇然则在文化上之无名英雄，不止道学者词人文人而已也。

以火器论之，宋次道所记不记外已见本卷二节，《魏胜传》云："炮车在阵中施火，石炮亦二百步，……诏诸军遵其式造焉。"《宋史》三六八《陈规传》云：刘豫使李横围城，"规以六十人取火枪自西门出，焚天桥，以火牛助之，须臾皆尽"《宋史》三七七。此均为南渡后不久事，盖北宋必有为之者乎？

《陔余丛考》三十《火炮火枪》云："历代炮法，多用机发石，然火炮实起于南宋、金元之间。《宋史·虞允文传》，采石之战，发霹雳炮，以纸为之，实以石灰硫磺，投水中而火自水跳出。又魏胜制炮车，施火石，可二百步。其火药用硝石琉璜柳炭为之，此近代用火具之始。"然案宋次道《东京记》，已有攻城火药之作《麈史》上。次道名敏求，卒于元丰二年，年六十一《宋》二九一，是《陔余》之说大误！盖北宋已有火炮已。

火器之外，则又有炼丹焉。丹灶之术中古固已有之中古卷二八节，而宋人尤盛。

南北宋间，曾敏行著《独醒杂志》卷六记其族祖事云："挟是伎者，日至，卒不能得其传。资用以此而匮，而好之未厌。一日遣仆入城，市水银，遇一客，亦旧尝至其家者。……笑遣仆曰：为我谢主翁，水银若容易乾得，无处著钱已。仆归以告，族祖惘然。然视壶中水银，则皆凝而为银矣。"族祖云云，似亦北宋季年事云。

> 南宋初，周去非著《岭外代答》，记广西人采生金于坑，记邕州烧水银，记桂人烧水银为银朱，以铁为釜，密闭提炼，确有异于方士之炼丹。惟方士炼丹，固亦盛行两宋，盛如梓云："黄白之术，致祸者十常八九。如韩魏公、东坡、明道得之而不为。……今江湖间此辈甚多，谓之燕客。"《老学丛谈》下，页二十二虽为元人之言，要亦宋人所流传乎？

至于算历之学，洪迈《容斋三笔》十三曾言大观算学："大观中，置算学，如庠序之制。诏以文宣王为先师……而列自昔著名算数之人，绘像于两廊。"大观者，徽宗年号也。其言历者，则张世南知"以今岁立春至来岁立春，恰三百六十六日，以时刻较之，实三百六十有五日零三时"。《游宦纪闻》卷一又谓："《尧典》……期三百六旬有六日，其实期三百六旬有五日，又四分日之一。《尧典》特举成数而言耳。以均为十二月，则多六日，无所归。故又每岁作五六小尽，取其赢而凑足多之数，是以五年必有二闰。"同上卷八页四张为南宋绍定前人，而北宋沈括已谓："历法步岁之法，以冬至斗建所抵，至明年冬至所得辰刻衰秒，谓之斗分。故岁字从步从戌，戌者斗魁所抵也。"《梦溪笔谈》卷七——盛如梓《老学丛谈》卷下页十九云："存中博学，然说置闰之法为异。谓专以朔主十二月，则气反不得主此月之政。或时虽已春，犹是冬岁。或岁犹未尽，犹得新春。莫如用十二气为一年，立春之日为孟春之一日，余准此。大尽三十一日，小尽三十日。岁岁齐尽，永无闰余。且谓此论虽见怒于当世，千载之后，必有用予说者。"以星在两时所指，定一岁之长，此非阳历之滥觞而何哉？历象进步如尔，无怪乎清人之持之以诋洋学也。

道光间福州梁章钜，作《浪迹续谈》卷八，云："《枫窗小牍》云：'太平兴国中，蜀人张思训制上浑仪，其制与旧仪不同，最为巧捷。为楼阁数重，高丈余。以木偶为七直人，以直七政。自能撞钟击鼓，又为十二神，各直一时，至其时，即持辰牌循环而出。'登原案，此已据稗海本《枫窗小牍》卷上改正此全与今之自鸣钟相似。吾乡福州鼓楼上，旧设十二辰牌。届时自能更换，相传此器为元时福宁陈石堂所传。至康熙间，为周栎园方伯取去，则亦中土人所造。巧捷之法，又岂必索之外洋人哉？"昭梿《啸亭续录》卷三亦谓沈括"当时声教不通乃其论与西法暗合亦可谓精于算律矣"，与梁章钜所赞者同也。

历算之外，则又有活字也。沈括《梦溪笔谈》十八云："板印书籍，唐人尚未盛为之。至冯瀛王（道）始印九经，已后典籍，皆为板本。庆历中，有布衣毕昇，又为活板。其法用胶泥刻字，薄如钱唇。每字为一印，火烧令坚。先设一铁板其上，以松脂蜡和纸灰之类冒之。欲印，则以一铁范置一铁板上，乃密布字印，满铁范为一板，持就火炀之。药稍熔，别以一平板按其面，则字平如砥。若止印三二本，未为简易；若印数十百千本，则极为神速。常作二铁板，一板印刷，一板已自布字。此印者才毕，则第二板已具。更互用之，瞬息可就。每一字皆有数印，如‘之’、‘也’等字，每字有二十余印，以备一板者有重复者。不用，则以纸贴之，每韵为一帖，木格贮之。有奇字素无备者，旋刻之，以草火烧，瞬息可成。不以木为之者，木理有疏密，沾水则高下不平，兼与药相粘，不可取。不若燔土，用讫再火令药熔，以手拂之，其印自落，殊不沾污。昇死，其印为余群从所得，至今保藏。”庆历者，仁宗年号也。昇之技，亦可谓出类拔萃矣。

活字之外，则又有记里鼓车，及车船也。

记里鼓车之制，固道源中古中古卷二十一节又二八节。然宋初，仍不废此制。燕肃与丁谓同时，肃尝造之《宋史》二九六《燕传》。仁宗时，卢道隆又上造法，徽宗时内侍吴德仁，又予以修改见《宋史》一四九又岳珂《愧郯录》卷十三。后至元人主，此制无闻。惟《图书集成》《考工典》一七五尚记杨维祯之《记里鼓车赋》，此后则无闻。此后无闻，亦以见后世之有愧于宋人也。

此车之制，详《晋书·舆服志》，崔豹《古今注》卷上以为起于西京，姑不论。然晋以后，则此制确有可征。如刘裕得之后秦，见《通典》六十四、《宋书》一八、《通鉴》一一八，唐元和中，金公立上其造法，见江少虞《皇朝类苑》五十八、《愧郯录》十三，宋人祖述，不知何以而失之于宋以后焉。

车船之制，固导原中世中古卷二十八节。然宋世，亦未尝废。盖始见于《南史》七十二《祖冲之传》，再见于《册府元龟》九〇八以及

《唐书》八十、《旧唐书》一三一《李皋传》，三见于李心传《建炎以来系年要录》卷五十九以及《宋史》二六五《岳飞传》、三八三《虞允文传》。陆游《老学庵笔记》卷一云：“鼎沣群盗，如钟相、杨么，战船有车船，有桨船，有海鳅船。……官军战船，亦效贼车船而增大，有长三十六尺，广四丈一尺，高七尺二寸五分。”《宋史·薛弼传》：“么陆耕水战，楼船十余丈，官军徒仰视，不得近。”三八〇此亦一代之伟制也。

但车船在宋以后，似亦无闻。吴自牧《梦粱录》云：“更有贾秋壑府车船，船栅上无人撑驾，但用车轮，脚踏而行，其速如飞。”卷十二此后便无人记，周去非《岭外代答》卷六云：“浮南海而南，舟如巨室，帆若垂天之云。柂长数丈，一舟数百人。中积一年粮，豢豕酿酒其中，置死生于度外。”此则即非车船，亦可为宋人生色者已参看《人文》五卷七期拙作《书南史祖冲之传后》（廿三年九月十五日刊）。

而更有伴之者，则为罗针。朱彧《萍州可谈》卷二云：“舟师夜则观星，昼则观日，阴晦观指南针。”考彧书成于宣和元年《直斋书录》卷十一。然述广州事，则本其父服南宦之见闻《四库提要》一四一。服知广州，在哲宗元年至徽宗崇宁元年间《广东通志》卷十二，则罗针实始于新旧党争之顷。且《沈括笔谈》二十四，已述指南之理，括卒于元祐八年《宋史》三三一，谓罗针已用于神哲之间，又一旁证。其在南宋，则罗针盛行。《梦粱录》卷十二《江海船舰》云：“海商之船，大小不等。大者五千料，可载五六百人。中等二千料，至一千料，亦可载二三百人。余者谓之钻风，大小八橹或六橹，每船可载百余人。舶商之船，自入海门，便是海洋。茫无涯岸，其势诚险。盖神龙怪蜃之所宅，风雨晦冥，惟凭针盘而行。火长掌之，毫厘不敢忽，盖一舟人命所系也。”述之至明。

据实论之，北宋科学，在科学史中，实为奇葩异采。郑景望《蒙斋笔谈》卷上，稗海本云：“世传欧希范《五脏图》，此庆历间杜杞待制治广南贼欧希范所作也。……希范……啸聚数千人，……杨佃讨之不得，乃以杞代。杞入境，即伪招降之。……乃大燕犒，醉之以酒。已乃执之座中，翌日尽磔于市，且使皆剖腹，刳其肾肠，因使图与医人。一一探索，绘以为图。”则解剖之权舆也。《梦溪笔谈》卷七云：“庆历中有一术士，姓李，多巧思。尝木刻一钟馗，高三二尺，右手持铁简，以香饵置钟馗左手中；鼠缘手取食，则左手扼鼠，右手运简毙之。”则自动之巧器也。《笔谈》卷二四又云：“鄜延境内有石油，……土人以雉尾裛之，采入缶中，颇如淳漆。然之如麻，但烟甚浓。……后必大行于世。”此则开矿之新页也。“括为使契丹图”《宋》三三一《括传》，据括自云“予奉使安边，始为木图，写其山川道路。其初遍履山川，以面糊木屑，写其形势于木案上。未几寒冻，木屑不可为，又熔蜡为之，皆欲其轻而易举故也。至官所，则以木刻上之。上召辅臣同观，乃诏沿边皆为木图，藏于内府”。《笔谈》二五此立体地图之始祖也。然则宋也者，武力不伸，政治不立，然不能谓道学者、穷经者、诗人、文人、词人以外，竟一无所有也。

二一　宋艺术

且以艺术言之，宋人亦何愧于唐哉？

以考古言之，则仁宗之时刘敞已以三代鼎彝之学，为世推重《宋》三一九《刘传》。其言曰："礼家明其制度，小学正其文字，谱牒正其世谥。"王国维《观堂集林》二十三《随庵吉金图叙》引其后则有欧阳修之《集古录》："上自周穆，下更秦汉、隋唐、五代。外至四海九州，名山大泽，穷崖绝谷，荒林破冢，莫不皆有。"《文忠集》一三四及北宋之亡也，而赵明诚夫妇作《金石录》。摩挲古器，积好成癖；语详易安《金石录后叙》三长物斋本《金石录》，或《癸巳类稿》卷十五《易安事辑》，而御撰之《宣和博古图》，尤一时之盛云。

《宣和博古图》者，王黼奉徽宗命撰《书目答问》四。时徽宗好花石，立花石纲《宋》四七〇《朱勔传》。叶梦得《避暑录话》云："宣和间，内府尚古器：士大夫家所藏三代秦汉遗物，无敢隐者，悉献于上。而好事者，复争寻求之，一器有直千缗者。利之所趋，人争搜剔山泽，发掘坟墓，无不所至。"卷下此言徽宗之罪。然牛宏谓书有五厄《隋书·宏传》，王世贞《弇州四部稿》一七〇则谓艺术有六厄："桓元尽聚二王、顾恺之书画及金石古器名迹，悉沉之江，此一厄也。梁武时，二王以下书迹至万五千纸，后元帝江陵陷，以剑斫柱，取书籍十四万卷，尽焚之。书画古玩称是。此二厄也。唐文皇以兰亭自殉，右军以下书画不止数千，为宗楚客、安乐公主散尽，名迹最妙者，复遭岐王之火，此三厄也。开元所收，天宝失之，此四厄也，南唐元宗李主，收藏书籍，尤多钟王妙迹；金陵陷而黄保仪火之，此五厄也。书画古物，无过宋徽宗，以全盛功收之，见于《宣和书谱》、《画谱》、《博古图》者，可谓夐极。而靖康之祸，流落殆尽，此六厄也。"可见徽宗收罗，于艺苑非无功者。

以藏书言之，宋次道《春明坊》见本卷九节引朱少章《曲洧旧闻》卷五无论已；而李常为仁神间人，“少读书庐山白石僧舍，既擢第，留所钞书九千卷，名舍曰李氏山房”。《宋》三四四《李传》东坡所为作《李氏山房藏书记》者是也。自兹以后，代有其人。谢肇淛云：“宋人多喜藏书，如郑夹漈、晁公武、李易安、王伯厚、马端临皆手自校雠，分类精当。又有田伟者作博古堂，藏书五万七千卷。黄山谷曰：‘吾尝校中秘书，及遍游江南名士，藏书之富，未有及田氏者。’”《五杂俎》卷十三《道山清话》页八云：“张文潜尝言近时印书盛行，而鬻书者往往皆士大夫躬自负担。有一士人，尽掊其家所有，将入京。至中途，遇一士人，取书目阅之，爱其书，而贫而不能得。家有数铜器，将以货之。而鬻书者雅有好古器之癖，一见喜甚，乃两易之。于是尽以随行之书，换数十铜器返。”此其癖好，无异于李清照、赵明诚之赌茗翻书语详李氏《金石录后叙》，见《癸巳类稿》卷十五。而借书还书之痴，更足见当时士林爱书之风。

王楙《野客丛书》卷十一云：“李正文《资暇集》云：‘俗谓借一痴，与一痴，索三痴，还四痴。’古谚云：‘借书一嗤，还书一嗤。’仆观《广韵》所载瓻字下，皆曰借书盛酒器也。故曾文清公《还郑侍郎通鉴》诗云：‘借我以一鉴，饷公无两瓻。’”何薳《春渚纪闻》卷五云：“杜征南与儿书：昔人云：‘借人书一痴：还人书一痴。’山谷借书诗云：‘时送一鸱开锁鱼。’又云：‘明日还公书一痴。’尝疑二字不同，因检孙愐《唐韵》‘五之’下‘瓻’字注云：‘酒器，大者一石，小者五斗，古借书盛酒瓻也。’又得以证二字之差。然山谷痴字必别有他说，当是古人借书，先以酒醴通殷勤，借书、还书皆用之耳。"——于此可见古人借书之不易，及宋人通借之盛。

以雕镂言之，姜绍书《韵石斋笔谈》云："宋宣和御府所藏玉杯三。其一，内外莹洁，绝无纤瑕，杯口耸出螭头，小螭乘云而起，夭矫如生，名教子升天；真神物也。二名八面玲珑，三则单螭作把，外多花纹，句碾精工，莹石过于教子，而神采稍逊。"卷上页九虽或文人之故为推扬，然有以见其盛已。

以书法言之，仁宗时，米芾已为书画学博士。史称其妙于翰墨，沉著飞翥《宋》四四四。《石林燕语辨》卷三云："太宗留心字书，淳化中尝出内府及士大夫家所藏汉晋古帖，集为十卷，刻石于秘阁，世传为阁帖是也。"姜绍书《韵石斋笔谈》卷下云："太宗以前代墨迹，命王著镂板禁中，集为阁帖二卷。非登二府者，不得赐。"盖始于太宗之兴国，殿于徽宗之亡国，设学收士，书学固已日盛。陈鹄《耆旧续闻》卷三曰："本朝承五季之后，无复字画可称。至太宗皇帝，始收罗法书，备尽收访。熙丰以后，蔡襄、李时雍体制方入格律，苏、黄、米、薛笔势翻澜。"——下及徽宗，遂益盛已。

《耆旧续闻》卷三文云："本朝自建隆之后，平定僭伪，其间法书真迹，皆归秘府。先帝（徽宗）时又加采访，赏以官职金帛，至遣使询求，颇尽采访。"——由此观之，徽宗于艺术，亦不为无功哉！

以绘画言之，宋初本已有巧匠："欧阳公有牡丹图，一猫卧其下，人皆莫知。一日有客见之，曰：'此必午时牡丹也。猫眼至午，精细而长。’”《耆旧续闻》卷九徽宗时，“宣和书画学之制，学生习篆者，虫鱼古今大小二篆。习隶者，习羲、献、欧、虞。习草者习章草张芝，兼习诸家者听。……诸画笔意简，全不模仿古人，而尽物之形态情色，俱若自然为上。模前人而能出古意，形色象其物宜，而设色细运思巧为中。传模图绘，不失其真为下。其习有六，一曰佛道，二曰人物，三曰山川，四曰鸟兽，五曰花竹，六曰屋木，各有释名”赵彦卫《云麓漫钞》卷二。盖徽宗本人雅有天才，《韵石斋笔谈》卷下云：“徽宗模卫贤《高士图》，须眉生动，俨与古人对语。后有蔡京题跋，余见于燕邸，无十五城之价，不能留之。”上有好之，斯下焉多巧匠已。

俞成德《萤雪丛谈》儒学警悟本卷一云：“政和中，建设画学，用太学法补试。四方画工，以古人诗句命题。时试竹锁桥边卖酒家，人无不向酒家上著工夫。惟一善画，但于桥头竹外挂一酒帘，书一酒字而已。又试踏花归去马蹄香，不可得而形容。何以见得亲切？有一名画，克尽其妙。但画数蝴蝶飞过马后而已。便表得马蹄香出也，果皆中魁选。”巧意如斯。

以建筑言之，世所传李诫《营造法式》，固为后世所乐道。考沈括《梦溪笔谈》卷十八云：“营舍之法，谓之《木经》，或云喻皓所撰。凡屋有三分，自梁以上为上分，地以上为中分，阶为下分。……分其书三卷，近岁土木之工，益为严善。旧木经多不用，有人重为之，亦良工之一业也。”释文莹《玉壶清话》卷二云：“郭忠恕画楼阁重复之状，梓人较之，毫厘无差。太宗闻其名，诏授监丞，将建开宝寺塔，浙匠喻皓料一十三层。郭以所造小样，末底一级，折而计之，至上层余一尺五寸,杀收不得。谓皓曰:宜审之,皓因数夕不寐,以尺较之,果如所言。黎明叩其门,长跪以谢。”是宋初已巧匠迭出,故异日哲宗修殿宇,用金箔至巨数也。

周煇《清波别志》卷上云:“元符初,后苑修造言内中殿宇,修造用金箔一十六万余片。祐陵曰:‘用金箔以饰土木,甚无谓也。其请支金箔内臣,命内侍省按治。’”

故在徽宗之时,虽金源以大敌当前,士夫以党争哄争,而诗文也,词曲也,小说也,学艺也,艺术也,固与北宋之削弱,相驰背道。孟元老《东京梦华录》《自叙》页一云:“仆从先人,宦游南北。崇宁癸未,始到京师。太平日久,人物繁阜。垂髫之童,但习鼓舞。斑白之老,不识干戈。……金翠耀目,罗绮飘香。柳陌花衢,新声巧笑。茶坊酒肆,按管调弦。……花光满路,何限春游?箫鼓喧空,几家夜宴?……修造则创建明堂,冶铸则立成鼎鼐;观伎籍则府曹衙罢,内省宴回。看变化则举子唱名,武人换受……仆偶思念。回首怅然。”述伎馆之盛云:“出朱雀门东壁,亦人家,东去大秸麦秸状元楼,余皆伎馆。……杀猪巷,亦有伎馆。”卷二述消防之制云:“每坊巷三百步许,有军巡铺屋一所。又于高处砖砌望火楼楼上有人卓望,下有官屋数间,屯驻军民百余人。……火去处,则有马军奔报,开封府领军汲水扑灭,不劳百姓。”卷三述元宵之胜云:“自灯山至宣德门楼,横大街,约百余丈。……以灯彩结束诸棚,百戏人物,悬于竿上。内设乐棚,差衙前乐人,作乐宣德楼上,宫嫔嬉笑之声,下闻于外。楼下成露台一所,教坊子弟,更舞杂剧。万姓皆在露台下观看。乐人时引万姓山呼。”卷六由此观之,宣和之盛极已。惜乎童贯兴伐燕之谋，徽宗有拓土之志，承其积敝，挑其强虏。“盖其兵力本弱，而所直辽金元三朝，皆当勃兴之盛”《廿二史劄记》卷二十六。徽宗约金伐辽之事，王船山谓“夹攻也，援辽也，镇静也，三者俱无以自全”《宋论》八靖康之祸。于是金师入陷，徽钦北狩，朱少章词云：“叹马角之未生，魂消雪窖；攀龙髯而莫逮，泪洒冰天。”《宋史》三七三《朱弁传》以一姓言之，固已凄凉悱恻；而典册飘零，彝器散毁，则无堪令人悲惋者矣。

《十万卷楼丛书》中有无名氏《靖康要录》。自靖康二年一一二七帝入金营后条记二条如下，均见该书第十五卷。“靖康二年正月二十六日，帝在虏营中，二帅欲有所须，胁帝取之。虏要南郊法驾大驾之属，皇太子诸王以下，至百官车辂、仪仗、礼器、法物、礼经、礼图、教坊乐器、八宝元圭，浑天仪、铜人刻漏、秘阁三馆书籍、监本印板，古圣贤像图、皇城宫阙图、四京图、大宋百司并州府职贡令应、宋人文集、阴阳卜筮之书、弟子女童戚里细人，指名要索，……百司所有，至此殆尽。”

“……二月二日，又取太清楼书，皆黄帕牙签，载以太平车，凡百余两，皆遣监官交纳于蕃寨。……”

夫此等献纳，容或可云“沟通两国文明”参见本卷十六节“宋金文物关系”引《金史·文艺传》叙，然自两帝已在掌握，靖康二年四月二日，金人北去。《靖康要录》卷十六记之云：“其行甚遽，以见四方勤王者大集故也。营中遗物甚多，朝廷差户部拘取，象牙一物，至及二百担，他不急之物称是。秘阁图书狼藉泥中。金帛尤多，践之如粪壤。书史以来，安禄山陷长安以后，未有如今日之甚。二百年来库藏蓄积，一旦扫地。”李心传《建炎以来系年要录》卷四记之云："敌营始空，其行甚遽。华人男女，驱而北者，无虑十余万。营中遗物尤众，秘阁图书狼藉泥土中，金帛尤多，践之如粪壤。二百年来积蓄，一时涂地。"——凡此所云，均可征破毁之烈。前车之覆，后车之鉴，谋国家者，可不慎哉。

第七章　南宋文明史

二二　南方开明与湖山沉醉

靖康之祸一一二七上距宋之开国九六〇盖百六十七年，自此而高宗偏安杭州（临安），绍兴十一年一一四〇秦桧杀岳飞而与金和。绍兴三十一年一一六一金主完颜亮入犯，宋虽勉力败之，然实徼天之幸。当时，高宗语张栻云："自亮死后，非特金人衰弱，吾国亦未免力弱。"《鹤林玉露》卷四日后，孝宗起用张浚，矢志匡复。亦不过得一符离之溃。宁宗继之，韩侂胄之用兵一二〇七也，亦不过得一败耳《宋史》四七四《奸臣传》，参本书本卷第六节。自斯厥后，蒙古寖强；南宋理宗宝庆三年一二二七西夏亡，金受蒙古之逼，亦由燕而汴而蔡详李心传《建炎以来朝野杂记》乙集卷十九。至理宗端平元年一二三四，金亡。嗣后为元与南宋之直接冲突矣。德祐二年一二六七，而杭州破，较金之亡，不过晏四十二年而已。忍辱偷生，至可怜也。

自高宗南渡至南宋亡国，凡百五十年一一二七—一二七六，是百五十年中，民族之地位，令人念之泫然。"绍兴癸丑，国信使郑汝谐一诗云：'忍辱包羞事北庭，奚奴得意管逢迎。燕山有石无人勒，却向都梁纪姓名。’”《齐东野语》卷十一盖由当时使北者，例题诗于盱眙第一山，故郑言云云。

然有为文化史上告慰者，则以衣冠南渡，南方遂益臻繁荣，南方繁荣，其来已久。盛如梓《庶斋老学丛谈》云：“汉唐盛时，文章之秀，萃于中原。其次偏方，莫如广陵。建安七子，始有陈琳。晋五俊，始有闵鸿。张华见而奇之曰，皆南金也。唐有李邕、章彝，宋有秦观、孙觉，皆昭昭然人之耳目。南渡后，专尚时文，称闽越、东瓯之士。山川之气，随时而为盛衰，谈风水者，乌能知此。唐诗人江南为多，今列于后。陶翰、许浑、储光羲、皇甫冉、皇甫曾、沈颂、沈如筠、殷遥润州人、三包融、何、喆、戴叔伦金坛人、陆龟蒙、于公异、丘为、丘丹、顾况非熊父子、沈传师诚之父子苏州人、三罗虬、邺、隐、章孝标、章碣杭州人、孟郊、钱起、沈亚之湖州人、施肩吾、章八元、徐凝、李频、方干睦州人、贺德仁、吴融、严维越州人、张志和婺人、吴武陵、王贞白凉州人、王昌龄、刘眘虚、陈羽、项斯江东人、郑谷、王毂宜春人、张乔、杜荀鹤池州人、刘太真、顾蒙、汪遵宣州人、任涛、来鹏豫章人、李群玉澧人、李涛、胡曾长沙人皆有诗名。”卷中之下页一然及南宋以后，则东南人材益盛也。

李慈铭《越缦堂日记》戊集下云：“案盛氏所举，虽多漏略。……（以下李氏补列东南唐代文人不少，兹略去）……然其言可谓深知古今之变。南宋以后，东南人材益盛，文事敦槃，几不齿及西北矣。”甚允。

考北宋之时，南人固为人所疑忌。故邵雍居洛中，仁宗末年，闻杜鹃声曰："此越鸟也，孰为而来哉？因以《易》占之，谓人曰：'后二十年有一南方人作宰相，自此苍生无宁岁。'"朱弁《曲洧旧闻》卷二其意殆指江西临川王安石也。然南人之势，势不可轻。"止斋谓本朝名节自范文正公始，议论文章自欧阳子始，道学自周子始，三君子皆萃于东南，殆有天意"《困学纪闻》卷十五。范为苏州人，欧为庐陵人，周为道州人《宋史》各传，亦可见北宋时南方之出人材。

自高宗南渡，杭州突然繁荣。其一则由宋南渡后世家多从行说详《陔余丛考》十八。如《竹坡诗话》页二谓："维扬之扰，衣冠皆南渡"是也。其二，则由杭州在北宋本为名邑。欧阳修所谓："四方之所聚，百货之所交，物盛人众，为一都会。惟金陵与钱塘。"而钱塘"俗习工巧，邑屋华丽，盖十余万家。环以湖山，左右映带，而闽商岭贾，风帆海舶，出没于江涛浩渺，烟云杳霭之间，可谓盛矣"。《文忠集》四〇《有美堂记》东坡亦云："轼于钱塘人，有何恩意？而其人至今见念。轼亦一岁，率尝四五梦至西湖上，此殆世俗所谓前缘者。"《东坡集》四十五《与陈师仲》"孙何帅钱塘，柳耆卿作《望江潮》词赠之云：'东南形胜，三吴都会，上塘自古繁华。烟柳画桥，风帘翠幙，参差十万人家。云树绕堤沙。怒涛卷霜雪，天堑无涯，市列珠玑，户盈罗绮，竞豪奢，重潮叠巘清佳。有三秋桂子，十里荷花。羌管弄晴，菱歌泛夜，嬉嬉钓叟莲娃。千骑拥高牙。乘醉听箫鼓，吟赏烟霞。异日图将好景，归去凤池夸。'"罗大经《鹤林玉露》卷一其三，则由建都之故也。耐得翁云："自高宗驻跸于杭，而杭山明水秀，民物康阜，视京师（汴）且过十倍矣。"《都城纪胜》序朱子亦云："因言陈同父上书乞都建康而曰：'黄帝披山通道，未尝宁居。今宫室台榭，妃嫱媵御之盛如此，如何动得？'"《语类》一三一——由此三故，"其士大夫又从而治园囿台榭以乐其生于干戈之余，上下晏然，而钱塘为乐国已。"《宋史》四三六《陈亮传》林升诗云："山外青山楼外楼，西湖歌舞几时休；暖风熏得游人醉，直把杭州作汴州。"张志道诗云："荷花桂子不胜悲，江介年华忆昔时，天目山来孤凤歇，海门潮去六龙移。贾充误国终无策，庾信哀时尚有辞。莫向中原夸绝景，西湖遗恨是西施。"俱见田汝成《西湖游览志余》卷二盖渡江以后，百战余生之勇将，尚且耽乐湖山，何况其余哉？

李心传《建炎以来朝野杂记》乙集卷十三云："渡江后将帅，韩世忠，绥德军人，曲端，镇戎军人，吴玠、吴璘、郭浩，德顺军人，张俊、刘錡，秦州人，杨维忠、李显忠，环州人，王渊，阶州人，皆西北人也。刘光世，保大军人，杨存中，代州人，赵密，太原人，岳飞，相州人，王彦，怀州人，皆北人也。"——然韩世忠常骑驴湖上详周密《齐东野语》卷十九，则又奚怪夫孝宗之志在恢复，而不废游幸湖山周密《武陵旧事》三"西湖游幸"条。周煇《清波杂志》下页四五，稗海本曰："顷年西湖上，好事者，所置船舫，随大小皆立嘉名。如讯星艖凌风舸，夷犹闲旷，可见一时风致。"文恬武嬉乃尔。

西湖杭州之繁盛，半以政治兴迁；其更有助于南部之开化者，则海事已。考海与南华，所关非细，《旧唐书》谓开元中宋璟官广州，广多火灾，璟教以瓦屋九十六《宋璟传》。及唐之季，而宣宗称番禺为珍翠之地已。海之开启可知中古卷四十四节引《侯鲭录》六。黄巢求为岭南节度使同上引《通鉴》二六三，即此之故。蔡絛《铁围山丛谈》卷二云："大观、政和之间，天下大治，四夷向风，广州泉南请建蕃学。"则在北宋之际，市舶之来，已足使海口繁荣。《宋史》一八六《食货志》云："开宝四年，置市舶司于广州，后又于杭明州立司。凡大食、古罗、阇婆、占城、勃泥、麻逸、三佛齐诸番，并通贸易。……元祐三年……（元）……前一年，亦增置市舶司于泉州。"——此即所谓北宋贸易四港，然皆偏于南及东南也。

《粤海关志》卷二云："广州市舶司，设于太祖开宝四年九七一年。明杭设司，在其后。三司悉开，在真宗咸平二年九九九。"又卷三引毕仲衍《中书备对》所称神宗熙宁十年一〇七七所载互市额，而立论曰："《备对》所言三州市舶司，乳香三十五万四千四百四十九斤，其内明州所收，只四千七百三十九斤。杭州所收，惟六百三十七斤。而广州所收者，则有三十四万八千六百七十三斤。是虽三处置司，实推广州最盛。"可知在安石变法时，广州已屹然为南方一重镇矣。泉州之外，如密州置司于元祐三年《宋史》一八六，第次于四者，故略之。

综言之，北宋以历史的关系，东南名城海口，益较前世为盛。及乎炎兴南渡，以政治之关系，而诸都会诸海口之在东南者，益较北宋为盛。张端义云："自古以来，地势自北而南，江流自西而东。金亡都汴，燕赵青徐之野，皆成草莽。三十年来，地气不乘，兵戈日寻，民无生意。"《贵耳集》上郑思肖称真定比苏州，不及什一本卷二节引《心史》卷下。读史者可以知在北南宋二百许年之间，南北文明之互异其变矣。

北方惟金人南渡，差为可称。金人初都燕中都，《金史》二四志，时在高宗绍兴二十三年贞元元年，一一五三。金宣宗贞祐二年一二一四徙都于北宋之旧京汴，号为南京《金史》十三。李心传《建炎以来朝野杂记》乙集十九云："贞祐二年，本朝嘉泰七年，鞑靼已破中原九十余郡，复逼燕京。……河南统军蒲撒七斤者，奏乞徙都开封府，（金主）珣从之。……霍王从彝谏曰：'祖宗山陵，宗庙社稷，百官庶事，皆在燕，岂宜舍之而去？'……珣不从。从彝忧愤而死。五月，金主发燕京，至真定，留几月，复渡河以至开封，肆赦境内。明年五月，鞑大破燕京。金人自阿骨打称帝，至是九十八年。"此金之第一南渡也，已而蒙古愈逼，哀宗又自汴而蔡《金史》一八纪，一二三二，宋理宗绍定四年。汴都戚族，亦为蒙古人掳于青城。青城者，金人旧掳徽钦处也详刘祈《归潜志》十一《录大梁事》，是第二南渡也。蒋正子《山房随笔》卷一云："金国南迁后，国势弱不支。又迁睢阳。哀宗后梁氏，不肯南迁，宁死于汴。故元遗山诗云：'桃李深宫二十年，更将颜色向谁怜？人生只合梁园死，金水河边好墓田。'"民族之盛衰又岂特南北风物之区异而已。

二三　文学方向之转变

言地理上之南北两宋之不同，则有如南方开展；而学艺上，则南北宋固亦有不同焉。先得以文艺论之。文艺者，固随时世而变者。李清照生丁徽宗之盛，壮婴靖康之乱，而终老于南渡之初。方其少而作词也："昨夜风疏雨骤，浓睡不消残酒；试问卷帘人，却道海棠依旧？知否知否，应是绿肥红瘦？"及其晚而为诗也："子孙南渡今几年，漂零遂与流人伍。愿将血泪寄河山，去洒青州一抔土"

据《癸巳类稿》十五《易安事辑》。盛世之文，与乱世之文，盖自不同。今姑区乱世之文为三类云。

其一，兵戈扰扰，心惕祸难，感愤之情，荡溢言表。张孝纯在云中府粘罕坐上，有所睹，赋一词曰："疏眉秀目，依旧是宣和装束。贵气盈盈资性巧，举止知非凡俗。宋室宗姬，秦王幼女，曾嫁钦慈族。干戈损荡，事随天地翻覆。一笑邂逅相逢，劝人欲饮，旋旋吹横竹。流落天涯俱是客，何必平生相熟？旧日荣华，如今焦卒，付与杯中醁。兴亡休问，为伊且尽舡玉！"《说郛》二十九《朝野遗记》辛稼轩"题江西造口词云：'郁孤台下清江水，中间多少行人泪，西北是长安，可怜无数山。青山遮不住，毕竟东流去。江晚正愁予，山深闻鹧鸪。'盖南渡之初，虏人追隆佑太后御舟，至造口，不及而还，幼安自此寄兴，谓恢复之事，行不得也。"罗大经《鹤林玉露》卷四——此词家之感愤者也。

辛弃疾号稼轩，《宋史》四〇一有传，其死晚于朱子朱庆元六年，一二〇〇卒。刘祁《归潜志》卷七云："辛弃疾、党怀英，俱山东人。辛一旦率数千骑南渡显于宋，……后辛退闲，有《鹧鸪天》词云：'壮岁旌旗拥万夫，锦襜突骑渡江初。燕兵夜捉银胡录，汉箭朝飞金仆姑。思往事，叹今吾，春风不染白髭须；都将万字平戎策，换得东郊种树书。'"

至于诗家之感愤者，自亦有人。岳珂《桯史》云："金陵牧牛亭，秦氏之丘陇在焉。有移忠旌忠寺，相去五里，金碧相照。杨诚斋尝乘轺过之，题诗壁间曰：'函关只有一穰侯，瀛馆宁看再帝丘。天极八重心未死，台星三点折方休。只看坐后新亭策，恐作桥中属国羞。今日牛羊上邱陇，不知丞相更嗔否？'"卷二页八诚斋者，万里也。放翁诗曰："到死方知万事空，自怜不见九州同。王师克复中原日，家祭无忘告乃翁。"叶绍翁《四朝闻见录》乙集页二〇曰："至公之殁，犹留诗以示其家云，'……'"放翁者，陆游也。万里卒于韩侂胄伐金元年一二〇五年，《宋史》四三三，陆游一一二五—一二一〇则稍后焉。时世与文学有关，可知也。

然感愤亦有时而麻木，因而清绮之作兴焉，此其二也。《后村诗话》前集卷二云："放翁尝调官临安，得句云：'小楼一夜听春雨，深巷明朝卖杏花。'传入禁中，思陵称赏。由是知名。"是放翁且为夷犹焉。范致能《石湖集》二十七有《四时田园杂兴》六十首，盖作于淳熙丙午一一八六："柳花深巷午鸡声，桑叶尖新绿未成。坐睡觉来无一事，满窗晴日看蚕生。"石湖者一一二五—一一九三盖与放翁同时，参政于完颜亮之败后《宋史》三八六者也。——清绮如斯，盖情绪稍稍变已。

词家亦有清绮者，"嘉泰一二〇一—一二〇四间，刘改之过以诗名江西。……辛弃疾帅越闻其名，遣使招之。……因效辛体作《沁园春》一词，并缄往。下笔便逼真。其词云：'斗酒彘肩，风雨渡江，岂不快哉？被香山居士约林和靖，与东坡老，驾勒吾回。坡谓西湖，正似西子，淡抹浓装临照台。二人者，皆掉头不顾，只恁传杯。白云天竺去来，看金碧峥嵘图画开。况一涧萦纡，东西水绕，两山南北，高下云堆。逋曰不然，暗香疏影，何如孤山先探梅？蓬莱阁访稼轩未晚，且此徘徊。'"《西湖游览志余》卷十情绪可见。

又次，则优游湖山，享受现在者也。如姜夔字白石，庆元中人据《词林纪事》十三。有《暗香》、《疏影》二词，见诵于世。所谓“旧时月色，算几番照我梅边吹笛……”“苔枝缀玉，有翠禽小小枝上同宿……”者是也。陆友仁《研北杂志》页五七，得月簃丛书本云：“小红，顺阳公范成大青衣也，公之请老，尧章诣之。一日授简征新声，姜制《暗香》、《疏影》二曲。公使两伎歌之，音节清婉。尧章归吴兴，公寻以小红赠之。其夕赋诗曰：‘自琢新词韵最娇，小红低唱我吹箫。曲终过尽松林路，回首烟波十二桥。’姜每喜自度曲，吹洞箫，小红辄歌而和之。”渡江以后，又追东京升平之风物，无怪乎贾似道之“半闲”，以及文本心之沉痛也。

《古杭杂记》《诗集》卷一云：“贾似道作半闲堂，有佞人上《唐多令》词，大称其意。词曰：‘天上谪星班，青牛夜渡关。幻出蓬莱新院宇，花外竹，竹边山。轩冕倘来闲，人生闲最难。算真闲不到人间，一半神仙先占取，留一半与公闲。’”——此词固高手所为，然衰颓已甚。《西湖游览志余》二十三云：“蜀人文及翁，登第后，期集西湖。一同年戏之曰：‘西蜀有此景否？’及翁即赋《贺新凉》云：‘一勺西湖水，渡江来百年歌舞，百年沉醉。回首洛阳花世界，烟渺黍离之地，更不复新亭堕泪！簇六红妆摇画舫，问中流击楫何人是？千古恨，几时洗？余生时负澄清志，更有谁磻溪未遇，傅岩未起。国事如今谁依仗，衣带一江而已。便道江神堪恃，借问孤山林处士，但掉头笑指梅花蕊；天下事，可知矣。’”

然揆南都百余年之诗词文艺而言，固非毫无足观者。

其一，则反江西派也。江西派之流弊，个中人已知之。《后山诗话》后集卷一云：“于默斋叙张鲁斋诗云：‘近来学江西诗，不善其学。音节聱牙，意象迫切。且论议太多，失古诗吟咏性情之本意。’”“张巨公评鲁直诗文云：‘雄健太过，遂流而入于险怪。要其病在太着意。’”至南宋而尤、杨、陆、范同时并出：“尤延之言：‘近世人士，喜言江西，温阔有如范致能者乎？痛快有如杨廷秀万里者乎？高古如萧东夫，俊逸如陆务观，是皆自出机杼，大有可观。而又奚以江西为？’”姜夔《白石诗自叙》盖明目张胆矣。

《朱子语类》一四〇云：“今人不去讲义理，只去学诗文，已落第二义。况又不去学好底，却去学做那不好底。作诗不学六朝，又不学李杜，只学那崎峣的。今使学得十分好，后把得什么用？近时人学山谷诗，然又不学山谷好处，又只学山谷不好处。”此乃又一方面之攻击也。

其二，则俗体之入文学也。杨诚斋云：“诗固有以俗为雅者。”《鹤林玉露》卷三是诗词得用俗体也。《朱子语类》云：“尝见徐端立云：‘石林尝言今世文字，只是用换字减字法。如说湖州只说湖，此减字法。不然则称霅上，此换字法也。’”《语类》卷一三九此于当世文坛之砭炙，亦有力已。朱子固善诗者，如：“浩浩春江水，流微绿树风，解维春雨外，弥棹夕阳中；江草生新径，岩花点碧丛；诗翁不愁思，逸兴莽何穷。”朱集卷十洵足自挺诗坛，理学者之白话诗，正与里巷间之小说，为南宋特产；非如词之在宋季，则渐不能歌，而有日薄西山之慨也。

小说详本卷十八节。案田汝成《委巷丛谈》页十六，明人小说本云："钱塘罗贯中者，本南宋时人，编撰小说数十种，而《水浒传》叙宋江事奸盗脱骗，机巧甚详。然变诈百端，坏人心术，其子孙三世皆哑。"贯中以一人，著小说数十种，可见蓬勃，而词则"前辈好词甚多，往往不协音律，所以无人唱"沈义府《乐府指迷》页五，四印斋本。盛衰倚伏，亦可见矣。

其三，则启迪金人也。如宇文叔通"主文盟时，吴深州彦高视宇文为后进。宇文止呼为小吴。因会饮酒间，有一妇人，宋宗室子，流落。诸公感叹，皆作乐章一阕。宇文作《念奴娇》，有宋室家姬，陈王幼女，曾嫁钦慈族，干戈浩荡，事随天地翻覆之语。次及彦高，作《人月圆》词云：'南朝千古伤心事，犹唱后庭花。旧时王谢，堂前燕子，飞向谁家？偶然相见，仙肌胜雪，云鬓堆鸦。江州司马。青衫湿，同是天涯。'《归潜志》卷八宇文览之，大惊；自是人乞词，辄曰：'当诣彦高也。'"宇文即虚中，彦高亦汉人。金人乞词，向迩如此，可以见宋人文学之灌输于金已。

故南宋季期之金人，几与宋人相似。《归潜志》称金"章宗诗词，多有可称者。宫中绝句云：'五云金碧拱朝霞，楼阁峥嵘帝子家，三十六宫帘尽卷，东风无处不杨花。'真帝王词也"《归潜志》。周密《齐东野语》卷二十记金将词云："开禧用兵，金元帅纥石烈子仁攻濠梁，大书一词于倅厅曰：'天兵小试，百蹄一饮楚江干。洗五州妖气，关山已平全。蜀风行，何须一泥丸？'子仁盖女真之能文者，故敢肆言无惮如此。"

第宋人文艺，究不能救宋人之迫蹙。徒为亡国以后，留民族之凄凉。言图画，则有如此江山之亭，言民谣，则有行不得也之叹；言诗，则有如文文山之重过安庆均见本卷第六节，兹录汪水云诗、文天祥词以为殿军云。

《日下旧闻》卷十八引《湖山类稿》载“宋季琴士汪水云南归，宋旧宫人之在燕者，王昭仪等二十九人与别。王清惠诗云：‘朔风猎猎割人面，万里归人泪如霰。江南江北路茫茫，粟酒千钟为君劝。’周静真诗云：‘燕山雪花大如席，马上吟诗无纸笔，他时若逢陇头人，折寄梅花须一一。’（盖以‘劝君更尽一杯酒，西出阳关无故人’为韵）水云归后，少帝寄诗云：‘寄语林和靖，林花几度开，黄金台下客，应是不归来？’”——此诗之末途也。周密《浩然斋雅谈》卷下云：“宋谢太后北觐，有王夫人题一词于汴京驿中云：‘太液芙蓉，浑不是旧时颜色。曾记得春风雨露，玉楼金阙。名播兰簪君王里，晕潮莲脸君王侧。忽一朝鼙鼓揭天来，繁华歇。龙虎散，风云灭；千古恨，凭谁说？对山河百二，泪盈襟血；客馆夜惊尘土梦，宫车晓碾关山月，愿嫦娥相顾肯放容，同圆缺！’文丞相宋瑞和云：‘燕子楼中，又捱过几番秋色，相思处青春如梦，乘鸾仙阙。肌肉暗销衣带缓，泪珠斜透花钿侧。最无端，蕉影上窗纱，青灯歇。曲池合，高台灭，人间事，何堪说。向南阳阡上，满襟清血；世态便是翻覆手，妾身原是分明月。笑乐昌一段好风流，菱花缺。’”——此词之末途也。

二四　理学方向之转变

然南宋一一二七—一二七六百五十年文学之流变，尚无如理学之流弊之甚。

南宋理学，固根据北宋之周程，然揆其特点，则亦有之。其一为道统二字之成立。朱子《中庸章句叙》云："盖自上古圣人，继天立极，而道统之传，有自来已。"《文集》七十六《信州州学记》云："熹惟国家稽古命祀，而礼先圣先师于学宫，盖将以夫明道之有统。"《文集》八十于是"未尝别尊一先生号召天下"用《四库提要》卷九十一《儒志篇》提要中语之风习，一变而为"道统"。"道统"二字，始见于李元纲《圣门事业图》，"其第一图曰传道正统。……以明道伊川上接孟子，其书成于乾道壬辰，与朱文公同时"钱大昕《养新录》十八。更后而无聊之事更多。

> 叶绍翁《四朝闻见录》乙集页四云："程源为伊川嫡孙，无聊殊甚。尝鬻米于临安新门之草桥，后有教之以干当路者，著为《道学正统图》，自考亭之后，剿入当途姓名，遂特授初品。"此真以伊洛为市矣。

其次则曰朱陆同异。盖缘陆九渊、朱熹二人，笃生于孝宗、宁宗之际。朱主导问学，而陆尊德性。道问学者，即自书而入，陈亮《龙川集》卷十六《跋朱晦庵送写照郭秀才序后》所谓"晚得从新安朱元晦游，见其于阴阳卜筮、书画技术，凡世所有而未易去者，皆存而言之"，是也。尊德性者，即由心而出。象山所谓："东海有圣人出焉，此心同也，此理同也。西海有圣人出焉，此心同也，此理同也"《宋元学案》五十八是也。因而宗朱者诋陆为狂禅，宗陆者诋朱为俗学用梨洲语，鹅湖会后，象山有高弟杨简，为之后殿，朱熹有黄榦等人为之推波，陆派愈流于禅，相峙之局愈峻矣。

鹅湖之会，实为两派分帜之始。盛如梓《庶斋老学丛谈》中之上页十六云："晦庵、象山二先生，不惟以书往复辨无极。鹅湖唱和，尤见旨趣。象山诗曰：'墟墓生哀宗庙钦，斯人千古最灵心。涓流积至沧溟水，拳石崇成大华岑。简易工夫终久大，支离事业易浮沉。欲知自下升高处，真伪先须辨古今。'晦翁次韵曰：'德义风流夙所钦，别离三载更关心。偶扶藜杖过寒谷，更枉篮舆度远岑。旧学商量加邃密，新知培养转深沉。只愁说到无言处，不信人间有古今。'"二人诗意可见。然他日九渊，讲君子喻于义一章，则熹以为深中学者之病《宋史》四三四《九渊传》。则党同伐异之丑，固无有也。自九渊以后，"浙中象山之学甚旺，由其门人有杨简唱之。不读书，不穷理，专做打坐工夫。假托圣人之言，牵就释意，以文盖之"《宋元学案》三四《陈北溪答陈师复书》。陆流愈近于禅寂矣。"叶水心言：'今世学者，以性为不可不言，以命为不可不知，凡六经、孔孟之书，无不牵合其论，而上下其辞，精深微妙，茫然莫测。'"《老学丛谈》中之上朱流愈陷于支离矣。——两派之分，遂以判绝。

第无论朱陆，终嫌暗袭佛老之说，以创心学，陆无论已，即如朱，"朱文公《答孙敬甫书》云：'少时喜读禅学文字，见杲老与张侍郎书云，左右既得此把柄入手，便可改头换面，却用儒家言语，说向士夫，接引后来学者。’黄勉斋云：‘近世求道而过者，病传注之烦，以为不立文字，可以识心见性。守灵虚之识，而昧借佛老之言，以文儒者之说’”《养新录》十九《引儒入释》。心学之流弊，则有如“符离之溃，张浚熟睡”详上引《玉露》卷六，盖受佛之影响者深矣。

儒者受佛之影炙，可分三期：“西晋以来，吾道之外，别为二氏。南宋以来，吾道自分两岐。又其后，则取释氏之精，以阴附于吾道之内。又其后，则取释氏之名，而显出于吾道之外。”《养新录》十八同上条盖如明之李贽，明目以入释，然亦宋人先为之阶梯耳。

且分事与道而二之，则无以入世。《朱子全书》卷一云：“今人做工夫，不肯便下手。皆是要等待，如今日早间有事，午间无事，则午间便可下手。午间有事，晚间无事，则晚间就可下手。”李绂驳之曰：“其果朱子语耶，抑记者之妄也？天下无道外之事，即无事外之学。早间有事，即从早间事上做工夫。午间有事，即从午间事上做工夫。未有离事而有工夫者！”《穆堂初稿》四十五《书朱子语类后》离事与工夫而二之，所以不明大局，而真德秀之所以为人哂弄焉！

《四朝闻见录》甲集二六云：“真文忠公奉使金廷，力谓岁币可绝。史相未知所决，乔公行简上书庙堂云：‘强鞑渐兴，其势足以亡金。昔，吾之仇也；今，吾之蔽也。古人唇亡齿寒之辙可复。’……太学生徐士龙等，同伏丽正门，请斩行简以谢天下。”事理不明，一至于此。《鹤林玉露》卷三云：“端平间，真西山入参大政，未及有所建置而薨。魏鹤山督师，亦未有设施而罢。临安优人，装一儒生，手持一鹤，别一儒生，与之解后。问其姓名，曰姓钟名庸。问所持，曰大鹤《大学》也。因呼酒对饮，其人大嚼洪吸，酒肉靡有孑遗。忽颠仆于地，群数人曳之不动。一人乃批其颊，大骂曰：'说甚《中庸》、《大学》，吃了许多酒肉，一动也动不得。'"——虽近姗侮，实得实云。

至于盛名所归，人自争趋。夹杂之弊，自所不免。钩党之禁，亦非偶然。故韩侂胄设伪学之禁，"方党禁严时，熹讲学于竹林精舍，不为稍辍。时多劝熹俭德避难，熹笑而不答。与学者黄榦书云：'前此尝患来学之徒，真伪难辨。今得朝廷大用铲辂，锻炼一番，一等混淆夹杂之徒，自无所遁其情矣。'"无名氏《庆元党禁》页二八盖蚁附者众，斯疾忌者起；党禁固非始于庆元，而亦自有其必然也。

案南宋党禁之起，固非起于韩侂胄时。绍兴二十三年曹冠时对策云："凡为伊川之学者，皆德之贼也。"《系年要录》卷一六六孝宗淳熙十五年，林栗言："熹本无学术，徒窃张载、程颐之绪余，以为浮诞宗主，谓之道学。……绳以治世之法，则乱世之首所当禁绝也。……其后伪学之禁，实权舆于此云。"李心传《朝野杂记》乙集七俞文豹《吹剑录》外集页十一云："道学党禁，始于元祐间。伊川出入吕申公之门，东坡导谏议孔文仲，奏颐为五鬼之魁。崇宁二年，范致虚言：'程颐邪说惑众，乞追毁出身以来文字。'绍兴初，尹和靖以布衣入讲，士大夫多称托伊川门人。赵鼎去国，陈公甫言程氏之学狂怪，榜郡国禁之。淳熙九年，晦庵按唐仲友不法，丞相王淮与唐姻，故使陈贾弹之。侍郎郑丙，目为伪学。熹遂以辞去。十五年，侍郎林栗奏熹偏说欺慢。……”俞氏于此后，即举韩氏伪学之禁，可知在以前，已不少反讥道学者已。《四朝闻见录》丁集页十二—十五载胡继祖劾朱子“诱引尼姑二人，以为宠妾”，则又莫须有之辞也。

张端义《贵耳集》下页三〇云：“士大夫最怕有虚名。……史同叔之死，天下人皆谓曰：‘真直院入朝，天下太平可望。’及其入朝，前誉小减。省试主文，为轻薄子作赋曰：‘误南省之多士，真西山之饿夫。’都下谚曰：‘若要百物贱，须待真直院，及至唤得来，搅做一镬面。’如是，声名自是一项，事业自是一项。”《鹤林玉露》卷五云：“以《诗》、《书》为有用之具，固未有入耳出口，如后世之甚者也。盖至于今，士非尧、舜、文王、周、孔不谈，非《语》、《孟》、《中庸》、《大学》不观。言必称周、程、张、朱，学必曰致知格物。此自三代以后所未有也。然豪杰之士不出，礼义之俗不成。士风日陋于一日，人材岁衰于一岁。而学校之所讲，逢掖之所谈，几有若屠儿之礼佛，倡家之读礼者，是可叹也。”理学者主静主寂之流弊，宋亡以后，沈仲固所以长叹而不能自已欤！

周密《癸辛杂识》续集下云：“尝闻吴兴老儒沈仲固先生云：‘道学之名，起于元祐。盛于淳熙，其徒有假其名以欺世者，真可嘘枯吹生。凡治财赋者，则目为聚敛。开阃捍边者，则目为粗材。读书作文者，则目为玩物丧志。留心政事者，则目为俗吏。其所读者，止《四书》、《近思录》、《通书》、《太极图》、《东西铭》、《语录》之类。自诡其学，为正心、修身、齐家、治国、平天下。故为之说曰：为生民立极，为天地立心，为万世开太平，为前圣继绝学。其为太守为监司，必须建立书院，立道统诸贤之祠。或刊注四书，衍辑语录，然后号为贤者，则可以钩声致朊仕。而士子场屋之文，必须引用以为文，始可以擢巍料，为名士。稍有议及，其党必挤之为小人。虽时君亦不得而辨之。其气焰可畏如此。然夷考其所行，则言行了不相顾，率皆不近人情。异时必为国家莫大之祸，恐不在典午清谈之下也。'余时年甚少，闻其说，颇有嘻其甚矣之叹。其后至淳祐间，每见所谓达官朝士，必愦愦冬烘，敝衣菲食，高巾破履密作《志雅堂杂钞》下卷，又有"出则以破竹轿，舁以村夫"二语。人望之，知为道学君子也。清班要路，莫不如此，然密而察之，则殊有大不然者。然后信仲固之言不为过。贾师宪（似道也）当国，独握大柄，惟恐有分其势者。故专用此一等人，列之要路，名为尊崇道学，其实幸其不才愦愦，不致掣其肘耳。卒致万事不理，丧身亡国。仲固之言，不幸而中，尚忍言之哉。"

然道学之影响，固不无可道者。

其一则以纯粹重思考，不为文字所缚，而有疑古之风。如朱子不信《周礼》为周公所曾行《语类》八十六。与朱子同时之赵汝谈，则以《易》为占书，禹功只施于河洛，不信《洪范》、《诗序》、《周礼》，而以《礼记》为杂出各手《宋》四一三《汝谈传》。《困学纪闻》卷六云："朱文公曰：'《春秋》义例，时亦窥其一二大者，而终不能自信于心。'"《朱子语类》七十八云："今文乃伏生口传，古文乃壁中之书。……岂有数百年壁中之物，安得不讹损一字？又却是伏生记得书难读，此尤可疑。"盖于《书》与《春秋》，亦有疑及。其二则盛名所及，金人同化。刘祈《归潜志》李屏山喜佛学，斥伊川，大为诸儒所攻卷九。

斯诸儒者，即金之道学者也。《日下旧闻》卷十八云："赵仁甫本宋人，被俘至燕，其经学文章，虽李敬斋、元遗山亦推服焉。"于斯尤可征宋、金文化之沟通。其三，则书院以道学而发达，以之传及元、明，为教育史上大事，盖亦可称。——若夫南宋已亡，而文天祥又有如此之绝笔："孔曰成仁，孟曰取义，惟其义尽，是以仁至。读圣贤书，所学何事？而今而后，庶几无愧。"据《日下旧闻》卷十四谢皋羽之恸哭《宋遗民录》卷一，王炎午之生祭同上卷三，郑思肖画兰不根，人询之，则曰，地为番人夺去，汝岂不知？同上卷十三——宋之士风，又岂得以道学而少之哉。

元人亦有书院，略异于宋，山长皆官任《元史》八十一《选举志》"太宗初定中原"条。然其制之重视，则不异于宋。如"唐刘蕡为昌平人，历辽金无能发潜德者。（元文宗）天历间，昌平驿官宫骐，始奏设刘谏议书院"。《日下旧闻》卷三三岂特书院而已，如许衡"得新安朱子书，慨然以道为己任"。世祖甚重之，曰："公毋以道不行为忧也。"《元》一五九《许传》而"杨维中立周子祠，建太极书院，遂知性理学，欲以道济天下"。《日下旧闻》十八引《元名臣事略》道学之影炙元人如斯。

二五　南宋文明之病征

然谈道著词之宋人，终辱于金而亡于元；徒令士大夫，多故国之悲而已。

考自南宋始渡以至于亡，其士夫大都多言恢复。如"胡文定

《春秋传》，作于渡江之初，其论国灭也，曰：《春秋》灭人之国，其罪则一；而见灭之国，其例有三。以归者。既无死难之节，又无克复之志，贪生畏死，其罪为重。许斯、赖牂之类是也。出奔者，虽不死于社稷，有兴复之望也，其罪为轻。弦子、温子之类是也。若夫国灭，死于其位，是得正而毙焉者矣。于礼为合，于时为不幸。江黄二人是也。其旨严矣"《鹤林玉露》十四。自是以后，代有其人，如赵善誉作"《东南进取舆地金鉴》三十卷……取三国至梁陈东南攻守事，事为之图，后附地理，考其本事始末。盖为南渡后图金而作"莫友芝《宋元旧书经眼录》卷十一。陆象山欲报仇《宋》四三四《陆传》，朱子亦"喟然叹曰：'某要见复中原，今老已，不及见已！'"《语类》一三三——贤者如此。无怪乎民间之更多激昂者。

元人李有《古杭杂记》《说郛》卷四云："驿路有白塔桥，印卖朝京里程图，士大夫往临安，必买以披阅。有人题诗于壁曰：'白塔桥边买地经，长亭短驿甚分明；如何只说临安路？不数中原有几程！'"故岳飞之死，"叶靖逸诗云：'万古知心只老天，英雄堪恨亦堪怜。如公稍缓须臾死，此虏安能八十年？'"《辍耕录》卷三《朱子语类》一三一云："施全刺秦桧，或谓岳侯旧卒，非是。盖举世无忠义，这些忠义，忽然自他身上发出来。秦桧引问之曰：'你莫是心疯否？'曰：'我不是心疯，举天下都要去杀番人，你独不肯杀番人，我便要杀你。'"可见当时民间积忿之烈矣。

然当时实万难恢复，张浚为之，而一败于富平，二败于淮西，三败于符离详周密《齐东野语》二《张浚三战本末略》。"考其出师本末，符离之溃，公方在泗州。淮西之失，公方在行在。富平之败，公方在邠州。皆去行间千百余里，安能使士卒奋勇哉？”昭梿《啸亭杂录》卷二则统军者之不武可知，其下于浚者，又奚论也？

> 即如绍兴三十一年，采石之胜，据李心传《系年要录》一九四云：“允文策马至采石，趋水滨，望江北敌营，不见其后。而王权余兵才万八千人。金主亮登高台，张黄盖，披黄金甲，据胡床而坐，诸将已为遁计。”——其岌岌可知。

以故国家经济之受折，乃大困于岁币。岁币虽北宋有之详《廿二史劄记》二十六，而南宋之困愈甚。《齐东野语》卷十一《淳熙岁币》云：“绍兴岁币，银二十万两，绢二十万匹。……先一年腊月下旬，至盱眙山岁币库下卸。……岁前三日，先赍银百锭，绢百匹，过淮呈样。……初交绢，十退其九。……数月后，所需如欲，方始通融。然亦十退其四五。……兀术病笃之际，曰：‘江南累岁，供需岁币，竭其财赋，安得不重敛于民？’……”——盖国势之不振，亦有影响于民生也。

然国虽蹙，而豪族仍恣横也。郎瑛《七修类稿》二十六云：“秦桧微时，为童子师，仰束修自给。故曰：‘若得水田三百亩，这番不作猢狲王。’”此平民地主之活跃也。《齐东野语》卷六云：“杨和王沂中最所爱者，第六女。初事赵汝勅，继事向子丰。居于雪，未有所育，王甚念之。一日向妾得男，杨氏秘之，以为己出。且亟报王，王喜甚。……亟拨吴门良田六千亩，以为粥米。逮今向氏家，有昆山粥米庄云。”此武人冠盖而劫人也。《系年要录》一九一云：“梁仲敏言：臣伏见同知枢密院周麟之，父尝为常州富人邵伸门客。客死之日，邵家借以吉地安葬。麟之既贵，不思存恤其家。乃强占坟旁地二十余里，邵家兄弟不从，即以势力致狱。”此文官仗势而厉民也——敌强于外，国弱于内。而地主吞赋，贫民赔税不与。

故南宋有经界法，创于李椿年，在绍兴十三年：“画图供帐，分立土色，均认苗税。”详李心传《建炎以来朝野杂记》甲集卷五故有似于北宋“方田”详本卷十三节。然此制，为豪富所不喜。光宗绍熙元年一一九〇朱子行于漳泉，有《条陈经界状》云：“细民业去产存，其苦固不可胜言。而州县坐失常赋，其势亦将何所底止。然而此法之行，豪家大姓，滑吏奸民，皆所不便。”《朱子文集》卷十九可见均赋亦不易云。

李心传《系年要录》一六五载绍兴二十三年：“诏民间所欠私债还利过本者，并与依条除放。先是温州布衣万春上言，乞将民间有利私债，还息未还息者，并予除放，庶几稍抑豪右兼并之权，而伸贫民不平之气。诏送户部。上谓大臣曰：‘若止偿本，则上户不肯放债，反为细民之累，可令仔细措置。’至是令下。”——此虽立法有微深之意，然亦以见上户之累人。

案平民怒而反富人，已见本卷第一节引《容斋三笔》十六“多赦长恶条”。《宋史》四二四《孙子秀传》：子秀核势家之田，“势家以为厉己，嗾言者罢之”。孙为绍定五年一二三二进士，可见宋垂亡时，富豪之烈。

而纸币之通行，尤征南宋经济之病焉。

纸币之始，滥觞于唐详中古卷三十五节、四十四节引孟麟《泉布通志》卷首钞目，又孙承泽《春明梦余录》三十八，北宋亦有“交子”、“关子”，今之汇票也《宋史》一八一。至于会子，则官有本而发兑，时或与见金半用。刘壎《隐居通议》卷二十云：“楮币于宋，谓之会子。于今(元)，谓之宝钞。而以久而轻，其弊一也。至于物价踊贵。”盖会子有似于今之钞票矣。盖导源于北宋之季，盛行于南渡以后。

宋交子，始于真宗时张咏镇蜀《宋史》一八一志。李心传《建炎以来朝野杂记》甲集十六云：“东南初无会子，大观中，蔡京尝仿交子法为之，旋即废。绍兴元年，始置见前关子。其法，入见钱于婺州，执关子赴杭越。……六年时，临安之民，复私置便钱会子，豪右主之。钱处和为临安守，始夺其利，以归于官。……三十一年春，遂置行在会子务。”张端义《贵耳集》上页六云：“曾怀在版曹，效蜀中造会子。始得三百万，孝庙在宫中，积三百万见缗，准备换会。三五年后，浙中粟贱，造六百万，为和籴用。继后印造，不止六百万矣。辛未以二易一，当时议者，必曰贻害于后。今以五易一，倍于以二易一矣。”综上，可见会子之设，始于南渡，其价日跌，则在孝宗以后，吴自牧《梦粱录》卷九云：“造会子局，在赤山湖滨。先造于成都，以蜀纸起解。后因路远勿给，诏杭州置局于九曲池。”盖及南宋之亡，造楮币竟为一大事云。

理宗淳祐六年一二四六，宋亡已不过三十年，而谢方叔言：“国家驻跸钱塘，百有二十余年矣。外之境土日荒，内之生齿日繁，权势之家日盛，兼并之习日滋。”“上下煎迫，若有不可为之势，所谓富贵操柄等,若非人主所得专识者惧焉。夫百万生灵,资生养之具,皆本于谷粟。而谷粟之产,皆出于田。今百姓膏腴,皆归贵势之家。租米有及百万石者。”“以此弱之肉,强之食。”“敌人睥睨于外,盗贼窥伺于内。”《宋史》一七三志——盖国势之弱岂特弱于武哉?兼亦民穷用绌,富在右姓,岌岌不可终日也。

故景定二年一二六一贾似道“欲行富国强兵之术,……于是殿院陈尧道、正言曹孝庆等合奏限田之法,自古有之。买官户逾限之田,严归并飞走之弊。回买公田,可得一千万亩。则每岁六七百万之入,其于军饷,沛然有余。可免和籴,可以饷军,可以住造纸币,可平物价”。“先是议以品官逾限田外回买立说,此犹有抑强疾富之意。既而转为派买之说,除二百亩以下,免行派买外,余悉各买三分之一。及其后也,虽百亩之家,亦不免焉。……买数少者,则全以楮券,稍多,则银券各半。又多,则副以度牒。至多,则加以将仕、登仕、校尉、承信、承节、安人、儒人、告身。……此则几于白没矣。”盖国家在经济困难之际,疾视地主之独富,乃利用楮币,掩其田而有之。于佃人固无所与,然亦可觇经济病况之严重已,宋之亡岂偶然哉!

以上详周密《齐东野语》十七“景定行公田”条。密云:自似道买公田后,时人反对者众,卒议还于原主。以北兵进急,“时以秋成在迩,饷军方急,合宜收租一年。……然边事日急,还田之事,竟不及行,呜呼哀哉!昔隋凿汴渠,以召民怨。乃为宋漕运之利。今宋夺民田,以失人心,乃为大元饷军之利。古今兴利害民之事,于此可以鉴矣”。可知似道公田,本有救国之志,亦有富国之能,元人踵之不废也。俞氏《癸巳存稿》卷八《宋景定公田说云》云：德佑元年春，谢太后诏以公田给还田主，令率租户为兵。时亟，未能赐行。其所入田，元时承之，未改。大德三年，阎复言江南官田租太重，请减以贷贫民。明洪武十三年、建文二年、宣德五年递减之，而租仍较他处为重。故元初得以江南田赐群下，"皆宋末官田"也详《廿二史劄记》三〇"江南田"条，又《日知录》卷一〇"苏松田赋"条。——此即宋季夺地主，以救国窘之史实。

《癸巳存稿》卷八又云：公田法之行，足饷以外，"本在重楮。则会子之给，亦权宜之制。又一切予以亩二斗之价，而所谓银半分者，据《贾似道传》，则亦银关。银关一两，当会子钱三贯：亦皆空纸也"。以纸币收田，此则国窘之史实也。

第八章　异族入主与新文明

二六　元人之承袭与掀动

自南宋亡后，蒙古入据中国，史称元代者也一二七七—一三六七。元人入主，本承南宋之贫弱，然当时遗民种族之恫已甚。故郑思肖《心史》下页三九《犬德》曰："元贼南破中国，至于狗亦杀食几尽。今之狗，续续而生者，皆元贼破中国后渐渐生者也。六七岁以来，数数见群狗吠顶笠者；顶笠者，鞑贼也。是以知鞑贼者，又狗之所疾者也。"又《心史》下页六三《大义略叙》云："近陈丞相挟占城出师甚盛。倭国出兵，已夺高丽，谋夺幽州。回回挟塔利狗国，出攻鞑西北边，甚得利。逆鞑亡，大宋兴，此其时也。"又卷上页六〇《二啗诗》《啗陈丞相宜中》叙云："闻公至海南，诸国有让王位与之者，公亦不受。公始五十二岁，事业未止于此。或传其在真腊之间，并集外国兵来。微臣昂首，望东望南，一旦从天而下，尽复太祖、高宗境土，岂不快哉？"然其时宋亡已七年。《心史》铁函之悲，西台哭拜之恸，其揆一也？

《亭林诗集》卷五《井中心史叙》云："其藏书之日，为德祐九年，宋已亡矣，而犹日夜望陈丞相张少保，统兵外来，以复土宇。至于痛哭流涕，而祷之天地，盟之鬼神，谓气化转移，必有一日。"谢皋羽《西台恸哭记》云："始故人唐丞相鲁公（指文天祥）开府南服，予以布衣从戎。明年，别公漳水湄。后明年，公以事过张睢阳、颜杲卿所尝往来处，悲歌慷慨，卒不负其言，而从之游。今其诗具在，可考也。余恨死无以藉手见公，而独记公别时语，每一动念，即于梦中寻之。……后三年过姑苏，姑苏，公初开府旧治也。望夫差之台而始哭公焉。又别四年，而哭之于越台。又五年，及今而哭之于子陵之台。……登西台，设主于荒亭隅，再拜跪哭，祝毕而恸者三，复再拜起。……乃以竹如意击石，作楚歌招之曰：'魂朝往兮何极，莫归来兮关水黑，化为朱鸟兮有噣焉食。'歌阕，竹石俱碎。……乌乎，阮步兵死，空山无哭声，且千年矣。兹游良伟，亦诚可悲也。"《宋遗民录》卷三可征民族怆恫之烈。

盖元人主华之初，与中国旧文明，尚多隔膜。赵翼谓元建国号始用文义《廿二史劄记》二九，然元世祖嗜利黩武，元诸帝多不习汉文《劄记》三〇，郑所南《心史》下页七六云："鞑法，一官，二吏，三僧，四道，五医，六工，七猎，八民，九儒，十丐。"九儒十丐说亦见《陔余丛谈》四十二其事似若可信。《元史》载世祖在潜邸，问张德辉曰："辽以释亡，金以儒亡，有诸？"一六三《德辉传》《大元马政记》页三三，广仓学窘本记世祖"中统二年，圣谕马月忽乃若曰：'卿昨奏已备怯薛台马，今可取肥健者五百匹，交付祃祃祃祃。每五十匹，差一好蒙古人，经由有水草路，勿令瘦死，及贼盗去，疾速进来。'"文字之俚如斯，则蛮子之风，今可想焉。

及元几亡，顺帝至正五年一三四五辽、金、宋三史成。右丞相阿鲁图犹云："臣素不读汉人文书，未解其义。"《元》一三九《阿传》则以前可知已。

其次，别汉人南人之目，尤为隔膜之大者。元初虽登用吕文焕、刘整等人，而又用耶律楚材为："治天下匠。"《元》一四六《楚材传》（《辍耕录》卷二云："耶律文正在金为员外郎，国亡归于我。夏人常八斤者，以治弓见知于上。告之曰：本朝尚武，而明公欲以文进，不已左乎？文正曰：治弓尚须弓匠，岂治天下不用治天下匠耶？上闻之喜。"）然百官皆用蒙古人为长《廿二史劄记》三十，汉人、南人之目，虽金、元俱有《劄记》二九。然蒙古有七十种，色目有三十一种详《辍耕录》一《氏族》，旧民族之力，微已。故赵孟频议钞法，人以其"来自南方"为惑。世祖诏赵巨夫参知政事，而御史台以"南人""年少"诽之俱详《元》一七二各传。则政治上之多用北人，明树畛域，盖可知也。

杨瑀《山居新话》页二七记"揭曼硕学士题《秋雁》诗云：'寒向江南暖，饥向江南饱，莫道江南恶，须道江南好。'"此殆有感而言。《辍耕录》卷二云："今蒙古色目之为官者，多不能执笔花押，例以象牙或木刻而印之。"北人如斯不学而故树畛域，亦可吁已。

其次，则搅乱社会之经济。如以江南田赐群下，诸将多掠人为私户《廿二史劄记》三十。《元史》一四七《杨维中传》，又载蒙古人杀人夫夺人妻之事。而又专用宝钞《劄记》三〇。《春明梦余录》卷三十八云:“南宋造会子,有大钞、小钞之别,凡十等。又谓之钱引,又谓之关会,实一而已。元造宝钞,以钞一贯,权铜七千文。无何,物价腾踊,逾十倍。积钞不售,国用大拙。”桂馥《晚学集》卷二云:“元瓦钞一定,横列‘至元通行’四字,阙‘宝钞’两字。中有一‘贯’字,左右蒙古字,庚子四月,黄山时家庄民掘井得之。”——用钞之专如此,可见尔时民生经济之不安已。

惟元人知减私租,甚为可称。减少私租,唐陆贽曾有其议参中古卷四十三节,顾未得实行也。其在于元,则见于《元史》者凡五二〇五《卢世荣传》,十八《成宗纪》未改元,二一《成宗纪》“大德八年”,二十二“武宗至大元年”,四十三“顺帝至正十四年”,《元典章》卷三云:“至元二十三年,诏免江南田主所取佃客租二分。”传至有明,《食货志》《明史》七八谓二祖成宣时每逢虫蝗,“且命富户蠲佃户租”。俞继登《典故纪闻》卷十云:宣宗时“给事中严富言,江南小民佃富人之田,岁输其租。今诏免灾伤税银,所蠲特及富室,而小民输租如故。乞令被灾之处,富人田租,如例蠲免”。——此殆元人之遗波乎。

其次,则特重西番僧。西僧之势,可以辱及王妃,殴及留守详《陔余丛考》十八“元时奉释之滥”条。杨瑀《山居新话》页一,知不足斋本云:“累朝于即位之初,故事须受佛戒九次,方登大宝。”陶九成《辍耕录》卷二《受佛戒》云:“累朝皇帝,先受佛戒九次,方登大宝。”《元史》二〇二《释老传》,述其作奸犯科,淫污贪贿之事甚具,而杨琏之发宋六陵也,其事尤惨云。

发宋六陵始于至元十五年戊寅，意在取殡宫金玉《宋遗民录》六，张孟兼《唐珏传》。“发赵氏诸陵寝，至断残支体，攫珠襦玉柙，焚其胔，弃骨草莽间。”同上，罗灵卿《唐义士传》至截理宗顶骨为饮器同上，《穆陵行叙》。唐义士珏潜以牛马骨易诸帝骨，另为葬，植冬青树以识之《辍耕录》四“发宋陵寝”条，今在会稽万季野《宋六陵遗事》。郑元佑《遂昌杂录》页十，读画斋本云：“宋太学生东嘉林景曦，当杨总统发掘诸陵寝时，林故为杭匄者，背竹箩手持竹夹，遇物即以夹投箩中。铸银作两许小牌，百十系腰间，取贿西番僧曰：‘余不敢望收其骨，得高宗、孝宗骨斯足矣。’番僧左右之，果得高、孝两庙骨，为两函贮之，归葬于东嘉。”似当时民间义士，不止一唐珏也。

综言之，其行政制令，大略如孩提之戏。叶子奇《草木子》三下云：“元世祖定天下之刑，笞杖徒流绞五等。既定，曰天饶他一下，地饶他一下，我饶他一下，自是合笞五十，止笞四十七，合笞一百十，止笞百七。”《五杂俎》卷十四亦云故成宗一二九五——一三〇七嗣位，郑介夫言“天下黔首，狼顾鹿骇”；“号令不常，有同儿戏”。“事不归一，十羊九牧”陈邦瞻《元史纪事本末》卷十一大德三年！盖元人文物，初不如辽、金，闵元衢《欧余漫录》卷五云：“胜国诸帝，用梡木两片，凿类人形小大，置遗体于其中。加髹漆毕，以金圈圈定，送至极北深埋，随用万马踏平。候青草解严，则已漫同平坡，祭时仅以一驼认识！”——蛮族之风，有至于此。其开行省也，为武事耳；订考试也，设书院也，藏图书也，模前人耳，虽垂之于后而有影响，然当时实无意植柳者也。

元设行省，便于征伐之役，见《元史》九十一《百官志》参看中古卷第三节引《方舆纪要》，然其影炙，则有可称者。朱国桢《皇明大政纪》卷一洪武元年五月，“置中书行省于开封府，命参政杨璟署省事”。是明初，亦袭行省之名，后始改为布政司尔。元人用武，非但徼外，即国内亦然。《元史》载张立道佐王子云南王教化大理等处《元史》一六七，盖亦无心植柳；然卒致西南之启发，则可称耳。

元人亦有书院参本卷九节，案《齐履谦传》述升斋积分之法《元史》一七二，此则介乎三舍，与今时学制之间承前启后，功亦难没。

元人藏书，如“文宗天历间，设奎章阁，聚书不少。史称其聚外王内圣之道，兴亡得失之故”。立官分职，井然具备《山居新话》页二十二。然历代官家多有收书以点缀盛世详中古卷第九节引拙著《收集遗书与建国新猷》，《建国》月刊六卷四五期，何足道也！

至于元人考试，《古学汇函》第六册有《元婚礼贡举考》。大旨谓元科场，三年一次，考试程式，汉人、南人、蒙古、色目各有不同。如蒙古、色目人依汉人考试者，加一等注授。盖汉、南人作一榜，蒙古、色目人又一榜也。陶九成谓元科举始于太宗十年一二三八，宋理宗嘉熙二年；远在平宋之前。且云：“初为宋人词赋，后则一以经学为本。”《辍耕录》卷一殆溢辞欤！

二七　元人海运

然元人文物自有其不朽者在，海运是已。

海运由来久已参《日知录》二十九“海运”、“海师”两条，又本书中古卷二十一节、三十六节，即在唐时，“《辛斋诗话》云：杜子美《昔游》诗：‘燕幽夙用武，供给亦劳哉。吴门持粟帛，泛海人蓬莱。’《后出塞》云：‘渔阳豪侠地，击鼓吹笙竽，云帆转辽海，粳稻来东吴。’案《唐会要》开元二十七年，李适为幽州节度、河北海运使。《唐书》，姜师度穿平卤渠，以避海难。盖元之海运，由崇明抵直沽。唐时海运，则由登州转向平州以达于蓟，故子美云然也”。《日下旧闻考》三十一引其在于宋，则市舶既盛本卷二二节，罗针斯建本卷二十节，故欧公杭州《有美堂记》盛道杭州岭闽商舶之盛，观于天妃故事之诞生，海事可知。

元人祭天妃，以其护海有功，见《元史》七十六“名山大川忠臣义士之祠”条。案张燮《东西洋考》云：“天妃者，世居浦之湄州。五代时，闽巡检林愿之第六女，以宋（太宗）雍熙四年九八七升化。尝衣朱衣，飞翻海上。宣和癸卯一一二三给事中路允迪，使高丽，中途遇风，人舟俱溺，神救之。使还奏于朝，特赐庙号顺济《元史》则作“广济”。绍兴己卯，海寇入江，神驾风埽之，加封昭应崇福。元以海漕之功，赐额灵济。”《日下旧闻》十九引可知天妃之故事，始于北宋也。

故当北宋之时，海事已臻极盛。杨允恭于太平兴国中，掌广州市舶，斩海盗叶氏，“其党弃船而走”《宋史》三〇九。李焘《续长编》四三五元祐四年云：“杭僧有静源者，旧居海滨，交通牟利。舶客在高丽，争誉之。元丰末，其王子义天来朝，因往拜焉。至是，源死，其徒窃其画象，附舶船往拜。义天亦遣其臣寿介等，附舶来祭。”张邦基《墨庄漫录》卷三云：“明州士人陈生，不知何年间，赴试京师，家贫治行后时，乃于定海，求附大贾之舟，欲航海至通州，而后西。”——所以南宋高宗，避金人之锋，尝以航海为壁垒详《宋史·高宗纪》、王明清《挥麈后录》卷九。《宋史》三七〇《李宝传》称李宝陷金后，从海道来归。而海盗云云，此时亦实繁有徒已。此皆元人海运历史之背景焉。

《江西通志》六十七《王鈇传》载鈇官番禺，夺海盗之舟，以为海备。王，盖建炎初人。岳珂《桯史》卷四记郑广旧为海贼，“自号滚海蛟，后受招安。同官鄙之，不与立谈。广赋诗云：‘郑广有诗上众官，文武看来总一般；众官做官却做贼，郑广做贼却做官。’”可见南宋初期，海上之不寂寞已。故异日南宋季年，夺蒲寿庚私有船，以助军，蒲乃泉州市舶使也详《宋史》四七《二王纪》。盖南宋市舶承北宋之旧，李心传《建炎以来朝野杂记》乙集十五云：“市舶司者，祖宗有之未广也。神宗时，始分闽浙广三路，各置提举官一员。本钱无虑千万缗。海货上供者山积。宣和初，悉归应奉。建炎初，李伯纪为相，省其事，归转运使。明年夏，复闽浙二司，赐度牒直三千万缗，为博易本。”似言市舶之制，北宋盛于南渡。然案赵彦卫《云麓漫钞》卷五云：“福建市舶司，常到诸国舶船，大食、嘉令、麻辣、新容、甘胚、三佛齐国则有真珠、象牙、乳香、琉璃，真腊、三泊、缘洋、蒲甘国则有金颜香等，渤泥国则有脑版，阇婆国多药物，占城、日丽、新城国则有求煎，波斯、兰麻色国则有吉贝布、吉贝纱，高丽则有人参。以上舶船，候南风到则回，惟高丽北风则回。”可见南宋时海舶之繁。

盖市舶之利，宋高宗已知之，“市舶之利最厚，若措置合宜，所得动得百万计，岂不胜取之于民？”《粤海关志》卷三元时亦不废市舶。《世祖纪》称至元三十年，“杭州、上海、瞰浦、温州、庆元、广东、泉州置市舶司，凡七所”《元史》十七，“大抵皆因宋旧制，而为之法焉”《元史》九四《食货志》。董文炳劝元世祖用蒲寿庚以主市舶《元史》一五六《文炳传》，则元于市舶，初非置诸淡然者也。此又元人海运制度之背景也。

且以军事言之，平宋后得有海舶《元史》一三二《哈利得传》。《元史·世祖纪》云：“陈懿出战船百艘从征宋。”《元史》十“伐宋，得黄鹄白鹞船数百艘。”《元史》八是伐宋有需于海舶也。至元二十年，“募兵造舟，复征日本”《元史·日本传》，时在至元十二年、十八年两败之后。是伐日本有需于海舶也。《元史》一六二《史弼传》：“诸军发泉州，过七里洲，历占城、交趾，入混沌大洋，卒降爪哇，”是通南洋有藉于海舶也。——此则元人海运武事之背景也。

案元征日本，绥高丽，服印度支那三小国，此已与海有关。至于南洋诸国据 Ricci 本《马哥孛罗游记》言：海外诸小国，Pay Tribute to Creat Kaan 者，比之而是。又见元人海上拓殖之猛。《元史》二〇八《高丽传》云：“或先有事日本，或先有事南宋，船舰资粮，宜早措置。”可见海事与用兵有关，甚明昭焉。

然海运之所以常行不废者，则由于食货也。

盖元人北都燕京，漕江南之粟，藉乎运河之推挽，事至不易。故用朱、张之计，进而求之海运。陶九成云：“宋季年，群无赖子相聚乘舟，钞略海上。朱清、张暄最为雄长，阴部曲曹伍之，当时海滨沙民、富家以为苦，崇明镇特甚。清……（以）捕急，辄引舟东行，三日夜，得沙门岛。又东北，过高句丽水口，又北见燕山与碣石。……私念南北海道，此固径，且不逢浅角，识之。……既内附，二人者，从宰相入见，授金符千户，时尚漕东南供京师，运河浅隘，不容大舟。转输艰而糜费重。二人者建言海漕事，试之良便。初不过百万石，后乃至三百万石。二人者，父子致位宰相，弟侄甥婿，皆大官。田园宅馆，遍于天下。巨艘大舶，帆交蕃夷，累爵积资，意气自得。二人者既满盈，父子同时夷戮殆尽，大德八年冬也。”《辍耕录》五“朱张”条《元史》二十一《成宗纪》：“大德七年，命江浙行省，发所籍朱清、张暄货财赴京师，其海外未还商舶至则依例籍没。”刘壎《隐居通议》卷三十云：“浙西朱、张二豪，本樵夫。乘乙亥丙子革命时，南北云扰；入海啸聚剽劫，所杀略皆富商巨舶，由是大获资产。财货无与比。所官，皆宣慰、参政。”盖二人以建议运粮之故，而富贵如斯。

朱、张之外，尚有罗璧，亦建议海运者，详《元史》一六六《璧传》。

考当时朱、张固十分纵恣。郑元佑《遂昌杂录》页二四，读画斋本云：“松江王氏，以资雄。朱、张诱其诸子博，折尽其产。惟孙东庐有田三十顷，为养老计，而某氏使之，邀其观海船。至则曰：不与田当投诸海。东庐不得已，书券与之。偿以海舶上物，十才一二。”然此事之垂制，固不为无功。《雪堂丛刻》中收有《大典》本《大元海运记》二卷，首云：“至元十二年，既平宋。始运江南粮，以河运勿便，至元十九年，用丞相伯颜言，初由海道漕运，至直沽以达京师。立运粮万户府三，以南人朱清、张暄、罗璧为之长。初岁运四万石后累增至二百万石，今增至三百余万石。春夏分二运至，舟行风信有时，自浙西不旬日而达于京师。大小吏士，至于细民，无不仰给。裕民之泽，曷穷极也。”《大元海运记》卷上页一是当时北人，固有受朱、张之赐者矣。故《元史》九十三《食货志》虽谓海运险危，然不尝否认：“然视河漕之费，则其所得盖多矣”也详见余所作《朱清、张暄与海上交通》，《新中华》三卷八期。

当时海运，分职纤悉具备。武宗大德八年，有海运千户所十一：平江、嘉定、常熟、昆山、温台、崇明、上海、嘉兴、松江、杭州、江阴。至大四年一三一一并为七所，曰常熟江阴所、昆山崇明所、松江嘉定所、杭州嘉兴所以上四所置司平江路、温台所温州路置司、庆绍所庆元路置司、平江香糯所详《海运》上，页二十二。而更计岁运粮数、鼠耗则例、漕运水程计海程迂直万三千三百五十里、记标指浅、测候潮汐、艘数装泊以上均章节之名，见《海运记》卷下。至正十五年一三五五，离元亡一三六九不过十四年矣，犹设防御海道，运粮万户府《元史》九二《百官志》。盖元之重视海事，可知矣。

叶子奇《草木子》三下云：“元海运自朱清、张暄始。岁运江淮米三百余万石，以给元京。四五月，南风起，起运，得便风，十余日，即抵直沽交卸。朝庭以二人之功，立海运万户府以官之。赐钞印，听其自印。钞色比官造加黑，印色加红。富既埒国，虑其为变。复以法诛之。海道以后，岁以为常。及张九四据有浙西，而海道复有方国珍。运道遂梗，而国已不国矣。”然则由海运粮，元世始终因之。

俞正燮《癸巳存稿》卷八《海运》云："明永乐时，会通河成，罢海运。国朝康熙四十二年，往天津截漕七万石，由海运登莱青三处平粜。嘉庆九年，浙抚议奏，海运不敢轻试。十五年，苏抚奏海运不便。道光六年，官雇河船二，运抵天津，百五十万石。十七年，又行之。"案正燮所指，但指南粮漕北耳。若他处海运，则明清二代，亦不能止也说详《日知录》二九"海运"条注。

综言之，元人海运，固有其历史的背景，制度的背景，武事的背景，以及夫经济之背景。然能终行一代，无畏葸将慎之惧。虽曰海运之事，元前有之，元后有之，然"非若元时，以此为恒制也"用《日知录》"海运"条言，斯则先民有作，十口无殊，允为元之历史生色者已。

二八　北部文物之维护

虽然，元人之海运，为谋燕京之粟而已。练谙海事，非所期也。正如其繁荣北京，而非为救济南宋以来，北华倾圮之敝焉详本卷二二节引《贵耳集》上。叶子奇《草木子》三上载韩山童《檄天下文》云："贫极江南，富称塞北。"可知元固无繁荣北华之意，然北华则以元而富丽奂皇耳。

何也，北平者，北部文物之中心也。自辽都燕，金因之，元因之，明因之，以至于清末民初，北平为北方大都者，几一千年九三七—一九二八。

《辽史》四《太宗纪下》会同元年九三七升幽州为南京。又四十

《地理志》云："太宗升为南京，又曰燕京，城方三十六里。"至金为中都，天德三年一一五一，海陵命张浩增广城门详《金史》二四"中都路"注，制度更有美进。《金史》七五《左企弓传》："君王莫听捐燕议，一寸山河一寸金。"指金初之燕也，而况金季乎？

盖金时北平，已极美奂。杨瑀《山居新话》页四十六曰："诸先辈同谈内苑万岁山，太液池，本非吾朝创建，乃亡金之沼囿也。初圣朝起绝塞，有一山形势雄壮，金人望气言，此山当出异人。非金之利，愿曲求此山之土。千人挽运，积累幽州城北。栽植花木，营构台殿，以为游幸之所。未几金亡，世祖改筑京城，山适在禁苑之中。兴衰之兆，天已默定之已。"然则北都营构，金已努力为之。故异日宣宗自燕徙汴，霍王以为宗庙社稷，百官庶事，皆在燕，"岂宜舍去"本卷二十二节引《建炎以来朝野杂记》乙集十九。是北平之盛，金与元盖同努力之者也。

金人之致力燕京者，如张浩曾请徙四方民以实燕《金史》三八《浩传》，其致力于汴都之复兴者，则如正隆营汴京，张中彦运关中材木，开六盘山水陆之路详《金史》七九《中彦传》。可知南宋南渡，北方之劫余，有待于金元人之努力者不少。《日知录》云："今代山东民族，出于金元者多矣。"《日知录》二十三"二字姓改一字"此又燕、汴二都之外，金元人维持北方文明之消息焉。

而元人之力尤伟已。

萧洵《故宫遗录》云："龙舟大者，长可十余丈，绕设红彩阑，前起龙头，机发五窍皆通。余船三五，亦自奇巧，引挽游幸，或隐或出，已觉身忘。况论其他哉？新殿后有水晶二圆殿，起于水中。通用玻璃，日光回照，宛若水宫。中建长桥，远引修衢，而入嘉禧殿。桥傍对立二石，高可二丈。金彩光芒，利锋如斫。……殿后有深洞，有飞龙，喷雨其中，前有盘龙，相向举首，而吐流泉。泉声夹道，冷然清夷。仿佛仙岛。”此特元时北平富丽之一端耳。吴节《故宫遗录叙》云：“《故宫遗录》者，庐陵萧洵之所撰也。革命之初，洵任工部郎中，奉命随大臣至北平，毁元旧都。因得遍阅经历。凡门阙楼台殿宇之美丽，阑槛琐窗屏障金碧之流辉，园囿奇花异卉峰石之罗列，高下曲折，以至广寒秘密之所，莫不详具赅载，一何盛哉？观斯篇者，如身入千门万户，登金马，历玉阶，高明华丽，虽天上之清都，海上之蓬瀛，犹不足以喻其境也。”以上同详《日下旧闻》卷五燕都之盛如斯，故元末之乱，南人疾视北方之繁华，亦其中之一事也。

《草木子》卷三上云：“天下治平之时，台省要官，皆北人为之。汉人、南人，万中无一二。其所为者，不过州县卑秩。……”又云：“治天下之道，至公而已矣。公则胡越一家，私则肝胆楚越。元朝自混一天下以来，大抵皆内北国而外中国，内北人而外南人。以至深闭固拒，曲为旁护。自以为得亲疏之道。是以王泽之施，少及于南，渗漉之恩，悉归于北。故贫极江南，富称塞北，见于(韩山童)伪诏之所云也。”又卷三上云：“徐州盗韩山童叛，先是至正庚寅十年一三五〇间，参议贾鲁，劝脱脱丞相，开河北水田，又劝其造至正交钞。钞恶劣，物价腾贵。又劝脱相求复禹故道，集丁夫二十余万人，河夫多怨。韩山童因挟诈，阴凿石人，止开一眼；铭其背曰：‘莫道石人一只眼，此物一出天下反。’掘者得之，遂相为惊诧，而致乱。

是时天下承平日久，法度宽纵，人物贫富不均，多乐从乱。曾不旬月，从之者至数万人。以赵宋为名，韩山童自称宋徽宗九世孙，伪诏略云：韫玉玺于海东，取精兵于日本，贫极江南，富夸塞北。盖以宋广王走厓山，陈宜中走倭，托此说以摇动天下。当时贫者，从乱如归。朝廷发师诛之，虽归禽获，而乱阶成矣。”可知元季之乱，实由饥荒也，排南人也，北方之繁荣也，三者，互而成之。

考明太祖于吴元年遣徐达北伐，檄天下曰：“自古帝王临御天下，中国居内以御夷狄，夷狄居外以奉中国。未闻以夷狄而居中国，治天下者也。自宋祚倾覆，元以异族北狄，入主天下，四海内外，罔不臣服，此岂人力，实乃天授。然达人志士，尚有冠履倒置之叹。自此以后，元之臣子，不遵祖训，乱坏纲常，……于是人心离叛，天下兵起。使我中国之人，死者肝脑涂地，生者骨肉不相保。虽因人事所致，实天厌其德而弃之之时也。古人云：‘胡虏无百年之运。’验之今日，信乎不谬。”朱国桢《皇明大政记》卷三然明祖固欲都乎北平，则元之为胡虏也，于北部文物之维护，其有功也，亦庶几焉。

陈霆《两山墨谈》卷十八云：“吾朝迁都北平，虽成祖宏规远略，然本太祖之意也。洪武改元，驾御谨身殿，问廷臣曰：北平建都，可以控制胡虏，而运掉东南，比今南京何如？众对曰：胡主起自沙漠，立国在燕，今已百年。地气已尽，不可因也。今南京兴王之地，宫阙已完，不可改图。传曰：在德不在险，于是中止。”是明祖未尝不留意于北平焉。

至明成祖，而北平又为皇都矣。

《日下旧闻》卷一引《成祖实录》云："永乐元年，李至刚言，北平布政司，为皇上承运兴王之地，宜遵太祖中都之制，立为北京，制曰：'其以北平为北京。'《明史》六只存此一语……十四年，又诏群臣议建北京，先是车驾至北京，臣工等上疏曰：'北平河山巩固，水甘土厚，民俗纯朴，物产丰富。诚天府之国，帝王之都也。矧河道疏通，漕运日广，商贾辐辏，货财充盈；望早敕所司，兴工营建。'上从之《明史·成祖纪》记自永乐元年至十四年间，帝常往来北平南京间云。……十八年冬，北京营建成，诏曰：'惟天意之所属，实卜筮之攸同。乃仿古制，立两京。上以绍皇考之先志，下以开子孙之宏规。自营建以来，天下军民，乐于趋事。天人协赞，景贶骈臻。今工已告成，选十九年正月元旦，御奉天殿，乃命礼部正北京为京师，不称行在。'（案《明史》卷七十八年九月，改京师为南京，北京为京师，与此年月小异。）——"自此以后，北都建国之局成。夫河道疏通，漕运日广，固为元人之遗详下，商贾辐辏，货财充盈，盖亦元人之旧，由此观之，以北平统系华北之文明，元人庸得曰无功哉？亦谈地理与文物者，所当知者也。

且明初为防御元裔，故益重北平。《蠙衣生集》云："成祖之营燕也，当时台谏，交口不便。萧俊言之尤峻。成祖曰：'北平之迁，我与大臣，密计数月而后行。彼书生之见，岂足以达英雄之略哉？'"《日下旧闻》二引是元虽北去，仍为北方繁盛之背因也。

自永乐十八年一四二〇北京营建成，至仁宗洪熙元年一四二五又命诸司在北京者，仍加行在两字。至英宗，又去行在二字。郑晓《今言》云："北京之为京师不复称行在也，自正统（六年）辛酉一四四一始也。"《旧闻》卷一附志于此。

二九　元人学艺

昔魏源著《元史新编》，其言曰："元有天下，其疆域之袤，海漕之富，兵力物力之雄廓，过于汉唐。自塞外三帝，中原七帝，皆英武踵立，无一童昏暴谬之主。而又内无宫闱奄宦之蛊，外无强臣夷狄之扰，其肃清宽厚，亦过于汉唐。"《古微堂外集》卷三《拟进呈〈元史新编〉叙》源以其书而赞元，固有过誉。然元人学艺之彪炳史册，源且略而勿及也。陋哉。

夫木棉之盛，因盛于元代也看本卷第二节引《癸巳类稿》十四，又《陔余丛考》三十。宋方勺《泊宅编》卷中云："闽广多种木棉，树高七八尺，树如柞，结实色青，秋深即开，露白绵茸茸然。土人摘出去壳，以铁杖捍尽黑子，徐以小弓弹令纷起，然后纺绩为布，名曰吉贝。"然其盛于东南，要当在元。《辍耕录》曰："闽广多种木绵，纺绩为布，名曰吉贝。松江府东去五十里许，曰乌泥泾。其地民食不给，因谋树艺，以资生业。遂觅种于彼，初无踏车椎弓之制。率用手剖，厥功甚艰。国初有一妪，名黄道婆者，自崖州来，乃教以仿造捍弹纺织之具，至于错纱配色，综线挈花，各有其法，人受其教，竞相作为。转货他郡，家既就殷，未几妪卒，莫不感恩洒泣，而共葬之，又为立祠，岁时享之。"卷二十四《黄道婆》盖古有先农、先蚕之祀，而自元以后，则又加一先棉。中古之时，丝自北来，近古之时，棉自南至。于今江浙之丝棉著称于世者，实元时所始起。

李慈铭《桃花圣解盦日记》丙集二引“包慎伯《上海新建黄婆祠碑文》，以先棉之祀，比之先农、先蚕。道婆以元至正间，自崖州至上海，而松江太仓棉布之利，甲天下。黄婆殁后，乡里醵葬祠之。道光六年，以河道梗，创办海运。于是士民谓沙船之多，由于布市。议建黄祠，以报其功，上司格不入奏而祠已成，故为碑文云”。考李肇《国史补》卷下云：“初越人不工机杼，薛兼训为江东节制，乃募军中未有室者，厚给货币，密令北地娶织妇以归。由是越俗大化，更添风样，绫纱妙称江左矣。”于是可见江浙之布帛，与南北二地之关系。

棉花之外，则又有糖也。亦盛于元者也。杨瑀《山居新话》页七云：“李朵儿只左丞，至元间为处州路总管。本处所产荻蔗，每岁供给杭州砂糖局煎熬之用。糖官皆回回富商。”是元时，官已置糖厂已。陆游《老学庵笔记》卷六云：“沙糖，中国本无之，唐太宗时，外国贡至，问其使人，此何物？云以甘蔗汁煎。自是中国方有砂糖，唐以前中国书传言糖者，皆糟耳。”如陆氏言，糖虽中世有之，然官为提举，则亦始于元耳。

放翁以沙糖之前，糖即指糟，太武断。《汉书》二十二《郊祀歌》景星十二应劭注：“文柘浆，取甘柘汁也。”范《书》卷十上引马后含饴弄孙语，注曰：“《方言》曰：‘饴，饧也。陈楚宋卫之间通语。’”是煎蔗汁与制糖，两汉有之。《吴志》卷三《孙亮传》注引《江表传》：“吏取交州所献甘蔗饧，以鼠矢投饧中。”则蔗糖，但未熬干耳。且放翁云云，实袭《新唐》二百二十一上《摩揭陀传》语,《唐书》原云:“如其剂色,味愈西域远甚。”则太宗时特向摩国研讨制糖方法,非始为之也。

盖元人科学有袭前人之旧者,如《刘整传》言轮船《元史》一六一是也。轮船之外,又如发烛者,颇有似于今之火柴。《辍耕录》卷五云:“杭人削松木为小片,其薄如纸,镕硫黄涂木片顶分许,名曰发烛,又曰焠儿。盖以发火,及代灯烛用也。史载周建德三年,齐后妃贫者,以发烛为业。岂即杭人之所制欤?陶谷《清异录》云:‘夜有急,苦于作灯之缓,有知者,批杉条染硫黄,置之待用。一与火遇,得焰穗然,呼引火奴。今遂有货者,易名火寸。’”然则其制,亦非始于元。李治《古今黈》云:“天体正圆如弹丸,地体未必正方。令地四方,则天之四游之地,定相窒碍。窃谓地体大率虽方,而其实周匝,亦当浑圆如天,但差小耳。”卷一按此说实出《大戴记·曾子地员篇》。又如贾鲁之治河也,史称其用土用石,用杙用絙之法,无不备具详《廿二史劄记》三〇《贾鲁治河》。陈霆《两山墨谈》十二云:“曩余归自太原道出驿下,饭其后厅,见壁间诗云:‘贾鲁修黄河,恩多怨亦多,百年千载后,恩在怨销磨。’观此则当时或以亟疾刻深,致招民怨,而御灾捍患,则后世亦有公论;固不得而尽非也。”然鲁之治河,不过头痛医头,脚痛医脚《廿二史劄记》,其智何以愈于贾让哉?——此皆证元人学艺之抄袭前人也。

贾让治河,策上、中、下。以迁民避河为上策。以疏导为中策,以障塞为下策,语在《汉书》卷二九《沟洫志》。

然元人学艺,有以异于前人者,固有在也。

其一，则新奇之制也。瓯北言元初多用牛皮船《廿二史劄记》卷三〇、牛腹疗重伤同上，杨瑀《山居新话》页三九曰："平江漆匠王□□者，至正间以牛皮制一舟，内外饰以漆，拆卸作数节，载至上都，游漾于滦河中。可容二十人，观者无不叹赏。又尝奉旨造浑天仪，可以折叠，便于收藏，巧思出人意表，可谓智能之人。"——此牛皮船与浑天仪也。《元史》一六七谓谢仲温之父睦欢，从太祖攻西夏，"睦欢力战先登，连中三矢，仆城下。太宗见而怜之，命军校拔其矢，缚牛刳其肠，裸而纳之牛腹中，良久乃苏"。——此医药也。

其二，则规模之大也，考宋人历算，固甚精美如《齐东野语》卷十五浑天地动仪所言。然至元有天下，郭守敬既以"巧思"修通惠河，而其语世祖曰："唐一行开元间，令南宫说天下测景，书中见者，凡十三处。今疆宇比唐尤大。……帝可其奏，遂设监候官一十四员，分道而出，东至高丽，西极滇池，南逾珠崖，北尽铁勒，四海测验，凡二十七所。"此举也，明清视之，殆有逊色焉。

其三，则西域回法之传入也。回回大炮，固刘整用以攻宋者《元史》一六一《刘传》。其间如阿喇布丹、伊斯玛音亦以大炮显，阿尔尼格以冶金著，此其人皆西域回回人也，《元史·工艺传》中，华人能与之并者，惟一李杲之医耳均详《元史》二〇三。《辍耕录》卷二十二云："尝于平江阊门，见过客马腹澎涨倒地，店中偶有老回回，见之，于左腿上割取小块出，其马随即骑而去，西域多奇术，信哉。"粤在明初，刘基上《大统历》，而黑的儿之《回回历》不废详《明史》三一《历志》。则可征元时科学，外来分子之有力。况国人如李冶辈，亦能努力；当能相得而益彰乎？

冶著《测圆海镜》，勾股术也收入知不足斋丛书中。其自叙云：

"嗜好酸咸,平生每痛自戒敕,竟莫能已,类有物凭之者。笑吾者,当千数。吾之自得,则自得焉耳。宁复为人悯笑计哉。"即此态度,已卓然可称。

以上皆坚苦卓绝,垂庇后兹之学艺,而有与斯数者同时并者,则元曲焉。王世贞《四部稿》一五一云:"涵虚子记元词一百八十七人,马东篱如朝阳鸣凤,张小山如瑶天笙鹤,白仁甫如鹏搏九霄,李寿卿如洞天春晓,乔梦符如神鳌鼓浪,费唐臣如三峡波涛,宫大用如西风鹏鹗,王实甫如花间美人,张鸣善如彩凤刷羽,关汉卿如琼筵醉客,郑德辉如九天珠玉,白无咎如太华孤峰。"吁嗟盛矣,然亦金元以异族主华之特产也。

考戏曲之始,古称优孟衣冠,盖偶然者,且未必有歌词。唐有参军戏参本卷第一节引《因话录》一,《云溪友议》卷九,其在于宋,则孟元老亲见教坊弟子,更舞杂剧本卷二十一节引《东京梦华录》卷六。南宋之季,杂剧已盛,《梦粱录》卷二十云:"教坊十三部,惟以杂剧为正色,委有娉婷秀媚,桃脸樱唇,玉指纤纤,秋波滴滴。歌喉宛转,道及韵真字正。"《辍耕录》二十七记《杂剧曲名》云:"稗官废而传奇作,传奇作而戏曲继,金季国初,乐府犹宋词之流传,传奇犹宋戏曲之变,世传谓之杂剧。"下附杂剧曲名又卷二十五云:"唐有传奇,宋有戏曲,唱诨词说,金有院本杂剧诸宫调。院本杂剧,其实一也。国朝院本杂剧,始厘而二之。"——于此二者,可见元曲之"承上"者如斯。

弇州《四部稿》卷一五一曰:"曲者词之变。自金元入中国,所用胡乐，嘈杂凄紧，缓急之间，词不能案，乃更为新声以媚之。而诸君如贯酸斋、马东篱、关汉卿、张可久、乔梦符、郑德辉、宫大用、白仁甫辈，咸富有才情，兼喜声律。以故遂擅一代之长。但大江以北，渐染胡语，时时采入，而沈约四声，遂缺其一。东南之士，未尽顾曲之周郎，逢掖之间，又稀辨挝之王应。稍稍复变新体，复为南曲。高栻则诚，遂掩前后，大抵北主劲切雄丽，南主清峭柔远。""三百篇亡而后有骚赋。骚赋难入乐，而后有古乐府，古乐府不入乐，而后以唐绝句为乐府。绝句少婉转，而后有词。词不快北耳，而后有北曲。北曲不快南耳，而后有南曲。"——此言元人北曲，在学艺上之位置也。深切著明矣！虽然，元人岂仅以曲著者哉？盖尝以木绵著，以砂糖著，以天文医药著，以西域新法著，世之知有元曲而不知有元之科学者，盍鉴之哉？而使明人崛起，能承其遗绪，而不沉湎于理气身心之曲说，则异日西教士之来华，固将不能顾盼自雄。而诧于得一劲敌乎？惜乎，明祖之无赖也。

俞继登《典故纪闻》卷二云："司天监进元主所造水晶刻漏，备极机巧。中设二木偶人，能案时自击钲鼓。太祖谓侍臣曰：废万几之务，而用心于此。所谓作无益而害有益也。使移此心，以治天下，岂至亡灭，命即碎之。"据此，则元季文物为皇觉寺野僧所毁者，多矣！奚止北平宫阙而已哉？

第九章　明朝成立以后

三〇　专断政治之更进一层

虽然，元之纲纪，固有足以自取覆亡者在焉。

叶子奇云："元朝自平南宋之后，太平日久，民不知兵。将家之子，累世承袭。骄奢淫佚，自奉而已。至于武事，略不之讲。但以飞觞为飞炮，酒令为军令，肉阵为兵阵，讴歌为凯歌。兵政于是不修也久矣。及乎天下之变，孰能为国爪牙哉？此元之所以卒于不振也。"《草木子》卷三上《克谨篇》故明初之治，刻核而尚刑法者，未始非元政弛废之反响焉。况明祖本人之刚鸷，固尝处处效法刘邦者乎？

详《廿二史劄记》三十二"明祖行事多仿汉高"条。《明史》一三三《胡大海传》："太祖克婺州，禁酿酒。大海子首犯之。时大海方征越，太祖曰：'宁可使大海叛我，不可使我法不行。'竟手刃之。"可见丰度。

故明之初建也，首则翦诛功臣，胡惟庸、蓝玉之狱，无论已详《廿二史劄记》三二。徐祯卿《翦胜野闻》卷一，胜朝遗事本曰："魏国公徐达病疽疾笃,帝忽赐膳,魏公对使者,流涕而食之。密令医人逃去,未几,公薨,亟告帝。帝蓬跣担纸钱道哭至第。命收斩医徒。夫人大哭出拜帝。帝慰之曰:嫂勿为后计,有朕存焉! 因为周其后事而去。"徐达尚如此,则《蓝玉传》所谓族诛者,万五千人,何足道哉?

次则压迫士夫。《翦胜野闻》卷二云:"太祖多疑,每虑人侮己,杭州府学教授,徐一夔尝作贺表云:'光天之下。'又云:'天生圣人,为世作则。'太祖览之大怒曰:'腐儒乃如是侮朕耶?'生者僧也,以我从释氏也。光则磨顶也,则字音近贼也。罪坐不敬,命斩之。礼臣大惧,因上请曰:'愚蒙不知忌讳,乞降表式,永为遵守。'帝乃自为文传布天下。"盖秃子得志,肆无忌惮如斯。

> 马朴《谈误》卷四,青照堂丛书本云:"太祖初命中书詹希原书太学集贤门,门字右直微勾起,上曰:'吾方欲招贤,原乃闭门,塞吾贤路耶?'遂杀之,而以粉涂其钩。"故陈基《舟中看虞山有感》云:"一望虞山一怅然,楚公(张士德)曾此将楼船。间关百战捐躯地,慷慨孤忠骂寇年。填海欲衔精卫石,驱狼愿假祖龙鞭。至今父老犹垂泪,花落春城泣杜鹃!"陈衍《元诗纪事》卷十一知明初人之不满太祖者多矣。

三则削夺相权,《双溪杂记》云:"国初在内设中书省,在外设行中书省。盖太祖神圣文武,凡事独断,然其初亦以任相为务。尝与诚意伯基,论可为相者,基曰:夫宰相以义理为权衡,而己无预焉,胡惟庸小犊,将偾辕而破犁。及后,胡惟庸为相事败,丞相不设。《祖训》首章云:'敢有陈请设立丞相者,文武群臣,即劾奏,本身凌迟,全家处斩。'《大明律》云:'在朝官员,交结朋友,紊乱朝政者,

皆斩。及交结近侍官员，符同奏启，或上言大臣德政者，皆斩。’盖鉴古宰相专权纳党，潜移国祚，为虑至深远也。”《孤树裒谈》卷一页二十九引——**“有明之无善政，自高皇帝罢丞相始也。”**用《明夷待访录》语

明祖之罢宰相，置六部，《明史》见一〇九《宰辅表》叙。明祖《祖训》云：“自古三公论道，六卿分职，并不曾设立宰相，自秦置丞相，不旋踵而亡。汉唐宋因之，虽有贤相，然其间多有小人，专权乱政。今我朝罢丞相。设五部六府，彼此颉颃，不敢相压。事皆朝廷总之，以后子孙做皇帝时，并不许立宰相。臣下敢有奏请设立者，群臣即时劾奏，将犯人陵迟全家处死！”朱国祯《皇明大训记》卷九王鏊《震泽长语》卷上云：“我朝六部之设，仿周制六典，最为简要。然其名犹袭唐宋之旧。唐以三省长官为宰相，谓中书令、门下侍郎、尚书令左右仆射也。今中书省已去，特存中书舍人为七品官，职书翰而已。门下省已去，特存给事中，虽七品官，而有封驳之权。尚书省不复设令仆，乃升六司尚书，分为六部秩二品，盖即仆射之类也。中书、尚书，名与古同，其实异已。”盖既降其名，又分其权也。袁袠《世纬》卷上页四《简辅》云：“高皇帝深虑远算，因胡、李之败，鉴蒙古之失，博稽往籍，略仿周制。革丞相而置六部，公孤之官，不轻畀人。忠勋如刘基，亲敬如宋濂，终其身弗以授也。文皇嗣统，妙简英哲，于时解缙、杨士奇等七人入直内阁，备顾问，代王言而已。”盖宰相之名实，与古均不侔也。参看《明史》七十二《职官志》。

盖明初之经营，全在自私其国之深虑论见方孝孺《逊志斋集》卷二着

想，有如明初封建之制，后经成祖之靖难，高煦之称兵，因而防范甚至。《明史》一百二十《诸王传》赞云："有明诸藩，分封而不锡土，列爵而不临民，食禄而不治事，盖矫枉鉴覆，所以杜汉、晋末大之祸，意固善矣。然徒拥虚名，坐縻厚禄。贤才不克自见，知勇无所设施。防范过峻，法制日增，出城省墓，请而后许。二王不得相见，藩禁严密，一至于此。当太祖时，宗藩备边，军戎受制，且令遍历各国，使通亲亲。然则法网之繁，起自中叶，岂太祖众建屏藩计哉。"盖政制以便于独夫为基，故屡变而不得其平，如置相然也。

《明史》一九〇《梁储传》云："弘治十一年春，以国本未定，请择宗室贤者，居京师，备储贰之选，皆不报。"盖束缚宗室，与限制相权，大致同也。

以故成祖因之而置东厂，《明史》卷七《成祖纪》云："是年始设东厂，命中官刺事。"盖"明太祖既定江左，鉴前代之失，置官者不及百人。……定制：不得兼外臣文武衔。不得御外臣衣服。……建文嗣位，御内臣益严，诏出外稍不法，许有司械问。及燕师逼江北，内臣多逃入其军；漏朝廷虚实，文皇以为忠于己。……盖明世宦官，出使专征监军，分镇刺臣民隐事，诸大权皆自永乐间始"《明史》三〇四《宦官传》叙。王振、刘瑾、魏忠贤之得志，皆帝王自私之一念所致欤！而此自私之一念。则太祖之凶狡基之焉。

余生平最恶明祖，其所可称者，据《孤树裒谈》卷一页二云："元世祖起自沙漠，以有天下。悉以胡服，变易中国之制。士庶咸辫发椎髻，深禬胡帽，妇女服窄衣短衣，不服裙裳。无复中国衣冠之旧。太祖心久厌之。洪武改元，乃诏悉复衣冠唐制，其辫发胡髻胡语，一切禁止。于是百余年之胡服，悉改中国之旧矣。”

《日下旧闻》卷十一云：“厂卫设于成祖时，《舒司寇奏议》云：‘朝廷设立厂卫，原以缉盗防奸，非以察百官也。今以暗防之权，归诸厂卫。人非正直，事出冤诬，非盛世所宜有也。’”异日廷杖之风，盛于明季。俞继登《典故纪闻》卷十七云：“嘉靖初，致仕刑部尚书林俊言，古者挞人于朝，与众辱之而已。非必欲坏烂其身体，而致之死。成化时，臣及见廷杖三五臣，容厚绵叠衣，厚毡叠帕，然且卧床数月而后得痊。正德初，逆瑾用事，始启去衣之端。酿为末年谏止南巡杖死之事。幸遇新诏收恤，士气始回。臣又见弘治、成化间，诏狱诸犯，惟叛逆妖言强盗，好生打著问。喇嚏杀人，打著问。其余常犯，送锦衣卫镇抚使问。镇抚使奏送法司治罪，中间情重，始有来说之旨，今一概打问，无复低昂。恐失旧典，非祖宗仁厚之意。”吴瑞登《两朝宪章录》云：“嘉靖三年十一月，胡世庸以疾在告。闻大礼之议，廷臣有杖死者。乃上疏曰：廷臣有罪，宜悉下司寇问理，……若乃廷辱之以箠楚，……传播天下，书之史册，鞭朴行于朝廷，刑辱上于大夫，非所以昭圣德之美焉。”卷二——此梨洲《明名臣言行录叙》所以激然而云：“明之为治，未尝逊于汉、唐也，其不及三代之英者，君亢臣卑，动以法制束缚之，盖有才而不能尽也。”详《南雷文约》卷四此亦君权愈隆之征焉。

胡承谱《续只麈谈》卷上《廷杖故事》云：“亡明故事，凡杖者以绳缚两腕，囚服逮午门外。司礼监宣驾贴讫。坐于午门西墀下。左锦衣卫使坐右。须臾缚囚定，左右厉声唱，喝阁棍。则人持棍出，阁于囚服上。喝打，则行杖。杖之三，令着实打，或伺上不测，喝曰用心打，而囚无生理矣。五杖易一人，喝如前，喊声动地，闻者股栗。凡杖以布承囚，四人舁之，杖毕，以布掷之地，几绝者十之八九。列校行杖之轻重，必察两官之话言，辨其颜色，而黠者则又视其足：足如箕张，囚犹可生。靴尖一敛，囚无生理矣。至于御史枷项，祭酒枷项，侍郎、尚书枷项，又其刑之轻而辱之小者矣。”当时暴君恣睢，此可见其一斑。

考洪武二十九年，以《孟子》土芥、寇雠句，谓非臣下所宜。因删《孟子》语意太峻者七十五条，命自今后科试不以命题何伟然《广快书》三十一“孟子节义”条详此。蒋一葵《长安客话》页一，明人小说本曰：“景泰初，始开经筵，每讲毕，令中官饰金钱于地，令讲官拾之，以为恩典。时高穀年六十余，俯仰无所得，一讲官忘其名氏，尝拾以遗之。”君之视臣如狗马，岂不然而已甚哉！

案周煇《金陵琐事》卷四页六云：“李公懋字时勉，永乐甲申进士。宣德初，在翰林院，上怀金钱，至史馆，掷于地。纵诸臣拾取，公独正立，上呼使前，以袖中余钱赐之。”则以钱辱人，非偶然之事欤？故崇祯朝有四十二相，详王棠《燕在阁知新录》卷十三或谓五十相，详《池北偶谈》卷十“崇祯五十相”条，又《适园丛书》中有《崇祯五十宰相传》。流弊所趋，非一日也。

三一 民生困苦之更进一层

对于君主，则臣苦矣，对于豪臣，则民苦矣。

考宋世，国力虽促，而富豪仍强参看本卷二十五节，即所谓公田经界，亦庸足以济贫人之穷参看同上。其后元人济之以减租参看二十六节，然正与宋人之裁制民间私债同上二十五节同于昙花一现而已。为历史留故事而已。岂足裁富人之势哉，观于沈万三之故事而可信也。

> 陈衍《元诗纪事》卷九云："沈富字仲荣，行三，人因以万三秀呼之。元末富甲天下，洪武初，每县分人为哥、畸、郎、官、秀五等。家给户由一纸，哥最下、秀最上，每等中又各有等。巨富者，谓之万户。如沈万三秀，乃秀之第三者。"——可见当时富户，盖有过于沈万三者。

故太祖本人，实为困于豪族之过来人。朱国桢《皇明大政纪》卷一引《凤阳皇陵碑》云："昔我父皇，寓居斯方，农业艰辛，朝夕傍皇。俄而天灾流行，眷属罹殃。皇考终于六十有四，皇妣五十有九而亡。庶兄先死，阖家守丧。田主德不吾顾，呼叱昂昂，既不与地，邻里惆怅。"而东南沃土，豪族尤横。故《孤树裒谈》卷一云："吴中自昔繁荣，迨钱氏奢侈，征敛困乏，及傲纳土，宋人沉其赋籍于水，悉令亩出六斗。民受其惠。蒙古时民富而僭，其后兼并益甚。太祖愤其城久不下，恶民之附寇，且困于富室，而更为死守；因命取诸豪族租佃簿，历付有司，如其数以为定税，故苏赋特重。”——谓明祖之恶富室乎，尤而效之，取私租以入官粮，尤可征富人习气之传已。

参看《日知录》卷十《苏松田赋之重》。太祖恶富民兼并，亦见《明史》一五三《周忱传》。

以故由制度言之，两汉言均田，唐言口分、世业，宋言经界，元言经理，至明而言鱼鳞册矣。盖土地之均配，既不可能，不得已而为赋税之均配矣参看本卷二五节。鱼鳞图者，其始原于宋季《宋史》一七三《食货志》。及至明初，“洪武二十年，帝命户部核实天下土田，而两浙富民，畏避徭役，大率以田产寄他户，谓之铁脚诡寄。相沿成风，乡里欺州县，州县欺大府，奸弊百出，谓之通天诡寄。帝闻之：命国子生武纯等，分行州郡，随粮定区，区设粮长四人。量度田亩方圆。次以字号，悉书主名，及田之丈尺四至，编类为册，号曰鱼鳞图册”。录蒋超伯《丽濆荟录》卷十三当时与黄册之定户口者并行详《明史》一三八《范敏传》。然充其至，则徒以均税而已；税出于富户，又未必久而能均也。

鱼鳞之制，所以能制裁隐税，在乎“以田为母，以人为子，子依于母，的的可据”详《天下郡国利病书》卷三十三。“自此制一废，以田随户，以户领田。户既可以那移，而田即因之变动。变乱不句，官民肥瘠，高圩山荡，存于积者，特其概乎”《利病书》二十五引《镇江府志》。考孝宗弘治间一四九二，张泰治蓟州，于永乐间土田旧籍，已须钩求《明史》一八六《泰传》。武宗正德六年一五一一郭宏化亦言天下土田，“宜通行清丈”《明史·郭传》，则鱼鳞之有效期间，盖可知已。

且国家之效豪富者，则更有皇庄焉。萧良榦《皇庄子妆议》云：“我朝（英宗）天顺间一五五七— 一五六四没曹阉田产，悉入宫闱。皇庄之设，盖滥觞于此。宪孝二朝，因缘未改。迨夫逆瑾擅权，狐鼠之徒，邀上以取宠，剥民以道荒。广置皇庄，越州跨邑。貂珰校尉，纵横四出。骚扰州县，莫敢谁何，利归私户，怨入公门。正德之季，海内几于骚动。世庙在潜邸时，灼知其弊，分遣廷吏，涣号清刷。……而卒未能举大公之政，挈畎亩之利，仅易皇庄之名，为官田耳。”《拙斋十议》页八则皇庄之厉民，盖可知也。

皇庄之外，则又有勋贵庄田焉，萧良榦《功臣土粒议》云：“按太祖初平天下，法制已立。一时佐命勋臣，皆锡之土地，各食其赋。未几颁禄一定，遂罢公田。其一二元勋，给赐庄宅，垂及后裔，则圣主之特恩耳。自后赉予无节，戚畹贵家，凭藉宠灵，恣行陈乞。睎皇祖报功之意，戾矣。至于左右近幸，蔑犬马之劳，恃帷幄之宠，夤缘请讨，房庄场荡，逾溢无度，此何为者也？……今膏腴所在，非宫掖之私田。则权门之庄宅。民之世业，率为其蚕并。衣食之资，既无所给……闾阎之民，何以堪此？”《拙斋十议》页七，指海本可知贵族庄田之厉民者已深。

《明史》二〇八《颜鲸传》，谓“魏国公侵民产，假钦赐名树牌为界，鲸仆其牌，戍其人”。世宗嘉靖中，彭汝实言：“长鲸巨鳍，决网自如，腴田甲第，横赐无已。”《食货志》《明史》七十七云：“盖中叶以后，庄田侵夺民业，与国相终始云，”豪族之割蚀平人，斯可见已。

故赵翼《廿二史劄记》卷三十四盛陈明代乡官虐民之事，以今论之，其事殊有未尽者。谢肇淛《五杂俎》卷十三云："今之仕者，宁得罪于朝廷，无得罪于官长；宁得罪于小民，无得罪于巨室。得罪朝廷，竟得批鳞之名；得罪小民，可施弥缝之术。惟官长巨室，朝忤旨而夕报罢矣。欲吏治之善，安可得哉。"《孟子》云："为政不难，不得罪于巨室。"就谢语而观之，可知巨室之操纵政治，以致民生于疾苦，明时甚显也。

伍袁萃《贻安堂稿》金集《翼史篇》云："华亭（徐阶）在政府久，富于分宜，有田二十四万。子弟家奴，暴横闾里，一方病之，如坐水火中。海公（瑞）行部至云间，投牒诉冤者日以千计。"考沈德符《野获编》卷二十二云："海忠介抚江南，立意挫折豪强，……不谙民俗，妄禁不许完租。夫租既不完，税何由出？至使佃户赖租，产户赔税。"然以民生之疾苦视之，则忠介岂偶然之矫激行为哉？

故以政治言之，成、宣以后，武世萎沉。神宗万历之间，满清已在崛起，万历二十六年，吕坤著《实政录》卷二云："梁、宋之间，百亩之田，不亲力作，必有佣佃。佣佃者，主家之手足焉。夜警资其救护，兴修资其助力，杂忙赖其使令，若不存恤，何以安生。近见佃户缺食，便向主家称贷，轻则加三，重则加五，谷花始收，当场扣取，勤勤一年，依然冻馁。"则贫民之困于主家者，大致尚可仿佛。自是厥后，因满洲兴，而军饷烦，因流贼起，而军饷益繁；因有辽饷、剿饷、练饷之目《廿二史劄记》卷三十六。然李自成之所以起也,则固由平民之折辱于富人而然也,岂特天灾一事而已哉。特英宗正统间,邓茂七反抗兼并者之故智详《明史》一六五《丁暄传》,第以天灾故,以满清兴起故,而事变益扩大耳。

李自成之起,据郑廉《豫变纪略》卷二"崇祯四年"条云:"时岁洊饥,邑宦艾氏,贷子钱,自成辄取之,逾期而不能偿。艾宦怒,嗾邑令苔而枷之通衢烈日中。列仆守之,俾不得通饮食。盖欲以威其众也。诸驿卒哀其困,移诸阴而饮食之。艾仆呵骂,不许也。自成忿然曰:'唉!吾即死烈日中何害?'则跄踉力荷其枷,仍坐烈日中。竟不稍食,虽惫甚不少食也。众益哀之,不胜其忿。遂哄然大哗。毁其械,拥自成走出城外,屯大林中,不敢出。然犹未致伤人也。而县尉则乘二羸马,率吏卒持弓矢,而往捕之。林莽菁密,不敢入,相持良久。日且暮。众不得已,杖白梃,一哄而出。县尉惊,坠马死。吏卒溃而奔。弓矢器械,悉为所有。是夜遂乘势攻城,奋袂一呼,饥民群附,一夜得千余人,出而走转远近,旬日间,其势益众。"此自成之起,原有经济的驱策甚明。

唐甄《潜书》卷下之上云:"故陕民之谣,有之曰:'挨肩膊,等闯王。闯王来,三年不纳粮。'盖四海困穷之际,而君为仇敌,贼为父母久矣。"其后崇祯亡国一六四四,清师入关,固由于满清新发于硎,势不可当。亦由于明季政治之腐,积弊难改。案无名氏《江南闻见录》页十一,满清稗史本云:"传清朝八政,一曰求贤,二曰薄税,三曰定刑,四曰除奸,五曰销兵,六曰随俗,七曰逐僧,八曰均田。互相传说，尚无颁示。”在异族入主之际，而忽有望于新朝之除奸薄税，以及均田也；则民之苦于兼并也，盖亦甚矣，而其朔则造端甚昔，固非一朝一夕之故也。

故明儒思想，有主张限田者，如袁永之《世纬》卷下页二二云：“夫富者田连阡陌，而贫者无立锥之居，无制故也。今宜稍为之限，使豪右兼并之家，有所忌惮，而贫者有恒产。”袁盖嘉靖间人。《明史》二五二《杨嗣昌传》，崇祯帝以剿饷久征，失信于民，嗣昌曰：“加赋出于土田，土田尽归有力家，百亩增银三四钱，稍抑兼并耳。”虽言不由衷，亦可以反证明季贫民之苦。

三二　理学之波折与萎沉

君权狂恣矣，富豪纵睢矣，而士大夫阶级云何？

粤溯宋季，士大夫阶级之道学，明眼人盖已致其不满。罗大经《鹤林玉露》卷五云：“视诗书为有用之具，盖未有出口入耳，如后世之甚者也。盖至于今，士非尧、舜、文王、周、孔不谈，非《语》、《孟》、《中庸》、《大学》不观。言必称周、程、张、朱，学必曰致知格物，比自三代而后所未有也。然豪杰之士不出；礼义之俗不成。士风日陋于一日，人才岁衰于一岁。而学校之所讲，逢掖之所谈，几有若屠儿之礼佛，倡家之读礼者，是可叹也。”士风如斯，固征服者所企祷者也。

陈邦瞻《元史纪事本末》卷十六有《诸儒出处学问之概》，先载许衡元世祖至元十八年卒，"衡先得朱子之书，伏读而深信之，持其说，以事世祖。儒者之道不废，衡实启之"。至元十九年征处士刘因，因之言曰："邵，至大也；周，至精也；程，至正也；朱子极其大，尽其心，而贯之以正也。"可见朱学为元初所利用。及成宗大德六年金履祥卒，"履祥从学王柏及何畿之门，基则学于黄榦，而榦则亲得朱子之传者"。则犹是朱学也。至顺三年，吴澄卒，澄者"尤有得于邵尧夫、陆子静之学"。黄泽卒于后至元五年，"自言每于幽闲寂寞，颠沛流离，疾病无聊之际得之。及其久也，则豁然无不贯通"。则殆倾向陆象山之学已。

其在明初，方孝孺方施诋斥，以为："至于近世，离而为四：言性命者，得其本，其失也过高；道政事者，得其用，其失也过杂。文辞之习，华而鲜实，制度之辨，劳而少功。"《逊志斋集》卷三《君学上》学问、事功、文章，离而为三，具征支离。而篡国之成祖，则无赖而能扑灭自由思想者也。陈鼎《东林列传》卷二《高攀龙传》云："我太祖高皇帝即位之初，首立太学，命许存仁为祭酒，一宗朱子之学。令学者非五经、孔孟之书不读，非濂、洛、关、闽之学不讲。成祖文皇帝，益光而大之，令儒臣辑《五经四书》及《性理全书》，颁布天下。饶州儒士朱季友，诣阙上书，专诋周、程、张、朱之说，上览而怒曰：此德之贼也。命有司声罪杖遣，悉焚其所著书，曰无误后人。于是邪说屏息。"《日知录》卷十八亦引此思想之统于一尊，岂思想界之利哉？

无名氏《孤树裒谈》卷二："明初，有江伯儿，母病杀子以祭。议部议曰：'原其所自，愚昧之徒，一时激发，务为诡异之行，以惊世骇俗。希求旌表，规避徭役。割股不已，至于割肝；割肝不已,至于杀子。违道伤生,莫此为甚。自今人子遇父母病,不得已卧冰割股,亦听其为,不在旌表之列。'"——此即宋儒思想之遗毒欤!

武、世之际,余姚王守仁实生。而其先,则又有白沙陈献章焉。于是,而朱陆异同,一变为程、朱与陆、王之两大壁垒。《明史·儒林传》云:"原夫明初诸儒,皆朱子门人之支流,师承有自,矩镬秩然。曹端胡居仁笃践履,谨绳墨,守儒先之真传,无敢分错。学术之分,则自陈献章、王守仁始。"献章者,白沙也。白沙主张于静中养出端倪,固已近禅。而守仁号阳明先生,一则谓六经皆我注脚《十驾斋养新录》卷十八"六经注我"条。再则谓"圣人之道,吾性自足,不假外求;……尽去枝叶,一意本原,以默坐澄心为学的"《明儒学案·阳明学案》。此则视程朱之半日静坐,半日读书之半心学,盖有间矣。两宋道学本为儒释道之杂糅参看本卷十一节,而王学也尤甚。

阳明《答徐成之书》云:"今晦庵之学,天下之人,童而习之。……而独惟象山之学,则以其尝与晦庵之有言,……而遂屏弃放屏,若碔砆之与美玉,则岂不过甚矣乎?……故仆尝欲冒天下之讥,以为象山一暴其说,虽以此得罪无憾。"《阳明集要·理学集》三《答徐成之》则其表章陆九渊实明。然当时诸儒,对此突起之异军,有所周纳。赵善政《宾退录》卷三云:"王阳明尝与其徒同游一寺,见一室封闭甚密。欲开视,寺僧不可。曰:此中有入定僧,五十年矣。王疑其奸,而托辞以拒也,怒而开之。见龛中坐一僧,俨然如故。从者皆曰:'其形何酷似先生也?'王笑曰:'此岂吾之前身乎?'举首见壁间一诗云'五十年来王守仁，开门原是闭门人。精灵录后还归复，如信禅门不坏身。'王怅然久之，为建一塔瘗之而去！"可见当时人原以其近禅而斥之。

然王学虽为孤军崛起，可以振聋发聩。其末流猖狂之弊，如其弟子，王畿则聪明解悟，善谈说；罗洪先则默坐一榻，三年不出户，实已露显极端唯心之弊。故方其生前，已有人诋为"顿悟谈玄，实乃庄列"参拙著《颜习斋》页一六二引《两朝宪章录》。及其死后，嘉靖中，世宗亦斥其"放言自肆，诋毁先儒，号召门徒，虚声附和。用诈任情，坏人心术。近日士子，传习邪说，皆其向导"《颜习斋》页一六四引《春明梦余录》二十一。直至明之将亡，而诟厉王学，盖比比而斯。

黄宗羲《南雷文定》卷三《骂先贤》云："……余于是为今之骂象山、阳明者大惧焉。……今之敢于骂象山、阳明者，以晦翁为之主耳。此如豪奴之慢宾客，猘狗之逐行人，其主未尝知也。假使鹅湖之会，朱、陆方赋诗问答，去短集长，而朱氏之舟子舆人，忽起而哄堂骂詈，以助晦翁；晦翁其喜之乎，不喜之乎，吾知其必挞而逐之矣。"

但无论王学，无论朱学，盖仅适于专制帝王之利用，而与世运无补，徒为迂腐之讲学。归庄《高士集》卷一《静观楼讲义叙》云："孔子曰：'学之不讲，是吾忧也。'记曰：'讲学以耨之。'《国语》曰：'士朝而受业，昼而讲贯。'后世讲学，盖本于此。然汉唐诸士，不过辨经文之同异，较训诂之得失，至于宋儒，始知讲圣贤之学。鹅湖、鹿洞之论说，与石渠、虎观，不可同日而语矣。本朝儒者之讲学，前则姚江，后则锡山，而天下之谤议亦从焉。”讲学之外，则又有道号焉，郎瑛《七修类稿》卷五十一云：“昔黄慈湖尝有一书，与人辨道号之称，及世俗取者之多。余尝读之喟然。念子思、孟子，称孔子亦曰仲尼，未闻号之称也。近世谄谀卑佞之习尤胜。似尤非黄慈湖之时比也。二三十年之间，鲰生小吏，亦各以道号标致；旧有一诗云：‘孟子名轲字未言，如今道号却纷然；子规本是名阳鸟，却要人称作杜鹃。’”道号之外，则更有狂言焉，《四库提要》卷一二四《桑子庸言》云：“《明史·文苑传》，附载徐祯卿传中，称其怪妄狂诞。考《说思玄集》中，有《道统论》曰：‘夫子传之我。’又《学以至圣人论》曰：‘我去而夫子来。’可谓肆无忌惮。”——道学者之猖狂，与文人之狂纵，盖明中季之大事，无怪乎袁袠之以为“伪”而当“距”之矣。

关于文人之狂纵，参看《廿二史劄记》三十四《明中叶才士傲诞之习》。然岂但文人而已。袁袠《世纬》卷下《距伪》云：“周衰，处士横议，杨墨塞路。孟子昌言以距之。……今之伪者则不然，其所诵读者，周、孔之诗书也；而其所谈者，则佛老之糟粕也。其所行者，则桀、跖之所不为也。假道学之美名，以济其饕餮穷奇之欲；剿圣贤之格言，以文其肤浅攸谬之论；翕翕訾訾，如沸如狂。创书院以聚徒，而学校几废；著语录以惑世，而经史不讲。”袁为世宗嘉靖间人，可知在程朱、陆王对峙中之学风。

万历、天启之间，内患已深，外寇日炽。然当时所谓东林诸君子，亦不过读书习静详陈鼎《东林列传》卷二页十六。李塨《与方苞书》云：“自明之末也，朝庙无一可倚之人，天下无复办事之官。坐大司马堂，批点《左传》。敌兵临城，赋诗进讲。以致天下鱼烂河决，呜呼，谁实为之！无怪颜先生之垂涕泣而道也！”《恕谷后集》卷四读想而不知事，则道学之流弊，一也。郑廉言：李自成破襄阳时，“诸生李洁轩，素善为诗。居于野，贼至不避。叩其马，导之以大义，贼笑而刃其首！李怒曰：‘吾以大义教汝，汝乃刃我，真贼也！’贼连刃之，遂死。”《豫变纪略》卷三迂腐而不知实，则道学之流弊，二也。明亡以后，福王南渡，史可法《请禁门户疏》云：“溯流穷源，固致恨于诸臣。诸臣误国之事非一：而门户二字，实为祸首。从门户生畛域，从畛域生恩怨，从恩怨生攻击，而线索渊源之计愈巧，而君子小人之辨愈淆。先儒谓纤私系胸，万物倒置，所以春秋之始，首严朋党之诛；而门户之名，竟结燕都之局。”《史忠正集》卷一朋党而不知公，此则道学之流弊三也。纪昀《阅微草堂笔记》：“道学与圣贤，各一事也。圣贤依于中庸，以实心厉实行，以实学求实用。道学则务语精微，先理气，后彝伦，尊性命，薄事功，其用意已稍别。圣贤之于人，有是非心，无彼我心，有诱导心，无苛刻心。道学则各立门户，不能不争，既相争不能不巧诋以求胜，以是意见，生种种作用，遂不可尽令孔孟见矣。”《姑妄听之》卷二——此实道学所以日萎沉，而清世经学之所以起也，后当更详之。

三三　奴婢与妇女之沉沦

士大夫而不恣意于玄讹之思想者，其时社会之病态，有待于士大夫之拯救者多矣。更就奴婢与妇人而论之。

奴婢之来旧矣，一则由于罪人，《书·甘誓》“予则孥僇汝”是也；二则由于俘虏，范《书》《光武纪》：建武七年，“诏吏人遭饥乱，及为青徐贼所略为奴婢下妻者，欲去留者，悉听之”。参《廿二史劄记》卷四“光武多免奴婢”条。《通鉴》一百七十三：“初，魏虏西凉之人，没为隶户。齐氏因之，仍供厮役。周主灭齐，欲施宽惠。诏曰：‘罪不及嗣，古有定律。杂役之徒，独异常宪。凡诸杂户，悉放为民。’……及克江陵之日，良人没为奴婢者，并放为民。”是也。三则由于卖买。《汉书》二十七《英布传》云：“布为人所略卖，为奴于燕，为其主家报仇。”《南粤传》云：“从人行至长安，虏卖以为僮奴。”《汉书·成帝纪》云：“多畜奴婢，被服纨素。”又九十九中《王莽传》云：“置奴婢之事，与牛马同阑。……奸虐之人，因缘为利。以略卖人妻子，逆天心，悖人伦，缪于天地之性人为贵之义。《书》曰：‘予则孥僇汝。’唯不用命者，然后被此罪耳！”——积此三因，乃来兹社会中无告之民。《唐律》二十四云：“诸部曲奴婢，告主，非谋反逆叛皆绞。”《疏议》曰：“日月所照，莫非王臣。奴婢部曲，虽属于主，其主若为谋反逆叛，即是不臣之人。故许论告，非此三事而告之者，皆绞，罪无首从。”可知奴婢在社会上，几无人的地位，为主人者，可以肆虐加凌，自汉讫唐，大抵而然。

《通鉴》一八四记：“军人疑奴应募者，不得与良人同。”又说：“平凉奴贼数万，围扶风太守窦琎，……丘师利其弟行恭，帅五百人，负米麦持牛酒，诣奴贼营。奴帅长揖，行恭手斩之。谓其众曰：‘汝辈皆良人，何故事奴为主，使天下谓之奴贼。’”卷一八四可知唐初奴之位置。

宋时畜奴之风，初未尝衰。如田仆之名，见于《宋史·朱寿隆传》。盖富室大家，以经济势力，故而蓄佃人为奴焉。元时，又盛用奴。《辍耕录》十七《奴婢》云:“今蒙古色目人之臧获,男曰奴,女曰婢,总曰驱口。盖国初平定诸国日,以俘到男女,匹配为夫妇。而所生子孙,永为奴婢。又有以红契买到者,则其原主转贾于人,立券投税者是也。……奴婢男女,只可自相婚嫁;例不许聘娶良家,若良家愿娶其女者听。然奴或致富,主利其财,则俟少有过犯,杖而锢之,席卷而去,名曰“抄估”。亦有自愿纳其财,以求脱免奴籍,则主署执凭付之,名曰从良。《刑律》:私宰牛马杖一百,殴死驱口,比常人减死一等;杖百七。所以视奴婢与马牛无异。”——视奴婢与马牛无异,盖诚慨乎其言之矣。

元时多有掠人为奴,自置吏治之,岁收其赋,参看赵翼《廿二史劄记》卷三十“元初诸将多掠人为私户”条。

稽诸唐律:“诸部曲奴婢告主,非谋反逆叛者,皆绞。”《唐律疏义》二四而在于明,盖亦有之。《汉学师承记》卷八云:“有三世仆陆恩,见炎武久不归,投身豪家,炎武四谒孝陵回,持之甚急。恩欲告炎武通海,乃亟禽之,数其罪,沉之水。恩之婿某,复投里豪,谋报怨,以千金贿太守告炎武通海,不系之讼曹而系之奴家甚危急。”炎武者,顾亭林也。亭林如此,他家可想见矣。

案《明史》一八六《张鼒传》:“宪宗末年,多笞言官,鼒力谏,帝心恶之。出按江西,盗贼多强宗佃仆,鼒与巡抚周珪,交奏其事。尹直等构之,乃贬珪而坐鼒。”盖奴依豪强以欺平民,而豪强则又虐待奴婢,二者并行不废。

与奴婢而同享厄运于明世者，其妇女乎？

考李焘《续资治长编》卷二八九云：“元丰元年二月甲午，诏宗室祖免以上女与夫离而后嫁，其后夫已有官者，转一官。”是北宋之世，犹不以再嫁为讳。及至于明，则《皇明制书》卷二上《吏部职掌》云：“凡妇人因夫得封者，不许再嫁。如不遵守，将所受诰敕追夺，断罪离异。”则是，妇女须强迫守节矣。

归有光《贞女论》云：“女未嫁人，而或为其夫死，又有终身不改适者，非礼也。……阴阳配偶，天地之大义也。天下未有生而无偶者，终身不适，是乖阴阳之气，而伤天地之和也！……以此言之，女未嫁而不改适，为其夫死者之无谓也。”《震川文集》卷三则是女子之未被亲迎而夫死者，亦须守节也。故归氏诽之。

然震川虽反对女子之未嫁而顾盛许守节者；而习俗移人，亦可想见。震川为《陶节妇传》《震川集》二十七谓陶氏夫死以后，即思殉节。碍于姑在。七年姑死，姑死后：“独小婶共叔主祭，持陶氏门户，岁月遥遥不可知。此可念也。因相向悲泣，顷之入室，屑金和水服之不死。欲投井，井口隘不得下。夜二鼓，呼小婢随行，至舍西，给婢还。自投水，水浅，乍沉乍浮，月明中，婢从草间望见之。既死，家人得其尸，以面没水，色如生。两手持茭根牢甚，不可解也。”是归氏亦主张守节者矣。

陶宗仪《辍耕录》卷二十三云：“杨铁崖耽好声色，每于筵间见歌儿舞女，有缠足纤小者，则脱其鞋，载盏以行酒，谓之金莲杯。予窃怪其可厌。后读张邦基《墨庄漫录》王辅道《双凫诗》云：‘时时行地罗裙掩，双手更擎春潋滟。傍人都道不须辞，尽做十分能几点。

春柔浅醮蒲桃暖，和笑劝人教引满；洛尘忽浥不胜娇，刬踏金莲行款款。’观此诗，则老子疏狂，有自来矣。”铁崖者，杨维桢也，维桢于太祖征召彼时，曾作《老妇吟》以对，而其侮辱女性，岂不能谓已甚乎？

故在明时，为妇女张目者，惟有一谢肇淛。谢氏《五杂俎》卷八云：“古者妇节，似不甚重；故云，人尽夫也，父一而已。展嬴以国君之女，朝事其弟，夕事其兄。鹑奔狐绥之行，见于大邦之主，而恬不为耻也。圣人制礼，本于人情。妇之事夫，视子之事父，臣之视君，原有不同。即国家律令，严于不孝不忠，而妇再适者无禁焉，淫者，罪止于杖而已。”但此究系空谷之跫音，其在道学家与文氓控制下之妇女，则仍受困抑也。

文秉《烈皇小识》卷二云：“考圣躬‘崇祯帝’燕寝之所，为屋三楹，而不并列。由第一间而后第二间，由第二间而后第三间，其第三间，圣躬宴息处也。其第二间，贮大熏笼，贮衾裯之属，凡召幸宫眷，至第一间，则尽卸诸裳裸体。至第二间，取衾裯被身，乃进至第三间，所谓抱衾与裯也。即中宫及东西两宫赴召，不敢不用此礼。惟先后以曾同糟糠，不肯赴召。又圣驾幸宫中，旧例，圣母趋出宫门外接驾，先后亦以糟糠故，废此礼不用。”——观于此，则非但帝皇之玩弄女子，历历如在眼底；而女子之人的地位的否认，亦可谓于斯而极；又岂但贞操守节等等不祥之名而已哉？

陶宗仪《辍耕录》卷二十八《如梦令》云：“一人娶妻无元，袁可潜赠之《如梦令》云：‘今夜盛排筵宴，准拟寻芳一遍。春去已多时，问甚红深红浅？不见不见，还你一方白绢。’”可见明初娶妇之时，有问“贞”之风。案《金史》八十二《萧拱传》载海陵纳妃，其妃先已与人淫，为帝所觉，即罪此献妃者云云。可见女贞云云，在金时亦成惯习也。

以奴婢之制而言，以妇女之地位而言，可见在言性言理之明儒所处之社会中，固有不平等的残酷事件存也。《明史》二百十二《戚继光传》云：“壮者役将门，老弱仅充伍，”“家丁盛而军心离。”此亦不平等之封建制度欤！

第十章　明人文物

三四　书院制度之延长

但明人所承受于宋元之旧者，非一无也。

试以教育论之，宋元人书院之制，明人更为发皇张大。考明祖初起时，原不为人所礼视。《孤树裒谈》卷一页八云："太祖兵驱金陵，首访文学之士。乡曲以陆给事应命，旨下令作文，对不能。命作诗，请题，就指布袋佛为之。即赋曰：'削秃削秃，搅得我天翻地覆；布袋盛的是金陵，锡杖挑的是谷粟。噫，我道你是真僧，原来是活漆头目。'"但此活漆头目，固有兴学隆文之举措矣！

> 《明史·选举志》："郡县之学，与太学相维，创立自唐。始宋置诸路州官，元颇因之，其法皆未具。迄明，天下府州县卫所，皆建儒学，教官四千二百余员，弟子无算，教养之法备矣。洪武二年，太祖初建国学，谕中书省臣曰：学校之教，至元其弊极矣。……兵燹以来，人习战争，惟知干戈，莫识俎豆。朕惟治国以教化为先，教化以学校为本。京师虽有太学，而天下学校未兴。宜令郡县皆立学校，延师儒，授生徒，讲论圣道，使人

日渐月化,以复先王之旧。”是明祖固知牢笼文人。

以今视之,明初京师国学之隆,实可惊骇。《日下旧闻》卷十四云:“国初,高丽遣金涛等四人,来入太学。四年,涛登进士归国。其后各国,及土官,亦皆遣子入监。监前别造房百间居之。……今太学前有交趾号房,盖成祖设北监以来,所以处交趾官生者。”是当时太学,有外国留学生已。王世贞《弇州史料》前集卷九云:“洪武三年,高丽生入试者三人。惟金涛登三甲第五,授东昌府安邱县丞,余皆不第。三人皆以不通华言,请归本国。诏厚给道路费,遣舟送之,涛寻为其国相。”是异国人之受教育于明者,其造就亦卓卓尔。中央如斯,地方之教育,盖可知焉。

李塨、王源著《颜习斋年谱》卷上页五四:“祈州学碑,刻洪武八年颁学校格式,六艺以律、易、御、礼、诗、书为一科。训导二员教之。乐、射、算为一科,训导二员教之。守令每月考试,三月学不进,训导罚俸半月。监察御史、按察使巡历考成,府生员十二名,州八名,县六名;学不进者,守令、教授、训导罚俸有差。甚多,则教官革职,守令笞四十。三代以后,无此学政,亦无此严法,谁实坏之。”习斋盖深赞明初之学制云。

然与官学并行不废者,则书院尚矣。

朱彝尊综其事云:“书院之设,莫善于元。设山长以主之,给廪饩以养之。几遍天下。其在京师者,有太极书院,明初各省,俱有书院。自张江陵当国,概行严禁,江陵殁后,复稍稍建置。一时著名者,徽州、江右、关中、无锡。至天启中,京师始立首善书院。不知者，统谓之东林，但借东林两字，以害诸君子耳。盖东林乃无锡书院，祀宋杨龟山先生。……后圮，顾宪成建杨先生祠，同志者相与构书院居焉。至甲辰万历三十二年冬，始与高忠宪诸公开讲。……忠宪……发御史崔呈秀赃，呈秀遂父事魏忠贤，日嗾忠贤曰：'东林欲斩我父子。'既而杨左诸公，交章劾珰，……于是首毁京师书院，而天下之书院尽毁矣。"《日下旧闻》卷十——此则明初始建书院，中经张居正之摧抑，东林党之复张，迄于魏阉垂恨之书院史焉。亦可谓要言不繁者已。于东林事尤然。

东林之起，见《明史·顾宪成传》《明史》二三一。《顾传》云："宪成资性绝人，幼即有志圣学。暨削籍里居，益覃精研究，力辟王守仁之说。邑故有东林书院，宋杨时讲道处也。宪成与弟允成，倡修之。常州知府欧阳东凤，与无锡知县林宰，为之营构落成，偕同志高攀龙、钱一本，……讲学其中。……当是时，士大夫抱道忤时者，率退处林野。闻风响附，学舍至不能容。……讲习之余，往往讽议朝政，裁量人物。朝士慕其风者，多遥相应和。由是东林名大著，而忌者亦多。"盖明季魏阉祸乱之烈，原以东林而表著也。

东林书院虽以反对王学为职志乎，然王学与教育制度之关系，则差胜东林一筹乎？《阳明集》《文成全书》卷三十二《年谱一》《训蒙大意》云："今教童子者，当以孝弟忠信礼义廉耻为专务。其培植涵养之方：则宜诱之歌诗，以发其志意；导之习礼，以肃其威仪；讽之读书，以开其知觉；今人往往以歌诗习礼，为不切时务，此皆末俗庸鄙之见。乌足以知古人立教之意哉？大抵童子之情，乐嬉戏而惮拘检,如草木之始萌芽,舒畅之则条达,摧挠之则衰萎。故凡诱之歌诗者,非但发其志意而已,亦所以泄其跳号呼啸于咏歌,宣其幽抑结滞于音节也。导之习礼者,非但肃其威仪而已,亦所以周旋揖攘,而荡动其血脉,拜起屈伸而固束其筋骸也。讽之读书者,非但开其知觉而已,亦所以沉潜反复,而存其心,抑扬讽诵以宣其志也。"……此非启发教诱之名言乎?故阳明弟子王畿,既废以后,"益务讲学,足迹遍东南,吴、楚、闽、粤,皆有讲舍。所至听者云集,每讲杂以禅机,亦不自讳"。《明史》二八三《畿传》——此亦自由思想之精神也。

盖以书院之性质言之,东林偏于程朱,阳明偏于陆王。求其不偏不党者,则如嘉靖初年,桂萼上言:"小学之教,本古庠序。序以明教,庠以行礼。非独教之,将有以养之也。非独养其德性,亦将养其身体,固其寿命,而坚强其血脉也。今之教者,严课程急记诵,以伤其魂,强所不能,苦其思索,以损其魄。教与养,胥病矣。臣治县,建为学舍,左右相向,中设门堂。前后为门,左右为塾。……次为习礼堂,……立一师掌之;诸童子进学,即率见先生,习升降、拜揖、坐立之节。随授一图,指示擘画,令其通晓。间令展习,以辨杂服。又次为句读堂,……又次为书算堂,……又次为听乐堂,内置鼓、鼙、笙、磬,投壶诗章,弓矢礼器,乐器。或教以鼓节,或教以诗歌,或击鲁薛鼓之半,以习投壶。或击鲁薛鼓之全,以习射仪。……如是则弟子得养其德性,养其血脉,养其耳目心思,而非僻之干,无自而入。"张尔岐《蒿庵闲话》卷一引即今日学校之科目言之,桂氏云云,亦可谓无所不包矣!

其后，王学之流弊愈显，刘宗周乃创证人书院，《明史》二五五《宗周传》云："宗周始受业于许孚远，已入东林书院，与高攀龙辈讲习。冯从吾首善书院之会，宗周亦与焉。越中自王守仁后，一传为王畿，再传为周汝登，三传为陶奭龄。奭龄讲学于白马山，为因果说，去守仁益远。宗周忧之，筑证人书院，集同志讲肄，且死，语门人曰：学之要，诚而已，主敬其力也。敬则诚，诚则天，良知之说，鲜有不流于禅者。"而冯从吾立首善书院，《明史·从吾传》云："与邹元标共建首善书院，集同志讲学其中。朱童蒙遂疏诋之，从吾言宋之不竞以禁讲学故，非以讲学故也。先臣守仁，当兵事倥偬，不废讲学，卒成大功。此臣等所以不恤毁誉而为此也。"盖亦与东林对立者。

然无论东林与非东林，程朱与陆王，其治学之方，终苦空寂。东林高攀龙之立身也，"自筑室漆湖之上，曰水居，时读书习静其中"陈鼎《东林列传》卷二。是东林仍主静也。证人刘宗周之立身也，"先师之学在慎独，学者以慎独为宗旨者多矣。或识认本体，而坠于恍惚；或依傍独立，而力于动念；惟先师体当喜怒哀乐一线之通，更不暇品节限制，而中和之德，自然流行于日用动静之间"黄宗羲《南雷文定》卷一《先师蕺山先生文集叙》。则证人亦主静也。以院而系之以书，则讲读想之教育之流敝，盖可知也。此书院之所以不产人材，而明以后，终清一代，书院终成为强弩之末，无以系于学问事功之大也，亦由此云。

颜元《习斋纪余》卷六《论开书院讲学》云："观《王文成公传》，正德十三年四月，至赣开书院开学。喟然曰：此一失，程、朱、陆、王两派所同也。但一人得志，守司地方，或一人儒名显著，地方官尊礼，则必建立书院，额其中庭曰讲堂。嗟乎，何不曰道院？何不曰学堂？而直以'书''讲'名乎？盖其实不可掩也。"斯可谓一言破的矣参看拙著《颜习斋哲学思想述》页一九七——二一〇。

三五　诗文社之勃兴

士大夫之所流连者，书院之外，则又有诗社、文社焉。

明世文人，颇为俗所称道。虽明初文人多不仕详《廿二史劄记》三十四。然山林隐逸之士，披猖纵恣，亦极一时。《明史》二八八《王穉登传》："嘉、隆、万历间，布衣山人，以诗名者十数。"谢在杭《五杂俎》云："才名骄人，间亦文人之常。惟近世一种山人，目不识丁，而剽窃时誉，敖岸于王公贵人之门。使酒骂坐，贪财好色。武健断讼，反噬负恩。使人望而畏之。"《五杂俎》卷十三匹夫能文，而能自挺其声华，亦一时之风会也。

纪昀《滦阳续录》卷三云："董天士先生，前明高士。……或言其有狐妾，……曰：'温玉。'曰：'何所求？'曰：'……如不见纳，则乞假以虚名，为画一扇。'……天士笑从之。……次日，晨兴，觉足下有物，视之则温玉也。笑而起曰：'诚不敢以贱体玷公，然非同榻一宵，则姬人两字，终为假托？'……遂捧衣履伺盥漱讫。岂明季山人，声价最重，此狐亦移于风气乎？"可谓寄真实于虚无矣。

物以类相从，针与芥相吸，故文人结合，亦以勃然而兴！《明史》二八五《张简传》云："当元季，浙东西士大夫，以文墨相尚。每岁必联诗社，聘一二文章巨公主之。四方文士毕集，宴宾穷日夜，诗胜者辄有厚赠。"李东阳《麓堂诗话》云："国初诸诗人，结社为诗；浦长源请入社，众请所作。初诵数首，皆未应。至'云边路绕巴山色，树里河流汉水声'，并加赏叹，遂纳之。"盖诗社虽起于元季，而及明之兴，时日承平，其势又顿长矣！

> 杭世骏《道古堂集》卷八《影园瑶华集叙》云："有元至正末年，昆山顾阿瑛家饶于财。筑草堂于玉山，四海名流，以诗为贽者，咸申缟贽。杨廉夫方居吴中，及诸弟子皆居其家，开设坛坫，标映一时。"——盖诗社始此。所谓造端于元，而发旺于明者。

诗文社之成立，固足以沟通声气。归庄《归高士集》卷一《吴门倡和诗序》云："吴中近多风雅之士，所在结社。今春四方名彦，偶集吴门。吾友毛君子晋、顾君茂伦、袁君重其迭要诗侣，旬月中再会，人拈一韵。……洵一时乐事，恨予未得执鞭也。"盖自科举既盛，学校斯微，士子之负笈远游者，除相遇于名场，角逐文字之短长以外，并无可以结合之机缘，故诗文结社，闻风景从，风气推求，亦士子结合之一法云。

然当初之意，虽曰文以会友。而究其所之，则标榜之习生焉。以前者言，《明史》称浦源逾岭以访林鸿，林鸿延之入社《明史》二八六《林鸿传》，袁宏道"年十六为诸生，即结社城南为之长"《明史》二八八

《宏道传》。以后者言，则李攀龙等七子，“才高气锐，互相标榜，视当世如无人”《明史》二八七。既有入主出奴之习，斯生党同伐异之风。《明史》二八八《张溥传》云：“溥集郡中文士，相与复古学，名其文社曰复社。……四方瞰名者，争走其门。尽名为复社，溥亦倾身结纳，交游日广，声气通朝右。所品题甲乙，颇能为荣辱。诸奔走附丽者，辄自矜曰：‘吾以嗣东林也。’执政大僚，由是恶之。里人陆文声者，输资入社，不许。文声诣阙，言风俗之弊，皆原于士子。溥采为盟主，倡复社，乱天下。”斯则党同伐异，诗文社的末途，其弊一也。

故黄宗羲非之，以为文心生杀气。《南雷文定》卷六《陆文虎墓志铭》云：“吴楚名士，招群植党，互相题拂，先生谓兵心见于文士，斗象长于同文。乱亡之兆也。凡遇刻文结社，求先生为叙者，循环此意，雷霆破柱，冀使人闻之而觉悟也。”谓文心与兵事相似，语得其实。梨洲《南雷文定》卷六又有《刘瑞当墓志铭》云：“崇祯间，吴中倡为复社，以网罗天下之士。高才宿学，多出其间，主之者张受先、张天和。东浙刘留仙，与之桴鼓和应。皆容纳后进，标榜声价。人士奔之，辐辏其门。蓬荜小生，苟能分句读，习字义者，挟行卷西棹娄江，东放慈水，则其名成矣。其间楷模之人，文章足以追古作，议论足以衡名教；裁量人物，讥刺得失；执政闻而意忌之，以为东林之似续也。”归庄《高士集》卷五《跋黄韫生诗卷》云：“崇祯末，海上文社绝盛。士多驰骛名场，各立门户，文章节义之色，常见于面，即而察之，往往名过其实。”盖名士结合之流弊如斯。斯亦文以会友者的创始者所不料者。

彭孙贻《客舍偶闻》页十一云："明末燕京已屋，江浙士人，犹踵复社之会。时轮禾郡值会，诸贤毕集，作文饮酒。有一僧从北来，见此举，作诗诮之。诗曰：'各郡名贤试自思，就中孰个是男儿？燕京难挽龙髯日，鸳水争持牛耳时。滴尽冬青还有泪，歌残凝碧岂无词。长陵麦饭谁为奠，愿借尊前酒一卮？'"知有诗文而不知有家国之痛。斯则流弊二也。

> 刘献庭《广阳杂记》卷一云："顺治间，吴梅村被召，三吴士大夫，皆集虎邱会饯。忽有少年投一函，启之，得一绝句云：'千人石上坐千人，一半清朝一半明；惟有娄东吴学士，两朝天子一朝臣。'"诗文社之盛，及其以文而忘国，又可见。

然所谓流弊者，要非谓立社可废。以今考之，明人立社集会，诗文之外，则又有讲经会焉。梨洲《陈怡庭墓志》云："先是，甬上有讲经之会。君与其友陈赤衷等，尽发郡中经学之书，穿出厓冗，以求一哄之平。盖断断如也。"《南雷文定》后集卷三——讲经会者，盖介乎书院及诗文社之间者也。《陈夔献墓志》云："制科盛而人材绌，于是当世之君子，立讲会以通其变。其兴起人材，学校反有所不及。如朱子之竹林，陆子之象山。逮阳明之徒，讲会且遍天下。其衰也，犹吴有东林，越有证人。然士子之为经义者，亦依仿之而立社。余自涉事至今，目之所睹，云间之几社，则不克充其所至。武林之读书社，则为释子之所网罗。娄东之复社，徒为奸相之所訾。"同上——时文社者，盖介于诗文社与科举制度之间者也。在漫无组织之文士生涯中，社之立，虽有标榜门后，自欺欺人，文字华藻，徒怡耳目之恶习；然就制度而言制度，不可谓为非时世之可誉之产物焉。

然社党之所之，必至于轶出讨论诗文以外，而有近于处士之横议。处士之横议，专断之政府，所不愿其存在者也。故夷考清初，虽仍有诗文之会，有如杭世骏云："往岁壬戌癸亥间，顾丈月田，以词场宿老，号召同里诗人，为社于西湖。月必五六会，蒸然发动，转相召引。振采腾华，于时最盛，迨月田下世，西湖诗社，稍就衰歇矣。"《道古堂集》十二《远村吟稿叙》——此盖偶一为之，非若明时，以结社会文为士大夫寻常之事焉。

朱彝尊《曝书亭集》卷七十一《兵部侍郎杨公神道碑》云："明季东南文士，倡为复社，海内应之，著录二千余人。其后十室之邑，三家之村，莫不立有文社，莅牲以盟，张乐以宴。与者则结路人为弟昆，不同则亲懿视同仇敌。凶终隙末，靡所不有。公上言朋党之祸，起于草野，欲绝其源，必先杜绝盟社。得旨饬学臣禁焉。"案杨雍建议言文社、诗社之害，详见《东华录》卷七此自奴事满洲者，假此乞怜之一法；然亦明季文士，假诗文以立门户，所招物议者深，故以累清廷之严禁欤。

盖由东林党言之，由复社等社言之，社党者，原为昏朽政治之拯救者。然流品既杂，则黑白自混；标帜一明，则泾渭自斗。故万季野之修《明史》也，于齮龁东林复社者，斥之不遗余力。而方苞以为"自古处士横议，其气焰未有至于斯极者"详《望溪集》卷五。萧正模云："夫诸公夙昔持正，固无立党之心；而事成水火，势等寇仇。天下之亡，亡于小人之有意以陷君子，而君子之以必为君子，求胜于小人者，亦所谢于门户之责。"钱林《文献征存录》卷六《正模传》斯言也，为东林论可也，为文社诗社之呶呶于明季者言之，亦无不可也。

三六　明代诗文

明代之诗文社，可博后人之称誉者，盖在社而不在"诗"、"文"。《明史·文苑传》叙云："明初文学之士，承元季虞、柳、黄、吴之后，师友讲贯，学有本原。宋濂、王祎、方孝孺以文雄，刘基、袁凯以诗著。永、宣以还，作者递兴，皆冲融演迤，不事钩棘。而气体渐弱。弘、正之间，李东阳出入宋元，溯流唐代，蜚声馆阁。而李梦阳、何景明，倡言复古。文自西京，诗自中唐而下，一切吐弃。操觚谈艺之士，翕然从之，明之诗文，于斯一变。迨嘉靖时，王慎中、唐顺之辈，文宗欧曾，诗仿初唐。李攀龙、王世贞辈，文主秦汉，诗规盛唐。"《明史》二八五盖综而言之，其初也，承宋元之余波，其中也，为台阁之弱体，而其盛也，则李、何、李、王之伪古文运动也。

> 《南雷文定》卷一《明文案叙上》云："有明之文，莫盛于国初，再盛于嘉靖，三盛于崇祯。国初之盛，当大乱之后，士皆无意于功名。埋首读书，而光范卒不可掩。嘉靖之盛，二三子王李振起于时风众势之中，而巨子哓哓之口舌，适足以为华阴之赤土。崇祯之盛，王、李之珠盘已坠，郸莒不朝，士之通经学古者，耳目无所障蔽，反得以理既往之绪言，此三盛之由也。"

盖明初之文，以宋濂、刘基、方孝孺为巨子。时人称"濂文雍容浑穆，如天闲良骥，鱼鱼雅雅。自中节度。基文神锋四出，如千金骏足，飞腾飘瞥。蓦涧注坡，虽皆极天下之选，而以德以力，则略有间矣”《提要》一六九《宋学士集》提要。时人称宋濂为欧阳，等正学于东坡，盖谓其反元季之艳秾，而一反于宋也。

元末文章，有纤秾缛丽之习，故明初文人，多有反元以造唐宋之致。《提要》一六九称高启《大全集》云：“启天才高逸，实据明一代诗人之上。其于诗拟汉魏似汉魏，拟六朝似六朝，拟唐似唐，拟宋似宋。凡古人之所长，无不兼之。振元季纤秾缛丽之习，而返之于古，启实为有力。然行世太早，殒折大速，未能熔铸变化，自成一家。”考启诛死于洪武初年，当时风气可见。

“洪宣以后，渐流为肤廓冗沓，号台阁体”《提要》一六九《凫藻集提要》，其风盖始于杨士奇。士奇则洪熙、宣德间，贤相三杨之一焉。良以时届承平，故“其文典则，无浮泛之病。杂录叙事，极平稳不费力，后来馆阁著作，沿为流派，遂为七子之口实”《提要》一七〇《东里集》。稍后至武宗时，李东阳实兴。东阳有《怀麓堂集》，时人称其“典章文物，尚有先贤之遗风”《提要》一七〇，然肤庸之病，终不能免，于是宋、方等唐宋之文，转变而为何、李等复古之文，亦馆阁文人所以推致之焉。

《怀麓堂集》提要云：“自李梦阳、何景明崛起弘（治）正（德）之间，倡复古学，于是文必秦汉，诗必盛唐，其才学足以笼罩一世，天下亦翕然从之。……逮北地信阳之派，转相摹拟，流弊渐深，论者乃稍复理东阳之传，以相撑柱。盖明洪(武)永(乐)以后，文以平正典雅为宗。其究也，渐流于庸肤。庸肤之极，不得不变而求新。正(德)嘉(靖)以后，文以沈博伟丽为宗，其究也，渐流于虚憍。虚憍之极，不得不返而求实。"盖文体善变，馆阁体与复古文，初非一二文人所能专变者。

复古者，伪复古焉。李梦阳与何景明、徐祯卿等，号为七子："弘治时，宰相李东阳主文柄，天下翕然从之。梦阳独讥其萎弱，倡言：文必秦汉，诗必盛唐，非是者勿道"《明史》二八六。盖"其持论甚高，足以竦当代之耳目，故学者翕然从之"《提要》一七一《空同集》。景明之论曰："古文之法亡于韩。"《明史》二六六祯卿之言曰："绳汉之武，其流也犹至于魏。宗晋之体，其弊也不可以悉。"《提要》一七一《迪功集》——前七子之持论如此。而李攀龙等后七子继之。

前七子见《明史·李梦阳传》。后七子见《明史·谢臻传》、《李攀龙传》，以后更有前五子、后五子、续五子、广五子俱见《明史·王世贞传》，不具录。

李攀龙者，沧溟也；第嘉靖二十三年一五四四进士，与后七子共持论曰："文自西京，诗自天宝，而下俱无足观。于本朝独推李梦阳。"《明史》二八七本传"故所作一字一句，摹拟古人，骤然读之，斑驳陆离，如见秦汉间人。高华伟丽，如见开元、天宝间人。"《提要》一七二《沧溟集》沧溟逝后，弇州嗣之。弇州者，王世贞也。"世贞始与李攀龙狎主文盟，攀龙没，独操柄二十年。声华意气，独盖海内。一时士大夫及山人词客，衲子羽流，莫不奔走门下，片言褒赏，声价辄起。其持论也：文必西汉，诗必盛唐。大历以后书勿读，而藻饰太甚。晚年攻者渐起。”盖复古之疲，而疲亦生于所复，势使然也。

《弇州山人四部稿》一四四云：“李献吉梦阳劝人勿读唐以后文，吾甚狭之。今乃信其言耳。记闻既杂，下笔之际，自然于笔端搅扰，驱斥不易。若摹拟一篇，则易于驱斥，而觉局促，痕迹宛露，非斫轮手。自今以后，拟以纯灰三斛，细涤其肠。日取六经、孔、孟、老、庄、列、荀、《国语》、《左传》、《国策》、《韩非》、《离骚》、《吕氏春秋》、《淮南子》、《史记》、班氏《汉书》；自六朝及韩、柳，便须诠择佳者。”弇州之言如此，《明史·蔡羽传》云：“吾诗求出魏晋上，今乃为李贺耶，其不肯屈抑如是。”《明史》二八七考空同以有郭汾阳字样，废诗不用《提要》七一。偏嗜如斯，而弇州好其语，盖前七子与后七子之著。褊甚已。

故当日，归有光已崛起于闾里之间，诋王、李为庸妄。牧斋《初学集》八十三《题归太仆文集》云：“熙甫生与弇州同时，弇州世家朊仕，主盟文坛，海内望之，如玉帛职贡之会，惟恐后时。而熙甫老于场屋，与一二门弟子，端拜洛诵，自相唱和，于荒江虚市之间。尝为人序其文曰：‘今之所谓文者，苟得一二妄庸人，为之巨子，以诋诽前人。’弇州笑曰：‘妄诚有之，庸则未敢应命！’熙甫曰：‘惟庸故妄，未有妄而不庸者也！’弇州晚年，颇自悔其少作。亟称熙甫之文，尝赞其画象曰：风行水上，涣为文章。风定波息，与水相忘。千载有公，继韩欧阳。予岂异趋，久而自伤！其推服之如此。”盖世贞晚年，已好《苏子瞻集》《明史》二八七，可见其时假复古之风气，已成强弩之末矣。

《南雷文定》卷四《明文案叙》云:“自空同出,以起衰扶弊为己任,汝南何大复友而行之,其说大行。夫唐承徐庾之汩没,故昌黎以六经之文变之。宋承西昆之陷溺,故庐陵以昌黎之文变之。当空同之日,韩、欧之道,如日中天,人方企仰之不暇,而空同矫为秦汉之说,凭陵韩、欧。……其后王、李继起,持论益甚。招徕天下,靡然而为黄茅白苇之习曰:古文之法亡于韩。”就梨洲言,可见王、李之流弊,及归震川提倡唐文的有时世的必然矣。

故至万历以后,假复古的风会已弛。力击李攀龙者则袁宏道、艾千子也。“至万历间,公安袁宏道兄弟,始以赝古诋之。天启中,临川艾南英诋之尤力”《提要》一七二《沧溟集》提要。力攻王世贞者,则艾南英也,“艾南英《天傭子集》有云,后生小子,不必读书,不必作文。但架上有前后《四部稿》,每遇应酬,顷刻裁刻,便可成篇。无不秾丽鲜华,绚缦夺目,细案之,一腐套耳”。宏道、南英,文才固未必胜;但王、李之流弊,以及倦疲而复之趋势,其先启于归有光震川,后启于公安竟陵,最后而集于钱谦益牧斋之表章震川,牧斋以一代艺人开两朝之风气者,初岂毫无因缘而至哉!

《明史》称公安袁宏道,力排王李,名其斋曰白苏,以奉苏东坡、白乐天。而竟陵钟惺伯敬,与谭友夏,力矫王李之弊,号竟陵体《明史》二八八《袁宏道传》。至斯而前后七子,其风埽地。谦益晚出,门生满天下,叙《震川集》而表扬之,此即他日清世力奉震川之权舆也。

明文如斯，明诗之有三变，殆亦如斯。沈归愚《明诗别裁集》叙云："尝取有明一代之诗论之，洪武之初，刘伯温之高格，并以高季迪、袁景文诸人，各逞才情，连镳并轸，然犹存元季之余风，未极隆时之正轨。永乐以还，体崇台阁，骫骳不振；弘正之间，献吉仲默，力追雅音。庭实昌谷，左右骖靳，古风未坠。余如杨用修之材华，高子业（叔嗣）之冲淡，益以斐然。于鳞（李攀龙）、元美（王世贞）益以茂秦（谢臻），虽其间规格有余，未能变化。识者咎其少得自然之趣。然取其菁英，彬彬乎大雅之章也。自是以后，正声渐远，繁响竞作。公安袁氏、竟陵谭氏，比之自郐无讥。盖诗教衰而国祚亦为之移矣，此升隆盛衰之大略也。"附记于此。

三七　八股文与杂体文学

考明世文学之所以无进步，则八股文阻碍之耳。黄宗羲《明文案序》云："盖以一章一节言之，则有明未尝无韩、杜、欧、苏、遗山、牧庵、道园之文。若成就以名一家，则如韩、杜、欧、苏、遗山、牧庵、道园之文，有明固未尝有其一人焉。议者以震川为明文第一，似矣。试除去其叙事之合作，时文境界，间或阑入。较之宋景濂尚不能及。此无他，三百年人士之精神，专注于场屋之业，割其余以为古文，其不能尽如前代之盛者，无足怪焉。"《南雷文定》卷一——盖文艺之受科举之影响也，如斯。

科举固非始于明者详中古卷四十节，即在于元，《古学汇函》

第六集有《元婚礼贡举考》页五云："皇庆二年诏行科举，以皇庆三年八月，天下郡县，兴其贤者、能者。次年二月会试京师。"参看本卷二十六节然其影炙士子之文与行，亦元时已然。《平阳县志·陈高传》："陈高字子上，既冠即以文名州郡。至正中，应行省试，病时文体卑下，上书秘书卿台哈布哈，请变更积弊。使所试之文，必欲其理明事确，议论有余，格律高古，典雅精深。一切屏去浮华偶俪之习，振起文风变之。台哈布哈不能用。"元人科举参《辍耕录》卷一《科举》

明祖之兴也，曾一度废科举为选举。《皇明制书》卷一《高帝纪》下洪武六年四月云："上谕中书省臣曰：朕设科举，期得经明行修之士。今有司所举，文词似若可用。及试之，不能措之行事。朕以实求贤，而天下以虚应，殊非朕意。其暂罢科举，别令有司举贤才。以德行为本，文艺次之，庶士知向方反本。"可知明祖虽无赖，于自宋以来之经义取士，亦不满云。而盖其为以八股文取士哉。

《皇明制书》三上《贡举》云："凡各府州县于所辖隅厢乡都内，拔选容止端谨无过人材一名，申送布政使考核，转行按察使覆考。堪充岁贡，开坐考过词语，差人送部，应有贤良方正，及山林岩穴隐逸之士，并通晓经书，儒士、秀才、孝廉，俱各访求到官。审无过犯违碍，不拘名数，差人伴送到部。或内外官员人等，荐举人材秀才，即便行移原籍官司起取赴部。如儒士秀才，出题考试，果否通经，贤良隐逸等项人材，量其材能，定其高下。仍取本户丁粮数目，作何营生，及户内有无杂役事故，供给明白。然后开发，送部选用。如将鄙陋不堪之人，一概朦胧滥举，原举官吏，依贡举非其人律问罪。”是明初，有贡举之法也。张燧《千百年眼》十二云：“洪武十五年，上谓尚书开济曰：‘秀才今征致数千人，宜严试受职。’济等条议：‘以经明行修为一科，工习文词为一科，通晓四书为一科，人品俊秀为一科，言有条理为一科，晓达治道为一科。六科备者为上。三科已上为中。三科以下为下。不通一科者，不在擢中。’上从之，使国朝能尽其法，而永用之，又何患真才之不得耶？”是明初科举，其道尚广。不纯以程文也。

然而洪武十七年，“颁科举式：三年大比，永为定制。复令科举荐举并行”《皇明制书》卷一。制举行，而制举之文，由是其制渐树矣。阎若璩云：“余尝发愤太息，三百年来，文章学问，不能远追汉、唐、宋、元者，其故有三焉。一坏于洪武十七年甲子定制，以八股取士，其失也陋。再坏于李梦阳提倡古学，而不原本六经，其失也俗。三坏于王守仁讲致良知之学，而至以讲书为禁，其失也虚。”《潜邱劄记》卷二，原刊本八股文是否起于明初，兹不具论，而其桎梏士子，折磨文风，则有目共见者。

八股文者，“始于成化以后。股者，对偶之名也。天顺以前，经义之文，不过敷演传注，或对或散，初无定式”说详《日知录》十六“试文格式”条。此就文的形式言之耳。至于“经义论策，其名虽正，而最便于空疏不学之人。唐宋用诗赋，虽曰‘雕虫小技’，而非通知古今之人，不能作也。今之经义，始于宋熙宁中王安石所立之法，命吕惠卿、王雱等为之”语详《日知录》十六“经义论策”条，参本卷十节，此则言文之内容也。

八股之兴也，明眼人自知非之。考世宗嘉靖间，袁袠《世纬》上页十其《广荐篇》，已诽责科举之非。归有光《送王汝康会试叙》亦曰："自科举之制兴，而学与仕为二。"《震川集》卷九盖士之所习者，八股文而已，而智学日狭："徐文贞阶督学浙中，试卷有颜苦孔卓之语。文贞署云：杜撰。后发卷，秀才前对曰：扬子《法言》，非敢杜撰。文贞应声曰：'下官不幸早第，苦于读书无多。'因下阶再揖，谢秀才去。"吴肃公《明语林》卷五《雅量篇》盖士之所贵者，虚荣而已，而实学莫为："诸生中乡荐，与举子中会试者，郡县则必送捷报，以红绫为旗，金书于竿以扬之，若状元及第，则以黄苎悬金书，状元立竿以扬之，其他则否！"王世贞《觚不觚录》页十八，明人小说本——然则八股之败坏人材，又岂特于文艺一方而已？制义之滥调在胸，锦绣之文章莫吐，而文学之受折为尤甚耳。即政事之萎沉，亦非浅也。

吕留良《东庄诗存·伥伥集》页四《真进士歌》："三百年来几十科，科数百人名累累。如今知有几人名，大约尽同蝼蚁死。人言蝼蚁可怜虫，我言凶恶如虎兕。谨具江山再拜上，崇祯夫妇伴缄贶"。原注："崇祯末有人拟一仪状云：'谨具大明江山一座，崇祯夫妇两口，奉申贽敬。晚生文八股顿首。'贴于朝堂，亦愤世疾俗之忠言也。"而当时时俗，则只此八股是好耳。故方苞《何景桓遗文序》云："余尝谓害教化，败人材者，无过于科举，而制艺则尤甚焉。盖自科举兴，而出入于其间者，非汲汲于名，则汲汲于利者也。八股之作，较论策诗赋为尤难。就其善者，持之有故，言之成理，故其溺人尤深，而好之有老死不倦者矣。"《望溪集外文》卷四——其害人如此。

以故当日缀文之士，反在草野，而不在廊庙焉。非在文诗词曲，而反在委巷小说焉。明诗文已具上述，明词亦无足道，而明曲者，臧晋叔《元曲选叙》云："今南曲盛行于世，无人不自谓作者。而不知其去元人远也。……新安汪伯玉《高唐洛袖》四南曲，非不藻丽矣。然纯作绮语，其失也靡。山阴徐文长《祢衡》、《玉通》四北曲，非不亢爽矣；然杂生乡语，其失也鄙。豫章汤义仍，庶几近之。而学乏通方之见，声罕协律之功，所下字句，往往乖谬，其失也疏。他虽穷极才情，而面目愈离，按拍者既无绕云遏梁之奇，顾曲者又无辍味忘倦之好。此乃元人所唾弃，而戾家畜之者也。故予选杂剧百种，以尽元曲之妙，且使今之为南曲者，知有所取则云尔。"万历丙辰成此——然则明曲者，固亦逊于元也。明代文人，其可称者，或反在汉文、唐诗、宋词、元曲以外之小说乎？

小说之名肇于汉，其作盛于唐、宋本卷十八节。然今世通行之《三国演义》等书，则大抵明人所作。柳诒徵云："《交翠轩笔记》，称《三国演义》为明人作。《郎潜纪闻》称《三国志》为罗贯中所作。《水浒传》相传为元施耐庵著，而《七修类稿》则谓系罗贯中作。《茶香室续钞》，亦称《水浒传》为洪武初越人罗贯中作。《冷庐杂识》称《西游记》为嘉靖中淮南吴承恩作。《金瓶梅》则相传为明王世贞作，以毒唐顺之者也。"《中古文化史》页二七二

《水浒传》者，汪棣香称之曰："施耐庵成《水浒传》，奸盗之事，描写如画，子孙三世皆哑。金圣叹序而刻之，复评刻《西厢记》诸

书，卒陷大辟，并无子孙。盖《水浒》诲盗，《西厢》诲淫，皆邪书之最可恨者。”梁恭辰《池上草堂笔记》卷八“西厢记”条《三国演义》者，刘廷玑《在园杂志》云：“杭永年仿金圣叹笔记批《三国演义》，似属效颦。”孙文玉《新义录》五十七引——观于尔时批评小说者之多可知其时小说之盛矣。

《新义录》五十七云：“叶文通名昼，无锡人。多读书，有才情。故为诡异之行，故温陵（李贽）《焚》、《藏书》盛行时，坊间种种，借温陵之名以行，如《四书》第一评、第二评，《水浒传》、《琵琶》、《拜月》诸评，皆出文通手。按今人知金圣叹评《水浒》，而不知前有叶文通。”徐世昌《晚清簃诗汇》卷三十三云：“金人瑞字圣叹，吴县人，诸生。明季自钟伯敬谭友夏诸人，评论诗文，喜为纤仄恢诡之习，庸耳俗目，为之倾眩。圣叹扩而广之，上攀经史，下甄传奇小说，皆以己意评论。数百年流传不绝，阳五伴侣，世以为贤。”昭梿《啸亭续录》卷二云：“自金圣叹好批小说，以为其文法毕具，逼近龙门。故世之续编者，汗牛充栋，牛鬼蛇神。至士大夫家几上，无不陈《水浒传》、《金瓶梅》，以为把玩。”可知明人重视小说之风，流至于清而未已。而圣叹《六才子书》之选定，固亦由于重视小说之前史欤。

三八　公私之收藏

盖由今日言之，明人文物之可贵者，非在乎创造方面，而在于保存方面。收藏是已。自古以来，书经五厄，已见于牛弘所言《隋书·弘传》。王世贞又谓书经六厄本卷二十一节引《四部稿》卷一七〇。夫以宋季之丧乱,元政之不纲,则古来文物实质之保存,非待于明人而何?以列代建国,即事征书之故事言之,知明人于收藏之功矣。

关于列代开国时之征集遗书,语详拙作《收集遗书与建国新猷》,载于《建国》月刊第六卷第四五期。明初固亦搜书,语详该文。

昔在宋初,修《太平御览》、《太平广记》、《册府元龟》、《文苑英华》参看《困学纪闻》卷十七。王明清《挥麈后录》卷一云:"太平兴国中,诸降王死,其群臣或生怨言。太宗尽收用之,寘之馆阁,使修群书,如《文苑英华》、《太平广记》之类;广其卷帙,厚其廪禄赡给,以役其心,多卒老于文字之间云。"明初之修《永乐大典》,盖犹是焉。而无心植柳之功,则亦不可埋没云。全祖望《钞永乐大典记》云:"明成祖敕胡广、解缙、王洪等纂修《永乐大典》,以姚广孝总其事。始于元年之秋,成于六年之冬,凡二万二千七百七十七卷。凡例、目录,六十卷。冠以御制文叙,定为万二千册。广孝等奉诏,再为之叙。其时公车征召之士,自纂修以至缮写,几三千人。缁流羽士,亦多预者。……方是书初上,诏名《文献大成》,后改焉。孝宗最喜此书,召对廷臣之暇,即置是书案上。嘉靖四十一年,禁中失火,世宗亟命救出,此书幸未被焚。遂命阁臣徐阶,照式模钞一部。当时书手一百八十,日钞三纸一纸三十行一行二十字。至隆庆改元始毕。崇祯时,刘若愚著《酌中志》,已言此书不知今贮何所。是此书在有明二百年来,赖世庙如卿庙之一见,而终未尝入著录家之目。暨吾朝世祖万几之暇,尝以此书充览。乃知其正本,尚在乾清宫中,顾莫能得见者。及《圣祖实录》成,词臣屏当皇史宬书架,则副本在焉。因移贮翰林院,然终无过而问者。前侍郎临川李公,在书局,始借观之。于是予亦得寓目焉。其例乃用洪武正韵分部,以一字为纲,即叙十三经廿一史诸子百家,无不类而列之。所谓因韵以统字,因字而系事者也。然皆直取全文,未尝擅改片语。"《鲒埼亭集》外编十七故征古者视之,重于《御览》、《广记》者多也。

《永乐大典》之来自,见钱大昕《十驾斋养新录》卷十三"永乐大典"条。《明史·艺文志》、《四库总目》卷一三七类书类存目"永乐大典"条,均有所述。姜绍书《韵石斋笔谈》卷上页三云:"成祖敕儒臣纂修《永乐大典》一部,系胡广、王洪等编辑。征召四方文学之士,累十余年而就。计二万二千一十一卷,一万一千九十五册。目录六十卷。因卷帙浩繁,未遑刻板。止写原本,至弘治间,藏之金匮。嘉靖三十六年,大内回禄。世宗亟命那救,书幸未焚。敕阁臣徐文贞阶,复令儒臣照式摹钞一部。当时供誊写者一百八名,每人日钞三页。自嘉靖四十一年起,至隆庆元年,始克告竣。"盖此书为我国类书之最巨者。沈德符《野获编补遗》卷一云:"嘉靖间遇大内灾,世宗夜三四传旨移出,始得无恙。后遂命重录一部,以备不虞。辅臣徐阶等,以此升赏。"又云:"此书藏之秘阁,未几,文皇迁都,往还无定。且犁庭四出,多修马上之业,未暇寻讨。即列圣亦不闻有简阅展视之者,惟世宗笃嗜之,旃厦乙览,必有数十帙在案次。"又云:(万历)"甲午春,南祭酒陆可教,有刻书一疏。谓文皇帝所修《永乐大典》,人间未见,宜分颁巡方御史,各任一种,校刊汇成,分贮两雍,以成一代盛事。上即允行。至今未闻颁发也。按此书至二万余卷，即大内正写本一部，至世宗重录，以备不虞，亦至穆庙，始克告竣。效劳诸臣，俱叙功优升；若付梨枣，更岂易言？”卷二十五惜乎，此书不得一刻，致清代渐致散佚而卒沦亡于庚子之役也。

明初之修《永乐大典》，颇足令人缅想当日公家收藏之盛。公家收藏，明以前原有“秘书”、“阁书”之事《日知录》十八言之，而明廷公家之藏，所谓《文渊阁书目》者，为永乐至宣德间褒集之果，盖犹炳彪当时。姜绍书称之云：“内府秘书，所藏书甚寥寥，然宋人诸集，十九皆宋板也。书皆倒折，四周外向，故虽遭虫鼠啮，而未损。但文渊阁制既卑狭，而牖复暗黑，抽阅者必秉炬以登。内阁辅臣，无暇留心及此。而翰苑诸君，世所称读中秘书者，曾未得窥东观之藏，至李自成入都，付之一炬，良可叹也。”《韵石斋笔谈》上页一似若可信然。

谢在杭《五杂俎》卷十三云：“余尝获观中秘之藏，其不及外人藏书家远甚。但有宋集五十余种，皆宋刻本，精工完美。而日月不及，日就浥腐，恐百年之外，悉化乌有矣。胡元瑞谓欲尽三年之力，尽括四海之藏，而后大出秘书，分命儒臣，编摩论次。噫，谈何容易！不惟右文之主不可得；即知重文史者，在朝之臣，能有几人？而欲成此万世不刊之典乎？《内阁书目》门类次第，仅付之一二省郎之手。其淆混鱼豕，不下眊瞽而不闻也。何望其他哉？”则谓明庭收藏，不及民间，姑存之！

而民间之收藏，则更鼎盛焉。

民间私人之收藏，已盛于宋详本卷二十一节，故朱弁《曲洧旧闻》，记宋次道春明宅子僦价贵常之事。盖私家之藏，足以比美天禄石渠，自宋已然。李心传《建炎以来朝野杂记》卷四《中兴馆阁书目》云："《中兴馆阁书目》者，孝宗淳熙中所修也。高宗始渡江，书籍散佚。绍兴初，有言贺方回子孙，鬻其故书于道者，上命有司悉市之。时洪王父为少口，建言芜湖县僧，有蔡京所寄书籍，因取以实三馆。刘季高为客掾，又请以重价访求之。五年三月，大理寺评诸葛行仁，献书万卷于朝，诏官一子。"可见宋时官家藏书，有资于私人者不少。厉鹗《宋诗纪事》卷二十四，有钱穆父《和阁父舍人曝书会诗》云："天禄图书府，芸签岁曝频。幡经穷藏室，赐会集儒绅。顾陆高标好，钟王妙入神。可无铅椠吏，来预石渠宾！"——两宋时，私人之藏，旺盛如斯，明人继述，盖推其波而助其澜尔。

清代藏书家，黄丕烈以百宋一廛著，陆心源以皕宋楼称。揆诸明人大有不逮。《式古堂书画考》云："严氏书品册页目，手钞宋元书籍，二千六百十三本，没入大内。一应经史子集等书，计五千八百五十三部套，发各儒学贮收。一应佛道各经诀，发各寺观供诵。"王世贞《朝野异闻录》云："籍没严嵩家宋版书籍，六千八百五十三部。"——即此严嵩一人而论，亦可谓超轶清人远矣。

明代私家之收藏者，如天一阁范氏、少室山房胡氏、绛云楼钱氏，皆极一时之选。天一阁者，四明范钦所创。钱大昕云："四明古称文献之邦，宋元之世，攻愧楼氏、清容袁氏，藏书之富，甲于海内。明代储藏家，则有天一阁范氏，而四香居陈氏、南轩陆氏次之。"《潜研堂文集》二十一少室山房者，胡元瑞所创。谢在杭云："胡元瑞书，盖得之金华虞参政者。虞藏书数万卷，贮之一楼。在池中央，小木为彴，夜则去之。榜其门曰：楼不延客，书不借人。其后子孙不能守，元瑞啖以重价，给令尽室载至。凡数巨舰，及至，则曰吾贫不能偿也。复令载归，虞氏子孙既失所望，又急于得金，反托亲戚居间，减价售之。计所得不十之一也。"《五杂俎》十三绛云楼者，钱谦益所创；曹溶《绛云楼书目题词》云："虞山宗伯所藏，几埒内府。视叶文庄、吴文定及西亭王孙，或过之。晚岁居红豆山庄，出所藏书，重加缮治。区分类聚，绛云楼上，大椟七十有三。"——昭昭大者以外，其次者不可更仆而数矣。

《韵石斋笔谈》上页三云："昭代藏书之家，时聚时散，不能悉考。就其著述之富者，可以类推。时则有若宋文宪濂、刘诚意基、杨文贞士奇、李文正东阳、王文恪鏊、吴文定宽、史明古鉴、陆文裕深、程篁墩敏政、邱文庄浚、邵文庄宝、杨文襄一清、林见素俊、王文成守仁、杨升庵慎、李空同梦阳、顾东桥璘、文衡山徵明、杨南峰循吉、郑淡泉晓、雷司空礼、王凤州世贞、王麟州世楙、唐荆川顺之、先少保凤阿、薛方山应旂、李沧溟攀龙、冯北海琦、黄葵阳洪宪、胡元瑞应麟、何元朗良俊、茅鹿门坤、焦淡园竑、顾邻初起元、袁中郎宏道、王损庵肯堂、屠赤水隆、汤若士显祖、李温陵贽、董文敏其昌、何士抑三畏、陈眉公继儒、冯元成时可、李本宁维桢、冯具区梦祯、黄贞父汝亨、朱平涵国祯、李君实日华、谢在杭肇淛、钟伯敬惺、陈明卿仁锡、文湛持震孟、俞容自彦、张天如溥。以上诸公，皆当世名儒，翱翔艺苑，含英咀华，尚论千古。其所收典籍，纵未必有张茂先之三十乘，金楼子之八万卷，然学海词源，博综有自。亦可以见其插架之多矣。”——此为明代藏书家总账，故具录之。

吾闻《成祖实录》云：“永乐四年，上视朝之暇，御便殿，阅文史。问文渊阁经史子集皆备否？解缙对曰：‘经史粗集，子史尚多缺。’上曰：‘士人家稍有余赀，尚欲积书，况于朝廷乎？’遂召礼部尚书郑赐，命择通知典籍者，四出购求遗书。且曰：书籍不可较直，惟其所欲与之。”《日下旧闻》卷六引然则私家所藏，有益于石渠、天禄也。黄宗羲云：“尝叹读书难，藏书尤难、藏之久而不散，则难之难矣。自科举之学兴，士人抱《兔园》寒陋十数册故书，崛起白屋之下，取富贵而有余。读书者一生之精力，埋没敝纸渝墨之中，相寻于寒苦而不足。每见其人，有志读书，类有物以败之，故曰读书难。藏书非好之与有力者不能。……诚好之矣，而于寻常之书，犹无力焉，况其他乎？有力者之好，多在狗马声色之间，稍清之而为奇器，再清之而为法书名画，至矣；苟非尽损狗马声色，字画奇器之好，则其好书也必不专。……故曰藏书尤难。”《南雷文定》卷二《天一阁记》信斯言，也则私人藏书与明人文物之关联，盖可知也。

故明人如王世贞、胡元瑞等，大抵以文学者而兼为藏书者。《明史》二〇五《唐顺之传》称顺之藏书至夥，即其一斑。

三九　明代技艺论丛

但书院之制，诗文之社，明诗明文，八股杂剧，公私藏书，就其与生人之直接有关系者论之，则反不如下列数者。例如刻书：今人无不知湖南毛晋者，晋则明人也。归庄《归高士集》卷一云："子晋好刻书，自十三经十七史以下流传于世者，不下万卷；毛氏之书，遍于天下。"毛子晋刻《昔友诗》序宋人虽有《儒学警悟》等之刻，而毛氏之津逮秘书规模较巨。于时僧流则颁刻藏经，事亦可称。常磐大定《大藏经雕印考》云："宋元诸藏，与明本所异者，实在根本之目的。宋元之刻藏，以藏经为法宝。欲藏之于名山大刹，而崇拜之。明本，则以普及于天下为事。"此其征也。

案藏经之刻，始于宋官板蜀本、私版福州本、南宋私版思溪本、元私版普宁寺本。于明，则有永乐南北二京藏本，武林法珍尼方册本（伊以前均为梵夹，故云）。万历密藏紫柏方册本。此为儒家整辑《四库》书之暗示，附录于此。

例如雕刻，谢在杭《五杂俎》卷七云："闽人尚有以刻木为小象者，召之至，草草审视，不移时，即去。殊不见其审度经营也。越一日而象成，大小惟命，色泽姿态，豪发不爽，置之座右，宛然如生，亦可谓绝技也已。"

例如自然科学，如柏斯克尔之三角形定律，治西学者，奉为圭臬者也。李俨《中算家之 Pascal 三角形研究》云："吾国之论 Pascal 三角形者，如杨辉（一二六一年，宋理宗景定二年）则较 Pascal（一六五四）早四百年，朱世杰（一三〇三年，元成宗大德七年）则早三百五十年，吴信民（一四五〇年，明代宗景泰元年）则早二百年。吾国数学之具有世界性者，此其一也。"《学艺》九卷九号——此岂不足自豪乎？

在中古时，有祖冲之者推算“π”（Pye）亦具有世界的荣誉，具详余所著《书南史祖冲之传后》《人文》五卷七期，二十三年九月十五日。今以吴信民为例，则知《明史·唐顺之传》谓顺之通乐律句股，殆不足数矣。

明季尚有一方以智，钱嘉淦《明季理学阐微》云：“崇祯十六年，即西历一千六百四十三年，适西方学界之双明星，意人卡利利死，而英人奈端生之翌年，有密山愚者方以智著《物理小识》六卷，公诸世。大别为十五门，天历、风雷、雨旸、地占候、人身、医药、饮食、衣服、金石、器用、草木、鸟兽、鬼神、方术、异事、搜罗綦广，时有精义。今之中国，若后于现世界文明者数世纪，而当奈端之前，已有此著，诚可引以自豪者矣。”

例如医药，《明史·李时珍传》云：“医家本草，自神农所传，只三百六十五种。梁陶宏景所增，亦如之。唐苏恭增百十四种，宋刘翰文增一百二十种，至掌禹锡、唐慎微辈先后增补，合一千五百五十八种。时称大备。然品类既繁，名称多杂。或一物而析为二三，或二物而混为一品。时珍病之，乃穷搜博采，芟烦补缺，阅书八百余家，稿三易而成书，曰《本草纲目》。增药三百七十四种，厘为一十六部。……书成将上之朝，时珍遽卒，未几神宗诏修国史，购四方书籍，其子建元以父遗表，及其书来献。”《明史》二百九十九《方技传》盖时珍之于药，与张景岳之于医，虽曰王世贞、王守仁之文章功业，无以远过，亦可也。

《南雷文定》卷十《张景岳传》：“景岳名介宾，别字通一，越之山阴人也。……是时金梦石工医术，景岳从之游，尽得其传。……是以为人治病，沉思病原，单方重剂，莫不应手霍然。一时谒病者，辐辏其门。沿边大帅，皆遣金币致之，其所著类经，综核百家，剖析微义，凡数十万言。经四十余年而后成。”景岳之技至斯，与时珍共垂不朽，可也。

《本草》者，始见《汉书·平帝纪》。陆心源《重刊本草衍义》十万卷楼丛书之一序云：“《神农本草》之名，见于梁《七录》，凡三百六十五种。陶隐居又增三百六十五种，是为《名医别录》。唐显庆中，命苏恭等参考得失，增一百十四种，是为《唐本草》。宋太祖命刘翰以医家常用有效者，增一百三十三种，是为《开宝重定本草》。仁宗命掌禹锡等，增一百种，是为《嘉祐补注本草》。蜀人唐慎微博采群书增六百余种，是为《经史证类本草》。徽宗命曹孝宗删定之，是为《政和重修经史证类本草》。寇宗奭以禹锡所收，慎微所续，尚有差失，因参考诸家，参以目验，拾遗纠缪，复刊此书。”——此皆时珍之先驱者，今人徒知时珍，予故具录之也。

例如建筑，《五杂俎》卷五云：“国朝徐杲，以木匠起家，官至大司空。其巧侔前代，而不动声色。尝为内殿易一梁，审视良久。于外别作一栋，至日，断旧易新，分厘不差，都不闻斧凿之声也。又魏国公大第倾斜，欲正之，计非数百金不可。徐令人囊沙千余石，置两旁，而自与主人对饮。酒阑而出，则第已正矣。亦近代之公输也。”——信斯技而有斯人焉，则南京报恩寺塔之精巨，其来有自，惜大匠之名，史不具耳。

《陶庵梦忆》："报恩塔成于永乐初年，……上下金刚佛象，千百亿。金身一。金身璃琉砖十数块凑成。其曲折不爽分，其面目不爽毫，其须眉不爽忽。斗笱合缝，洵若鬼工。闻烧成时，具三塔。其一埋，其二编号识之。令塔上损砖一块，以字号报工部，发一砖补之，如生成焉。夜必灯，岁费油若干斛。天日高霁，霏霏蔼蔼，摇摇曳曳，有光怪出上，如香烟缭绕。半日方散。永乐时，海外夷蛮，重译至者，百有余国；见报恩塔，必顶礼赞叹而去，谓四大部洲所无也。"

例如开矿，杨继盛《祭煤公文》云："惟山有自然之利，而人不知取，山灵其热中久矣。昔知取矣，未及于民，而复塞，山灵其抱恨久矣。今特祭告复开，使山之利得乎利于民，而远迩之民，得以享山之利。而今而后，山灵其将以自慰耶？亦或复自秘耶？而使利及于无穷，不止于一时已耶。"《杨忠愍集》卷二此亦民生之佳话，科学动力之渊源也。故具陈之。

以上仅言煤。案煤油之利，古人亦知之，《华阳国志》卷三已谓临邛县有火井。范声山《杂著》中有范锴《华笑顾杂笔》，其中卷一页十六"油井"条，备言之。朱国祯《涌幢小品》卷十五"火井"条云："阿迷有火井，烟来水出，投以竹木则焚。邛有火井，以外火投之，生焰。"又同卷"石油"条云："延安府延长县，石油出自泉中。岁时民杓之，可以然灯，亦可以治毒疹。浸石灰木以火爇之有焰。"此皆煤油之初见于史者。

综而言之，明兴三百年，以其短者而言，固有帝皇之专制日胜，

民生之困苦日甚。理学则守陈言而纷奴主,社会则盛奴婢而轻妇女。而自其长者,则有书院制度之进步,诗文社之成立;以其妄庸者而言,则有制义之文,有赝古之文;而自其美者,则公私之收藏,技艺之进步。工拙互见,优劣互见,明固未始无文物可言也。惜夫民族之衰老,则支吾于蒙古,见败于满洲。故步之自封,则目炫于西教,心震于西学。而明季之人民,目击迂腐之空气,亦日持淡巴菰,静候异族之屠杀,徒为不可抗之命运,发悲哀之微呻而已。

烟草之传入,或谓始于明初。杨家麟《胜国文徵》卷三云:"洪武初,定制凡吸烟者杀无赦。烟草本出于外域,可见当日亦以此为酖毒。"申报馆聚珍本《鲒埼亭集》外编卷五《明钱八将军墓表》云:"故太保阁学忠介钱公,有同七世祖弟肃绣字文卿,世所称钱八将军者也。……文卿事太保甚谨,是时,淡巴菰初出,然荐绅士人无用之者。文卿一见好之,太保见而怒鞭之,文卿皇恐扶服谢过。"阮葵生《茶余客话》卷九云:"烟草一名相思草,满文曰淡巴菰。初出吕宋,明季始入中国。近日案指乾隆时则无人不用。虽青闺稚女,金管锦囊,与镜奁牙尺并重矣。"黎士宏《仁恕堂笔记》页四十六,昭代丛书本云:"烟之名,始于日本。传于漳州之石马,天、崇间禁之甚严。犯者,杀无赦。今则无地不种,无人不食。约之天下,一岁所费,以千万计。金丝盖露之号,等于紫笋先春。关市什一之征,等于丝麻绢帛。朝夕日用之计,侔于菽粟酒浆。不知数百年后,此种有消歇时否?又不知数百年后,更有何物争新出奇,如烟等类否?江河日下,运会无穷,千岁茫茫,真可浩然一想。"考《仁恕堂笔记》成于康熙二十年,其所述为明季清初。至乾隆十六年,印光任、张汝霖撰《澳门纪略》，其中卷下页十五云："烟草可卷如笔管状，然火吸而食之。"所述已近卷烟。——今卷烟盛行，争新出奇，又为黎氏所不及料矣看《陔余丛考》三十三"烟草"条。

卷四　近世卷

第一章　近世文化概说

一　本系文化之延长

上文言近古文化史中之技艺，如雕刻之技，医药之事，其在近世，固犹相沿不废。此已可以征近世文化之与近古有关云。近世文化，且不仅与近古文化有关，即推而之于中古，亦何独无关。

夫以政治言之：近世史中之中国政治，大部分犹为专断之政治。其为沿袭于近古，自无烦说。明人罢丞相，设大学士见上卷三十节。学士者，殿阁值日官之谓耳。其在于清，则大学士而又入直军机处矣。赵翼《簷曝杂记》卷一“军机处”条曰：“军机处，本内阁之分局。国初承前明旧制，机务出纳，悉关内阁。其军事付议政大臣议奏，康熙中谕旨，或有令南书房翰林撰拟。是时，南书房最为亲切地。雍正年间，用兵西北两路，以内阁在太和门外，儤直者多，虑漏泄军机。始设军需局于隆宗门内，选内阁中书之谨密者，入直缮写，后名军机处。地近宫庭，便于宣召。为军机大臣者，皆亲臣重臣。于是承旨出政，皆在于此矣。”读史者，徒知以军机处为政事堂名义之不当，而不知固犹前明殿阁大学士之变末加厉耳。

姚文栋《军机故事》《补遗》页六云:“嘉庆四年,御史何元烺奏《请酌改军机处名目》一折,内称军机处承办一切军务,与兵部之专司戎政者不同。现在军务已经告蒇,似应更名改目,以应偃武之隆。奉旨:军机处名目,自雍正年间以来,沿用已久,何元烺折着掷还。”何盖不揣其本,而齐其末,徒事于正名之琐屑耳!赵祖铭《清代文献迈古录》卷十二“国初因明制,不设中书门下及丞相府。殿阁大学士地望虽尊,只侍左右,备顾问而已。……乾隆十三年定制:满汉大学士各二员。自雍正七年伐准部,西陲用兵,创设军机处于隆宗门内。于是军国重事,径达枢廷;而阁臣不特望轻,直同冗职。大学士必直军机处,始为当国。”是则始为穷本溯源之谈。

李鸿藻《霆军纪略》《凡例》云:“故事,武职大臣单衔具疏,自称‘奴才’,与旂籍臣工一例。而《钦定剿平粤匪各方略》,于满汉文武臣工各奏疏,则概以臣字为文。此编所载鲍公各奏稿,谨遵方略,一例称臣。”可知清制,满员及武职,俱称奴才也。案范《书》九卷《献帝纪》注引《汉官仪》曰:“侍中分掌乘舆服物,下至亵器唾壶之属,武帝时,孔安国为侍中。以其儒者,特听掌御坐唾壶,朝廷荣之。”奴才与侍中,固相似也。

如以经济而言,富人之长袖善舞,语已见于《韩非·五蠹》。《史记·日者传》褚先生曰:“富为上,贵次之。”其在中世,如鲁肃之指囷济友《吴志》本传,明皇之言富可敌贵本书上册页五一五,而近古亦有卢助教之刻剥佃人近古卷第一节,又有主杀佃人减等之例拙作《中国田制丛考》页一六〇引李心传《系年要录》七十五。其在近世,则亦有董心葵之豪语:“董心葵字廷献,武进人。农无方,商无本,工无艺,士无学。见贫贱人，怜之，富贵人，傲之。性好赌呼卢，客满座。以朱提之多少，次上下。客谢之，曰：尔见我有银百万，与皇帝坐金銮殿讲话也。”《花村看行侍者谈往》页七六，说铃本昔西汉宁成云：“仕不至二千石，贾不至千万，安可比人乎？”《汉书》九〇然则，金钱万能之说，固今古而其揆一焉。

钱泳《履园丛话》卷七：“吾乡有富翁，最喜作刻薄语。尝谓人曰：钱财吾使役也，百工技艺，官吏缙绅，亦吾子孙也。人有诘之者，翁答之曰：吾以钱财役诸子孙，焉有不顺命者乎？语虽刻薄，而切中人情。”可征富人之力，近世与中古不殊。

如以社会言之，前年澹然君言云：“我国人普通人之心理，对于自己之女，则宠爱非常。对于自己之媳，则仇恨深切。夫既知己女之必将为人媳也，则何为而虐人女之为己媳者乎？此中矛盾，直不可解。”二十一年一月二十七《新闻报》案太后爱女，见于《赵策》《国策·赵四》；姑恶之歌，始于中世。女子在社会之地位，除其本生父母，尚加重视以外，几泯沦而不可拔。此亦导源于古世，而派衍于今世者也。

《韩非子》《六反》云：“且父母之于其子也，产男则相贺，产女则杀之。此俱出父母之怀衽，然男子受贺，女子杀之者，虑其后便，计之长利也。”《后汉书·陈蕃传》：“盗不过五女门，以女贫家。”是女子之被轻，在古史原以经济不能独立故。案康熙辛巳，徐庆作《信徵录》页三十一云：“嘉善曹鉴平字掌公，妻陈氏，性残酷。生二男二女，一日陈闻门外鼓乐喧甚，出视之，乃送奁者，妆资颇丰厚。因自私念，吾有二女，使奁饰如此，二男何以为生？时幼女甫七岁，锁之楼上，绝其饮食。其女号呼哀惨，置若罔闻。"董含《莼乡赘笔》卷上言："山阴一小姓，家甚贫。生一女，将杀之。忽闻空中鬼语曰：'莫溺杀，莫溺杀，他的丈夫是滕达。'一家惊异。"然则因经济故而贱女，今古又大致同也。

如曰：以学术征之，近世学术之大要，一曰勇于疑古，二曰敢于便民。前者，其事甚明。后者当如近世之主张国语文学者，考宋周煇《清波杂志》卷十云："沈隐侯云，古儒士为文，当从三易。易见事一也。易识字一也。易诵读一也。"参看近古卷十八节阎若璩《潜邱劄记》卷二原刊本云："一后生问邓文洁作文之法，曰：'文字须说得汝心明白。'"是以白话为文，古人有同感焉。香山作诗，索解老妪见本书中古卷第四三节。《朱子语类》卷一四〇云："今人不去讲义理，只去作诗文，已落第二义。况又不去学好底，却去学那不好底。作诗不学六朝，又不学李杜，只学那崎峣的，今使学得十分好，后把作甚么用？"是以白话为诗，古人有同感焉。扬雄《方言》卷一云："党、晓、哲，知也。楚谓之党，或曰晓。齐宋之间，谓之哲。虔、儇，慧也。秦谓之谩，晋谓之䛐，宋楚之间谓之倢楚，或谓之䜌。自关而东，赵魏之间，谓之鬿，或谓之鬼。"张守节云："方言差别，固自不同。河北江南，最为巨异。或失在浮清，或带于重浊。"《史记正义·论音例》然则方言差别之问题，固亦不自今来始然。

《东华录》乾隆十年七月，"礼部议准，福建巡抚周学健奏，闽省正音书院，原为教习闽人，通晓官音而设。但闽省士民甚多,一馆之内,止容千余人正音,固难遍及。况教习多年,乡音仍旧,请裁四门正音书院,令州县教职,实力劝导。从之”。是因方言之不同,而别思正音,其由来也渐矣参看《人文》月刊六卷一期拙作《书施可斋闽杂记后》。

至如勇于疑古,其实,亦不自近世之乾嘉大师始也。于宋则如《朱子文集》卷七十一记李复《潏水集》二事云:“旧说禹凿龙门,而不详言其所以凿。但谓因旧修辟,去龃龉,以决水势而已。今详此说,则谓受降以东,至于龙门,皆是禹所新凿。若果如此,则禹未凿时河之故道,不知却在何处?”是朱子疑禹凿龙门也。《朱子语类》八十六:“大抵说制度之书,惟《周礼》、《仪礼》可信,《礼记》便不可深信。《周礼》毕竟出于一家,谓是周公亲笔做成,固不可。然大纲却是周公意思。某所疑者,但想周公立下此法,却不曾行得尽。”是朱子疑《周礼》、《礼记》也参看近古卷二十四节。盖清人汉学之风,宋明人固已开其端倪矣。

章炳麟《太炎文录》卷一《说林下》云:“仪征刘光汉赠予《字诂》《义府》,明黄生作也。其言精镐,或出近世诸师上。夫伪古文之符证,发于梅鷟;周秦古音之例,造端于陈第。惟小学,亦自黄氏发之,孰谓明无人乎?顾独创而寡和耳。”可征乾嘉之学,为今世诸儒之胚,明儒之学,又为乾嘉诸儒之胎。如胡应麟、杨升庵诸人,其书具在,尚可复按,不仅黄生一人而已。

然则以政治言之,以经济言之,以社会言之,以学术言之,凡近世文化之炳彪于一时者,穷本溯源,未尝无渊源于古昔者。即如近年之所谓十教授宣言者，标明中国本位之文化。就其近源而言之，则张之洞中学为体，西学为用之遗耳。就其远源而言之，则孔子博学明辨，允执其中之遗耳。良由中国之文化，固自有其本位；言废斥而土芥之乎，固不可能；言宝重而什袭之乎，亦不可必。斯近世文化史中，所以有旧的延长，与新的侵入之两事焉。

其实，史事之赓延，或为由于环境之相同，遂至发生同样史实。案《宋史》四一二《孟珙传》云："国事如此，合智并谋，犹惧勿克。而员司方勇于私斗，岂不愧廉、蔺之风乎？"取此古事，以比今兹，直可泪下。近为《史例》一书拟阐明之，此不录也。

二　近世文化之特色

然近世，自明末以迄于今兹，固有特殊之现象，为上古、中古、近古、所未有者矣。

其一，则民族之萎靡也。

平心而言，自明崇祯十七年一六四四，以至于属笔一九三六之二百九十二年中，我民族之自政自令者，能有几时？其初，则受满人之节制也，其继，则受外人之凌辱也。以前者言：则《东华录》称："给事中姚文然言，诸大臣皆因得罪锁禁城门。窃以诸臣官列大僚，素蒙豢养。今值严冬冱寒，银铛被体，无论寝食难艰，日久成疾。且通衢大路，免冠带锁，亵辱难堪！"顺治十年正月《东华录》二〇以后者言，则辜鸿铭之喻，可谓曲尽。辜自署汉滨读易者于宣统庚戌作《张文襄幕府纪闻》上卷页四十二云："厩焚，子退朝，曰伤人乎，不问马。今日地方一有事故，内外衮衮诸公，莫不函电交驰，曰伤羊乎；不问民。"羊指洋人，此语可谓痛心。

其二，则国疆之大而危也。

曷谓国疆之大而危也？《大公报》云："方东北未滔陷前，吴铁城君曾谓不到东北，不知中国之大。不到东北，不知中国之危。言犹在耳，河山易色。本报记者李天织君，奉社命旅行新疆，艰难困苦，一年始回。但中国之大与危，在新疆又得证明。望国人勿再负中国之大，当猛省中国之危。"二十三年六月二十六"大"，盖清世之所成，"危"，亦清季至今之所造，盖至近世，则中国之活割，已成为日应警惕之事矣。

二十二年五月二十六日《密勒氏评论报》有美人 Edgar Snow 所著《中国五十年来之活割》云："自日本最近占据河北省内长城南北约一万方里之土地后，中国近五十年来之一期衰落史，告一段落。中国自一八八三年以来，在其亚东大陆领土上，失去主权之地面，已达二一四四一一九方哩。此项国土之分崩，较之罗马、希拉、巴比仑、埃及四帝国所遭逢者，更为迅疾而凶惨焉。其失地之总计：东京，四〇五三〇方哩。安南，九二五六八方哩。缅甸，二三六七三八方哩。尼泊尔，五四〇〇〇方哩。布丹二万方哩。高丽八五二二三方哩。台湾，一三九九四方哩。配斯卡道尔，五〇方哩。满洲，三十八万方哩。热河，六万方哩。河北北部，一万方哩。察哈尔，一千方哩。外蒙，九十万方哩。西藏，七十万方哩。统计二四一四一九三方哩。"——题曰活割，盖不徒以数字惊人矣。

其三,则民族能力之未能发扬也。

张弘伯《落伍与迈进》云:"中国之落伍,昭然若揭,无可掩讳。至落伍时间之长短,有谓一百年者,有谓二三百年者。聆此可以惊骇。然以巴黎历史博物馆所藏十七世纪该市模型,与今日故都对勘,则似非过甚之谈。然而吾人不必自悲,不必自馁。如能万众一心,急起直追。则二三十年间,或能超越他人。东邻日本,即其征也。经验云:后来居上,故落伍不足忧。落伍而不知觉悟,不知努力,则真可忧。过往之失败不足惧,失败而不知原因,不知覆辙,乃真可惧。谚云:前事之不忘,后事之师。老大孤危之民族,到此已在总结账之时矣。佛云:作如是因,生如是果。无如是因,无如是果。又云:欲知前世因,今生受者是;欲知来世因,今生作者是。以此数语观察吾民族之将来,盖不能不谓可准焉。"原文载《国闻周报》十二卷二十六期嗟夫,除勉厉之言莫论外,二三百年来民族能力之未能发踔,盖不容令人有讳疾、讳医之事乎?

> 张廷休作《中华民族是落后的吗》:"中国人最乏创造精神,不仅勃克夫人一人云然。西人来华者,大都言之。此种见解,国人亦有许可之者。如晏阳初者流,则以为私、愚、贫、弱,为华人四大病根。人种学家之狂妄者,更有人提出中国人种不良之证据。去年之夏,伦敦国际人种学会中,我代表欧阳翥君,曾据理痛驳,如条顿人鼻高,印度人鼻亦高,盖不能以鼻高为人种优秀之据。但西人仍据私、愚、贫、弱,为中国人落后之证。殊不知法国有斯达维司基大舞弊案,美国有海军部盗卖石油案;德国有樊德鲁伯火烧国会,处以斩首极刑案,皆近岁

事也。且以工人而论，万里长城之与亚尔卑斯隧道，孰伟孰大？以殖民而论，以政治与武力保护移民，孰如中国人之以赤手空拳，而海外之侨人，竟超英国一倍，法国十倍，日本十五倍？”“不过，一个人穷了，什么都给人家看不起！一个民族穷了，也是一样。”“我人应深信中国民族之天赋，并不比人为弱，且自信有生存之力量，而应用此力量，充分发挥出来也。”节录《新中华》三卷九期，二十四年九月出版夫民族低能之说，诚如张君言："一个人穷了，都给人家看不起。"参看上册页三九引卢于道文然民族能力之未能发扬，则未可废之言也。

而在最近之百年中，则中国之全体，实在大转变中。其所影响于文化史中，自必有可观者存。

何树龄《论实学》云："务实学者，以忠信廉耻为甲胄，以士农工商为卒伍，以穷理格物为韬钤；以奇法新艺为糗粮，师法域外而非辱。以旧习宿弊为痃结，屏却身外而不惜。以伤师失地为药石，铭箴坐右而不讳。务虚文者，以农工商贾为鄙琐，以八股制艺为神圣，以八韵卷折储卿贰，以弓矢刀石作干城，以夸毗揖让为驯厚，以荡轶不羁为高节，以钻营奔竞为通方。守此不变，吾恐数年之后，官山者皆泰西之丱人，而夷齐无可隐之山；府海者皆泰西之渔师，而仲连无可蹈之海也。"麦仲华《经世文新编》二十一引取师法于他山，不恋恋于旧习，此则态度之一变也。

我国人对于外来文明，久有贯高自慢之风。惟魏晋之间，佛教传入，颇有震聋耳目之概参上册页二八一。惟西教西学之传入，较佛陀之义，尤为震撼一时云。故陈仲鱼云："今日风俗之敝,必先去其邪。古之所谓奢者,今则视为平淡无奇,而惟外洋之物是尚。如房屋舟舆,无不用玻璃,衣服幄幕,无不用呢羽。其至食物器具,曰洋磁,曰洋漆,曰洋锦,曰洋布,曰洋青,曰洋红,曰洋獭,曰洋纸,曰洋画,曰洋扇,遽数之而不能终其极。而南方诸省则又通行洋钱。大抵自日本、红毛、英吉利来者。有教民之责,必立令以禁之乎?制刑以齐之乎!使内地有用之物,不易外洋无用之物;日月既久,去邪归正。倘见有用外洋服物者,必骇为怪异之人。则孰肯费己之财,而招怪异之目哉!"梁章钜《退庵漫笔》卷七,道光十七年成准此论之,可知非仅西教西学,能震撼一时,即一切物质文明,亦大震荡中土提倡国货,盖自清中叶而已然。

陆以湉《冷庐杂识》卷七"今胜于古"条云:"祭之用尸也,丧之用殉也,媵之以侄也,刑之以肉也,妇人之以废疾无子出也,古也有三,今则无。是今之胜于古者也。"此以制度而言古不足法也。剑华堂《续罪言》云:"呜呼,今日之天下,与古之天下异矣。古之天下,九州七国,三十六郡耳,十三部耳,十六道耳,二十六路耳,十三行省耳,守一统无外之经,挟自尊卑人之见。中国而外,属国者五,曰朝鲜,曰安南,曰暹罗,曰缅甸,曰琉球。服者藩之,远者夷之。自来筹全局者,如此而已。及西人东来,地球图出。夫然后五大洲之土地,数十国之名号,粲然而纷呈。以中国十八行省较之,直四方之一隅耳。"据陈忠《经世文三编》四十九引此以地理而言古不足法也。俞赞《恤商论》云:"今日之势,匪特前古所未有,抑亦开辟以来未有之奇局。合五大洲为一家,未可以寻常治天下之理,治今日也。"同上卷三十一此则以政治而言古不足法也。宋玉卿《戊壬录》上卷载康有为于光绪十三年一八九七上言："大地八十万里，中国有其一。列强五十余国，中国居其一。地球之通，自明末；轮船之通，自嘉道。皆百年前后之新事，四千年来未有之变局也。"此则以近百年间，当大变局，而谓古之不足取法也。至谭嗣同一流人之力主反古，尤不必论。此又态度之一也。

谭氏谓："于文，从古皆非佳义。"语见《仁学》。颇与前史所谓变古乱常不死则亡者异，已见本书见上古卷第二十七节，此不录也。

综而言之，自明季以迄今兹，阅年三百，日月如驰，举凡民族之萎靡不振，国疆之由大而危，能力之未能发扬，如可誉之为后来文明之渊源，则或惟"尺蠖之屈以求伸也"一语，足以稍资慰安。至于近百年来，国族在大转变中，而自此以往，四五千年之文化史，反不足予其后昆以一确切之保证，举凡社会、经济、制度、政治、法律，……均无一可以保持其定态。此则非但上世中古近古所未有，抑亦近世之上半，所未曾梦想到此者也。

例如以农立国，而粮食则取藉于海外，侈陈国学，而取证则求材于东文。此则立国之本中国以农立国，嘉庆十三年《东华录》犹云云，与仅存之学问，亦在不能保有定态之征也。

第二章　西教与西学之萌芽

三　初期来华之基督教

然使中国之文化史，无以保持其定态者，则基督教之来华，亦其重大之一因云。其一，中国虽久有三教论衡之说参看上册页四〇八，然儒家之旨，平易近人；本难称为宗教。道家之教，未流浮肤，自唐以后，亦几乎为怪异，而非宗教。其屹然独存者，莫佛教若。然其与物无争，与世无忤，亦安而后定矣。海人东来，挟新奇之说，其为震荡我民者，自非佛教所能望也。其二，白马东来之时，虽带有新奇之艺术，如建筑雕像等等，然而基督徒之来也，更有新奇之科学仪器，助之以宣扬其教义，使教外之人，啧啧称道勿衰。其三，中国人对于外来宗教，向取放任之态度，而诸外来宗教，如佛如回如摩尼，亦皆因势利导，从无胁迫他人以必从之事。独基督教之来华也，初则以科学炫其奇，继则以坚忍行其教，而终以炮火勒其成。——斯三事者，岂特基督教之特殊状态，抑亦三百年中中国文化史中之特殊现象也。此非吾一人之私论也。

基督教之来华，严格言之，固当在明季云。

于唐虽有景教之来参见中古卷三十七节，据陈垣《浙西李之藻传》

云："是年天启三年长安居民，掘地得碑，题曰《大秦景教流行中国碑》。碑称唐贞观九年，景教已至长安，宰相郊迎，翻经内殿，法流十道，寺满百城。岐阳张赓虞拓一纸寄之藻曰：此教未之前闻。其即利氏西泰所传西教乎。之藻得碑读之，果与圣教悉合，大喜，为之书后，力表之。"刊在《大西利子行述》之后第四页然据后人之所记，景教实始于唐而即衰于唐也。

德礼贤《中国天主教传教史》页四云："据说，在东汉时代，曾有西利亚教士两人，到过中国。表面是说要养蚕治丝，把蚕子带回中国，其本意则为传教。考景教属于聂斯多略派（Nestorian），曾翻译《移鼠迷诗诃经》（*Book of Jesus Messiah*），其中称天主为天尊，亦称述'原罪'、'贞女产子'、'天主降生'等事。然到九八〇年宋太宗太平兴国三年，一聂派主教，曾返欧报告：'中国境内，只剩了一个景教信友。'"德礼贤以为此与唐武宗之禁外教《旧唐书》十八《武纪》有关《传教史》页十三。按《景教碑》有"室女诞圣于大秦，判十字以定四方"二语，朱一新谓"十字本无定在，安知波斯火教，不亦有此言"？因断"景教之不同于天主，自有明征。盖中土名士，如徐光启、李之藻辈，为之润色。徐李皆彼教中人，亦无足深责"。以上见《无邪堂答问》卷二似嫌周纳文傅。但景教之为势不张，则殊无可疑。

及元之盛，马哥孛罗东来，"据西人所撰《东游记略》云：有波罗马哥者，于宋末元初，遍历燕京、苏、杭、滇、闽，曾知扬州行中书省事。至元二十五年，教王遣约翰来华，劝元帝崇奉西教。元帝不从，而立教堂于京师，入教者约六千人"《无邪堂答问》卷二。盖当"蒙古人尚未入主中国之先，他们的势力，已伸张到了欧洲，侵入俄罗斯和波兰两国。故在十三世纪中叶，欧洲人很受蒙古势力之威胁。教宗 Innocent Ⅳ以为如不设法使蒙古人退回，天主教教化，就要受极大的威胁。于是决派一个教廷专使，到东方和蒙古人讲和"《传教史》页二四。因而"中国第一个天主教传教区的创始人，是一意大利籍的方济各会士。先到近东，后到远东。他在一二九四年元世祖至元三十一年上，到了上都即今北平。元成宗接待他，极为恭敬。……在一二九八成宗大德二年至一二九九年间，北平第一座教堂落成。……在一三〇五年大德九年上，他写了一封极能动人的书信，'我只消有二三个同志来帮助，也许大可汗本人，已经受洗了'！……"《传教史》页三六—三七元世基督教之盛如斯，然此为基督教之入中国国土而已，而非基督教之入于中国国民也。

> 在元末叶，教皇又曾派一专使 Manignolli 来华，伊见中国多事，元室不久欲亡，即启程返欧。虽有元帝之恳切挽留，置之不顾，是为景教以后，基督教第二次之衰灭。且元世之基督教，虽云："据概括之报告，这次归化圣教者，约有三万人。可是这次天主教传入中国，对于中国民众，究竟有没重大的影响？却也有些可疑。因为归化的虽则不少，可是，大抵不是汉族人民，以阿兰人与蒙古人居多数而已。"《传教史》页四十一

自元亡以至明之前期，基督教之在中国，德礼贤氏，名之曰闭关时代。以其各种事业，停滞不进焉。及利玛特 Matteo Ricei 来，而景地始一大变云。

利玛特者，意之 Macerata 人也。生于一五五二年明嘉靖三十一年，

以万历间至中国之澳门。印光任《澳门纪略》卷下页十二述其事云："万历九年一五八一利玛特始泛海九万里，抵广州之香山澳，渐入南京，倡行天主教。至万历二十九年，入京师，献方物。自称大西洋人。礼部言：'《会典》只有西洋琐里，无大西洋，其真伪不可知。又寄居二十年，方行进贡，则与远方慕义，特来献琛者不同。且其所贡天主，及天主母图，既属不经，而所携又有神仙骨诸物，夫既称神仙，自能飞升；安得有骨？则唐韩愈所谓凶残之余，不宜入宫禁者也。乞颁赐冠带，即令返国。勿令潜居两京，与中人交往，别生事端。'不报。已而帝嘉其远来，假馆授粟，给赐优厚。利玛特安之，遂留居不去。以万历三十八年四月，卒于京，赐葬西郭外，今阜城门外，有利泰西子墓云。"观于花村看行侍者及张尔岐之所记，知此人之精力绝人，见识绝人，观其所上之表："大西洋陪臣利玛窦，谨献土物于皇帝陛下。臣本国窎远，从来贡献不通，逖闻天朝之声教文物，窃愿沾被余溉，终身为氓。始为不虚所生。因此辞离本国，航海远来，时历三年，路经三万，始达广东，语言未通，有同喑哑，因僦居而习华文，淹留于肇庆韶州府，垂十五年。颇知中国古先圣人之学，于经籍略能记诵，而通其旨。乃复越岭，由江西至南京，又淹留五年。伏念堂堂天朝，且招徕四夷，遂奋志努力，径趋阙庭。谨以天主像一幅，天主母像二幅，天主经一本，珍珠镶嵌十字架一座，报时钟二架，万国图志一册，西琴一张，奉献于御前。物虽不腆，然从极西贡来，差足贵异耳。臣从幼慕道，年齿逾艾，讫未婚娶，都无系累。他非所望，谨以所献之宝像，祝万世，祈纯嘏，祐国保民，实则区区之忠悃也。伏乞皇上怜臣，诚悫来归，将所献土物，俯赐收纳。则益感皇恩浩荡，无所不容。远臣慕义之忱，庶稍伸于万一。抑臣在本国，忝列科名，已叨禄位。天地度数，深测其秘。所制观象考验日晷，与中国古法吻合。倘皇上不弃疏微，使臣得于至尊之前，罄其愚昧。又区区之大愿，而未敢必者。臣不胜感激待命之至！”录徐光启《徐文定集》首卷之下附录读华文而称华贤，一也；不忘其教，二也。炫以新奇之科学，三也；而锲而不舍之精神不与。

《说铃后集》第十八册有《谈往》一书，旧题花村看行侍者所著。其“西洋来宾”一条页六八—七〇，略云：“大西洋十字架，教主利马窦也。万历三十年，由广东南呑，率其徒庞迪峨、龙化民等五六人，至五羊城，转入八闽，递上金陵。自言来自大西洋国，路远十万，泛海九年。海水崇卑，有上升于天下及于渊之高下，亦如地之低昂。初出千里镜、自鸣钟、举重算法诸事件，较大明国贤愚万倍。更出欧罗巴舆地图，接大明国，仅掌中一纹，东南大海，固不如也。留都台省，骇极喜极，尊为西儒，称为西土圣人再出。浑天仪，量天尺，勾股法，算时测度，卜影景星，诸谈玄说奥，更莫能识其隐。又曰：大统历已坏，会须修之。更是惊奇！胸包天上之天，目空地外之地。因咨送燕京，引之达御览。遣太宗伯冯琦琢庵，叩所学。”“窦入京师，建天主堂于宣武门内，堂制狭长，上加覆幔，傍绮疏藻绘诡异，供耶苏像。像系彩饰平画，望之如塑。貌三十余人，左手执浑天仪，右又指，若方论说状。须眉竖者如怒，扬者如喜。耳隆轮，鼻隆准，目若瞩，口若声，右圣母堂，貌若少女，手一儿，耶苏也。衣非缝制，自顶被体，所供香灯盖帏，修洁精美，其入京为万历之辛巳九年卒于庚戌年万历三十八，奉旨以陪臣礼，葬于阜城门外三里许。”

而又为适逢其会者，在明万历之间，正我国一切学术落伍，国事紊乱失叙之秋。对日军事之败，对满辽战之溃，正利玛特来京前后间事。中国之需要于新奇之科学，正非一端。故基督教徒之来，虽有沈漼一流人致其顽强之抗，而要之，实不足以致基督徒之命，而使之崩溃也。

崇祯间有徐昌治著《圣朝破邪集》凡八卷，均对于基督教之指摘也。今考杨光先《与许侍御书》云："学士大夫，如徐光启、李之藻、冯应京、樊良枢者，或叙其算法，或叙其仪器，或叙其历数，至进呈书像一书，则罕有序之者。实汤若望自叙之。可见徐李诸人，犹不敢公然得罪名教也。"《不得已》卷上《徐文定集》卷首下云："公（徐光启）馆京邸，与利子交益密。朝夕过从，遂无虚日。问道之余，讲求西法，利子口译，公则笔之。天文、地理、形性、水利诸学，罔不探究。而推算历数，尤加意焉。其《几何原本》一书，最近脱稿，公自序云：'利先生从少时，留心艺学。其师丁氏，绝代名家。以故极精其说，而与不佞游久。讲谈余暑，时时及之。请其象数诸书，更以华文。'"徐家汇天主堂印本页十一是又利氏东来时，学问饥荒之环境，足以便其行教之证焉。

四　初期基督教徒之风度

何况初期来华之基督徒，利玛特之诚挚而外，其风度有足取者。

其一，则力效华风也。

利玛特于万历二十八年十二月上疏，“始达广东，盖缘音译未通，有同喑哑。因僦居而习语言文字，淹留韶州肇庆二府十五年，颇知中国古先圣人之学”。《文定集》卷首下页十一引则是利玛特能华言焉。德礼贤云：“利氏和他最初的同志们，优美的特点，是处事谨慎，待人和蔼，感觉锐敏，学术精深。……利氏对于中国文学，下过一番研究工夫，造诣很深。《四书》、《五经》，都能熟读。所以和他们指达官贵人周旋应对，很是谈得投机。”《传教史》页五六稻叶君山《清朝全史》三十八章曰：“明末清初时代，宣教师不独富于殉教之精神，且默察支那之风俗习惯，自将支那所嘲为夷风之洋装，易而为中国士人之服装。起居饮食，全与支那人同，遂受支那士人之教育，肄习其言语文章。对于下等社会，则以浅易演说，讲明基督教之福音。对于士人社会，则用流畅醇雅之汉文，从科学上立论。此等方法，盖彼等特所注意者也。”能知华文华语，肯仍华俗华风，斯则其丰度，一也。

利玛特之著作，其见于《四库全书》者，如《天算一》，有《乾坤体义》。《天算二》，有《同文算指》、《几何原本》。《杂家存目》，有《辨学遗牍》、《二十五言》、《天主真义》、《畸零》十篇，《交友论》。虽未必为其一手所著，亦可见其渊博动人也。

其二，则自附于儒家也。

艾儒略《大西利先生行迹》：“汝南朱公，素以道学称，崇奉释氏。……有一日，与诸公论道，多扬释氏，抑孔孟。时刘公斗墟在坐，矍然曰：‘吾子素学孔孟者也，今以佞佛故，驾孔孟之上，何也？

不如大西利子，奉天主真教，航海东来，其言多与孔孟合。’”页五梁章钜《退庵随笔》卷八：“西洋人入中国，自利玛特始。其教法之传中国，自利玛特《二十五言》一书始。大抵暗资释氏，而明攻之。又明知儒教之不可攻，故所著《天主实义》，并附会六经中上帝之说。同时庞迪我又著《七克》一书，述天主所禁罪宗凡七。一骄傲、二嫉妒、三悭吝、四忿怒、五迷饮食、六迷色、七惰懒于善。迪我复发明其义，一曰伏傲、二曰平妒、三曰解贪、四曰息忿、五曰塞饕、六曰坊淫、七曰策怠，则与儒书，又何所异焉。”其所以力主皈附于儒教者，一则名公士夫，多自名为孔子之徒；二则孔教本不成为宗教，与基督教较无敌意！故徐光启者流，且以诸陪臣之家，与儒家相合，为标榜云。

黄伯禄《正教奉褒》余未见，据柳著《文化史》引云：“万历四十四年，徐光启奏彼国教人，皆务修身以事天主。闻中国圣人之教，亦皆修身事天，理相符合。是以辛苦艰难，来相印证。欲使人人为善，以称上天爱人之意。其说以昭事上帝为宗本，以保救身灵为切要，以忠孝慈爱为工夫，以迁善改恶为入门。……诸陪臣之言，与儒家相合；与释道相左。僧道之流，咸共愤嫉，是以谤害中伤。”此文于基督徒之依托孔门，可谓一针见血矣。

然而徐昌治《圣朝破邪集》卷二犹载崇祯十年，福建巡抚道施邦耀告示云：“自利玛特一人，航海而来，阐扬其说。中国之人转相慕悦。莫觉其非。本道细阅其书，大概以遵从天主为见道，以天堂地狱为指归，人世皆其唾弃，独有天主为至尊，亲死不事哭泣之哀，亲葬不修追远之节。此正《孟子》所谓无父无君，人道而禽兽者也。……然其巧辞深辩，足新好异之所闻。细小技能，又能动小民之嗜好。于是穷乡僻壤，建祠设馆。青衿儒士，投诚礼拜。坚信其所是而不可移易。如生员吴伯溢，以缙绅之后，甘作化外之徒。黄尚爱等，山野匹夫，妄为护法之众。本道廷问尚爱等，所以入教之故，则云：中国自仲尼之后，人不能学仲尼；天主入中国，劝人为善，使人人学仲尼耳。夫仲尼教人慎终追远，又曰：生，事之以礼；死，葬之以礼。宁有亲死不哀，亲葬不奠，而可称为仲尼之教者乎？……本道谕令尚爱等悔悟出教，免其戒责。彼则宁受责而不肯悔从教之非。……最可怪者，方具详闻，而生员黄大成、郭邦雍，忿忿不平，直赴本道，为夷人护法。极口称人间追远祭祀为虚文，惟天主为真实。且以本道为古怪不近情者。此等情状，似不普天下而入夷教不已者！……蒙此令行严禁，为此告仰地方军民人等知悉：凡有天主教夷人，在于地方，倡教扇惑者，即速举首，驱逐出境，不许潜留。保甲内有士民私习其教者，令其悔过自新。如再不悛，定处以左道惑众之律。”然则，基督教徒之奉孔而不泥于孔，在倚附中，仍不失其独立之标格，盖又明甚。

其三，则略为变通也。盖基督教之来华，其最格格不能相入者，厥为祀先祭祖之仪式，施邦耀所指斥者是也。故万历四十四年，沈㴶《奏参远夷疏》云：“臣又闻其诳惑小民，辄曰祖宗不必祭祀，但尊奉天主，可以升天堂免地狱。夫天堂地狱之说，释道两氏皆有之。然以之劝人孝弟，而示惩乎不孝不弟造恶业者。故亦有助于儒业耳。今彼教劝人不祭祀祖先，是教人不孝也。”《圣朝破邪集》卷一夫孝者，天之经也，地之义也。明德追远者，圣人之至训也。是基督徒之一神信仰，教人不祭，为中国人所反对者，必矣。故初期之基督徒之在华者，至优容尊孔与祖先崇拜二事，以为与教旨不忤。则其委曲求全之风度，亦后此所未有者也。

稻叶君山《清朝全史》第三十八章："当时之宣教师，除直接违反教旨，违逆圣训以外，务为保全支那人固有之信仰习惯。其信徒亦能得崇拜祖先之许可。然当未许可以前，几经踌躇。……然宣教师中，对于祖先崇拜，孔子释奠，颇有异论。……一七〇四年康熙四十三年，罗马教皇教书，对于支那之基督教信徒，严禁祖先崇拜之仪式。但北京宣教师，不为发表。至一七四二年乾隆七年，教皇伯纳其克特第十四，发表有名之 Ex Qus singnlari 教书。由是支那之基督教徒，不得再行祖先崇拜之仪式。于是后之宣教师问题，遂生非常之影响。"摘录本文——然则在乾隆七年以前，教会于偶像崇拜，尚且曲许。其变通之度，不可谓不大也。

然初来华之基督徒，其翼然自守之风度，盖亦有之。即对佛学之正面攻击，是也。万历乙卯四十三年利玛特死后之五年也。释袾宏作《竹窗三笔》页四十五《天说一》云："'一老宿言，有异域人为天主教者。子何不辩，予以为教人敬天，善事也，奚辩焉？老宿曰：彼欲以此移风易俗，而兼以毁谤佛法，贤士大夫多信奉者故也。'此佛者之言。'自古及今，万国圣贤，咸杀生食荤，而不以为罪，亦不以为违戒。又孟轲告世主，以数罟不可入汙池，斧斤以时入山林，非不用也'。佛氏之国，陋而且鄙，世人误读佛书，信其为静，甚有愿早死以生彼国者,良可笑也。”据《圣朝破邪集》八引此基督教徒之言。观乎明季释氏之愤慨,可以见当时之基督教徒之排斥佛教之不折不扣之主张焉。

崇祯七年一六三四甲戌,武林释普润著《诛左集缘起》徐昌治《破邪集》卷八引云:“夫天主教者,实乃邪因外道,反常异端,法所不容,理所必黜者也。按其始,挟技以逢好事,捏征以启信邪。既而招来丑类,朋作伪书。今举其尤,余推以类。盖彼不达惟心,全迷一体。故执心外有法。谓万物皆生于天主,性灵不遍,一灵惟局于我身。且阳排释道以疑儒,阴贬儒宗而探学。斥率性以非道,讥事亲以不臧。怨禽兽以无灵,证木石而有命。因以烹割为斋,没好生之盛德。悖逆犹孝,乱秉彝之大伦。抹杀轮回,谓无终而有始。私颁律算,示彼正而我偏。无后未为不孝,多妾诚为大愆。理欲混淆,华夷倒置。故凡入其教者,斩祖宗之祀,惟谄祭一天主。火神圣之像,但供十字刑枷。废父母三年之丧,行渠魁七日之礼。大呼我主我罪,揕胸披发而号。暗洗圣水圣油,弹指点额而诡。驾言却祟以行怪,假托受秘而诲淫。伤俗败伦,靡所不至。甚则蝼蚁佛祖,伯仲君亲。谓《周易》为多不通,堪付丙丁童子。谓禅宗曰他俱误,全然乌有先生。谤太极仁义为贱虚,指三藏教乘为谬妄。指胡女产之耶苏,呼为上帝;詈德变之魔鬼,名曰释迦。奸盗诈伪之徒,一造其室,遂登永乐之天;尧舜周孔之圣,不得其门,久锢炼清之狱。行人之不敢行,道人所不敢道。欺天侮圣,无父无君。至此极矣。况复贿渔中贵,膻饵寒衿。贡献缙绅,簧鼓黔首。教之以趋吉避凶,制彼甘心而赴难。吊生庆死,激其奋志而乐忘。加以制火车，铸巨铳，城广奥，筑平和，帑叵测其所从，人不定其所止。鼠窥我土，业已五十余年。蚕食我民，不知几千万户。审其不召而来，既逐不去。其视三尺为何如。外貌谦恭，内怀诡谲，实与五胡无轩轾！得民如宝，挥金若泥。逼处都城要隘，意果于何为哉？”——佛徒之愤，此可想见。

五　西教士之学术的表演

然而西教士者，虽曰：力为华风，自附儒家，略为变通，而尽力于佛教之正面的攻击；然对于国人用夏变夷，中国夷狄之成见，自非力为华风……等等，所可推革。则事实之表演，厥有赖于与伊等同来之学术，胥可知焉。

艾儒略《大西利先生行迹》页三云：“张养默曰：彼释氏之言天地也，但闻一须弥山，而日月绕其前后。……天地之可以形像测者，尚创为不经之谈，况不可测度者，其空幻虚谬可知也！今利子之言天地也，明者，测验可据，毫发不爽。即其粗可知其细，圣教之与释氏，孰正孰邪，必有辨之者矣。”此可见“以学证教”之苦心。纪昀《阅微草堂笔记》《如是我闻》四引两鬼语：“其一举手北指曰：此故明首善书院，今为西洋天主堂矣。其推步星象，制作器物，实巧不可阶。其教则变换佛经，而附会以儒理。吾辈往窃听，每谈至无归宿处，辄以天主解厄，故迄不能行。然观其作事，其心计亦殊黠。其一曰：君谓其黠，我则怪其太痴。彼奉其国王之命，航海而来，不过欲化中国为彼教。揆度事势,宁有是理,而自利玛特以来,源源续至,不偿所愿,终不肯止,不亦偾欤。”此可见以学证教华人固亦防范之也。

今案其学术之表演,地学其一端也。

《时事新报》十二年四月十四记三百年前古地图云:“近世天文学家利玛特,于明万历年间,由欧来华。现在极负盛名之上海徐家汇天文台,即为该氏及徐光启诸人所手创。北平历史博物院,近得氏所撰绘《世界坤舆全图》。长七尺,宽二尺,图作球形,经纬度数俱全。各地均附注解,五色绚烂,古色可爱。第一幅及第五幅,有该氏题句,款用大明万历壬寅年。他幅又有李之藻、祁光宗跋语。李等与氏为挚友,亦科学界著名之士。图中南北美洲,均标出。而所述为则印度土人之生活。盖氏作图时,约后哥仑布发现新陆八九十年,而距合众国建国时期,固甚远也。其他欧洲诸国,译名均与今大异。中国幅员,亦不相同。如满洲东三省之地,均标女直。黄海,称为大明海。此其大显著者。图中海洋空隙,绘有怪异鱼类数种。陆地则加绘猛禽厉兽若干,状貌悉狰狞可畏。大抵现时灭种者居多。大洋中复间绘十六世纪船只十余艘,作乘风挂帆之举。形式虽不一,均奇特出人意表。”《禹贡》四卷十二期,二十五年二月十六日记 Matteo Ricci's world map in Chinese 1602. 曰:“中国人之知世界,实始于利玛特之绘制地图,曰《山海舆地全图》,曰《坤舆万国全图》。二者皆少传本。今幸前一本得之明本《方舆纪略》,后一图,亦得明李之藻之刻本。并得燕大教授洪煨莲之探讨,更得不少史料。更足见利氏制刻各图之经过,亦足以见利氏刊刻此图时之风靡明世也。”盖整个之世界与地球,呈显于华人前;自利氏等来,而国人之眼界一扩也。

则又有地圆说之传入。阮元《畴人传》卷七《阳玛特传》论云："阳玛特《天问略》，与利玛特《乾坤体义》，大旨相同。盖其学出于一源。自椭圆地动之说起，乃愈出而愈奇矣。"考《礼记·乐记篇》："著不息者天也，著不动者地也。"《大戴记》又谓"天圆而地方"。则地圆地动之说，实自西人传入者。予旧作有《西学来华时国人之武断态度》，载于《东方》二十七卷八号，十九年四月二十五日出版可参看也。

地学以外，算学其一端也。《徐文定集》卷首下载《几何原本》徐光启叙云："利先生从少年时，留心艺学。其师丁氏，绝代名家。以故极精其说，而与不佞游久，谈论余晷，时时及之。请其象数诸书，更以华文；则谓此书未译，他书俱可不论。遂共翻其要，约五卷。""案此书为欧罗巴算学专书，且玛特序云：前作后述，不绝于世。至欧几里得而为是书，盖亦集诸家之成。故自始至终，毫无疵累。以是弁冕西术，殆不为过。"《四库提要》卷一〇七所可惜者，欧几原书十三卷，光启译六卷；而七卷之书，犹有待于清季之李善兰耳。

《几何原本》十三卷，除近世之非欧几里得几何学者，盖犹奉为经典自光启译六卷后。至光绪间，李善兰始从英人惠廉腓立，续译其七卷云，语在《清史列传》六十九《李善兰传》。

算学以外，建筑艺术，亦其一征也。杨家麟《胜国文徵》卷二《天主堂》云："京都顺承门外天主堂，万历年间建。天主堂构于西洋，利玛特自欧罗巴航海九万里入中国,崇奉天主。堂制狭以深,实正而向外宛若侧面。其顶如中国卷蓬式,而覆以瓦。正面上启一门,窗则设于东西两壁之颠。中供耶苏像,绘画而若塑者。耳鼻隆甚,俨然如生人。左右两砖楼,夹堂而立。左贮天琴,日向午则楼门自开,琴乃作声。移时声止,楼则闭矣。左圣母堂,以供玛利亚,作少女状。抱一儿,耶苏也。衣无缝,自顶被于体。所印书册,以白红一面反复印之。字皆旁行,其书装法如宋版式。外以漆革护之,用金屑代钩勒。所制有简平仪,龙尾车,沙漏,远镜,候钟,天琴之属。"《池北偶谈》二十六《西洋画》云:"西人所制,玻璃等器,多奇巧。曾见其所画人物,视之初不辨头目手足。以镜照之,即眉目宛然姣好。镜锐而长,如卓笔之形。又画楼台宫室,张图壁上,从十步外视之,重门洞开,层级可数。潭潭如王宫第宅。迫视之,但纵横数十百画,如棋局而已。"此建筑陈设,又足使国人之眼界为之一扩也。

记京师天主堂者,《胜国文徵》而外,《春明梦余录》卷六十六页十六—十八亦有所述。按嘉庆间姚元之《竹叶亭杂记》卷三云:"都中天主堂有四,一曰西堂,久毁于火。其在蚕池口者,曰北堂。在东堂子胡同者,曰东堂。在宣武门城东根者,曰南堂。南堂内有郎世宁线法画二张,张于厅事东西壁,高大一如其壁。立西壁下,闭一目以觑东壁,则曲房洞敞,珠廉尽卷,南窗半启,日光在地,牙签玉轴,森然满架,有多宝阁焉。古玩纷陈,陆离高下,北遍设高几,几上有屏,插孔雀羽于其中,灿然羽扇。日光所及,扇影屏影几影,不爽毫厘。壁上所张字面篆联,一一陈列。穿房而东,有大院落。北首长廊连属,列柱如排石砌。一律光润。又东则隐然有屋，屏门犹未启也。低首视曲廊外，二狗方战于地矣。再立东壁下以觑西壁，又见外堂三间，堂之南窗，日晖掩映。三鼎列置三几，金色迷离。堂柱上悬大镜三，其堂北墙，树以槅扇。东西二案，案铺红饰。一置自鸣钟，一置仪器。案之间，设两椅，柱上有灯盘子，银烛矗其上。仰视承尘，雕木作花，中凸如蕊，下垂如倒置状。俯视其地，光明如镜。方砖一一可数。砖之中路，白色一条，似甃以白石者。由堂而内，寝室两重，门户帘栊，窅然深静。室内几案，饬如也，可以入矣。叩之，则犹壁也。而其精乃如是。惜古人未之见也，乃记之！"此则嘉庆间之赞美教堂者也。道光间，黄钧宰作《金壶浪墨》卷七云："京师天主堂，建于明万历间，本朝一再修之。御题额曰通微佳境，又曰密合天行。因西人天文算法，可垂永久。故许其建堂礼拜，中国人不得与焉。堂制狭而深，以山墙为正向。顶如卷蓬式，设窗于东西两壁之巅。中供耶苏画像，耳鼻隆起，俨然如生。东西两砖楼，夹堂而立。左贮天琴，日午则楼门自启，琴自作声。移时琴止，而门亦闭矣。右为圣母堂，像作圣母抱儿状。自顶被体，无有一缝。书册文皆旁行，别有沙漏望远镜、龙尾车之属，以资测验。西人著名者，如利玛特、南怀仁，皆自欧罗巴航海而至。近则通商各口，建堂日多，而习其教者众矣。"证此，则自明季至清季，天主堂者，几附带有自然科学博览馆之作用矣黄说似抄袭前人，恐非目见之谈。

然算学、地学等等之表现，不如历学之更合时代要求。据《明史》三十一《历志》"历法沿革"所言，有刘基之《大统历》，有袭自胡元之《回回历》,万历间,《回回》、《大统》俱失时验。乃用庞迪我、熊三拔等修历。崇祯七年,“是时言历者四家,大统回回外,别立西洋为西局,布衣魏文魁为东局”。盖以日月躔次之得失,西法遂露头角。至十六年,而西法之密,为上所知。虽以国变未颁,而西法已全然胜利也以上皆由《明史》三十一。文秉《烈皇小识》卷八云:“时上崇祯究心天象,凡日月见食。及星宿躔犯,取中国历验之,不甚应。以西历验之辄应。遂加西人汤若望尚宝司卿,专理历法。”盖历法之表白,抵《大统》、《回回》之后,蹈瑕攻隙,尤能使西人表白自己云。

顺治十年三月,“赐太常卿管钦天监事汤若望,号通悬教师,加俸一倍,赐之敕曰:‘朕惟国家肇造鸿业,以授时定历为急务。……尔汤若望,来自西洋,涉海十万里。明末居京师,精于象纬,闳通历法。其时大学士徐光启,特荐于朝,令修历局中。一时专家治历,如魏文奎等,推测之法,实不及尔。但以远人之故,多忌成功。历十余年,终不见用。朕承天眷,定鼎之初,爰咨尔姓名,为朕修大清《时宪历》,迄于有成,可谓勤矣。比之古洛下闳诸人,不亦优乎。’”《顺治录》二〇是又历法胜利之据也。

然历法之成为时势需求,犹未如火器之急迫也。崇祯十六年一六四三有汤若望授焦勖纂之《火攻挈要》,其中卷上有云:“今之大敌,莫过于虏清人。彼人壮马泼,箭利弓强,既已胜我多矣。又近来火器,又足与我相当。如目前火器,所贵西洋大铳,则虏不但有之,而且广有之矣。为今火器,莫如仿熠西洋,造铸有传,弹药俱精,装放如法，配以利卒精兵，翼以刚甲坚阵，统以智勇良将，以战则克，以守则固，直透坚城，如摧朽物耳。”盖观于崇祯帝之斥责蕺山，便可征火器与西儒之表白矣。

《烈皇小识》卷七崇祯十六年：“时西人汤若望等，精于火器，谓当从西人演习。宗周奏唐宋以前，未闻火器。自有火器，辄依为长城。误实在此。上色不怿。”考梨洲《子刘子行状》上页二十三云：“（崇祯十五年）御史杨若乔荐西人汤若望，善火器，请上召试。先生奏曰：御史之言非也。臣闻用兵之道，太上汤武之仁义，其次桓文之节制。下此，非所论矣。迩来边臣，于安攘御侮之策，战守屯戍之法，概置不讲。惟恃火器为司命。今破城陷邑，岂待火器而然哉？……汤若望倡邪说以背大道，已不容于尧舜之世。今又作为技巧，以惑君心，其罪愈无可逭。乞皇上放还本国，永绝异教。上曰：火器乃中国长技，汤若望不过命其监制，何必深求？”具见为火器而有优容教会之事焉。

诸等学术之表演，于教义之宣扬，自有大助其最著者，则崇祯帝之崇奉天主教是也。文秉《烈皇小识》云：“上初年崇奉天主教，□□□当为徐光启，上海教中人也，既入政府，力进天主之说。将宫内供养诸佛铜像，尽行毁碎。至是悼灵王病笃，上临视之。王指九莲华娘娘，现立空中，历数毁坏三宝之罪。言讫而薨，上大惊惧，极力挽回，然亦无及矣。”卷六页三以刚愎之明帝，而奉教如是，得无谓之受教徒之学术表演之影响乎？

至永历，则竟明言入教矣。永历太妃《致耶苏会总统者》云："大明宁圣慈肃皇太后烈纳，敕谕耶苏会大尊总师神父：予处宫中，远闻天主之教，倾心已久。幸遇尊会之士，瞿纱微领圣洗，使皇太后玛利亚中宫皇后亚纳，及皇太子当定，并入圣教，领圣水，阅三年矣。今祈尊师神父，并尊会之友，在天主前，祈保我国中兴太平。俾我大明第十八帝太祖十二世孙主臣等，悉知尊真主耶苏。更求尊会相通功劳之分，再多送老师来我中国行教。待太平之后，即著钦差官来到圣祖总师意纳爵座前，致仪行礼。今有尊会士卜弥格，尽知我国情事，即使回国代传其意，谅能备悉。可谕予怀。钦哉，特敕。永历四年，十月十一日。"此为张菊生在华底冈图书馆中发见者，时在宣统三年，原文载《东方杂志》八卷五号此盖视雍乾之间，满洲贵族之奉教，近支苏努，且以之得罪陈垣《雍乾间奉天主教之宗室》，《辅仁学志》三卷二号，更为赫赫人口者矣。

六　国人之迎拒

综上，可知明季清初，基督教在文化事业上，已有坚固莫拔之位置，非可轻易推翻。顺治十年一六五三汤若望之封通悬教师，无论已。即以下列数事证之，亦可证国人之迎基督教之科学，固亟亟焉，皇皇焉。

康熙帝固知金鸡纳霜，为治疗疟疾之特效药，见于《正觉楼丛书》所收之查初白《人海记》页七八，则西药之应用，端兆固先见之焉。

清自入关以前已用红衣大炮。衣者,夷之讳称。方康熙之平郑成功也,曾"谕议政王大臣等,攻击海贼营垒,宜用火炮。内造西洋炮甚利,且轻便易运。可令湖广巡抚张朝珍,以湖南所有西洋炮二十具,委官运送福建总督姚启圣军前,用资剿御"。康熙十八年八月《东华录》则火器之应用,清世盖尤不能废之焉。

即如世所称之《康熙内府舆图》,盖亦成于教士之手。黄伯禄《正教奉褒》云:"康熙四十七年一七〇八谕传教士,分赴蒙古各部,中国各省,遍览山水城郭,用西洋量法,绘画地图。是年,派日耳曼人白进、费隐,法兰西人雷孝思、杜德美等,往蒙古及直隶。四十九年,费隐等往黑龙江。五十年,雷孝思等往山东,费隐往山西、陕西、甘肃。五十一年,法兰西人冯秉正、德玛诺等,往河南、江南、浙江、福建。五十二年,法兰西人汤若贤,葡萄牙人麦大成等,往江西、广东、广西。费隐、潘如法人往四川。五十四年,雷孝思等,往贵州、云南、湖南、湖北制图。五十六年,各省地图绘毕。白进等汇成总图一幅,并分图进呈。即世所称《康熙内府舆图》者也。"——大规模之全国测量,此实教士之大表演,而国人之迎纳之一征也。

俞理初《癸巳类稿》卷十四《书人身图说后》云:"西洋人罗雅谷、龙华民、邓玉函所译其国《人身图说》二卷,以肝为百支主,心则在近脊第四椧眼上而居左。……南怀仁于康熙时上《穷理学书》云:一切知识记忆,不在于心,而在头脑之内,亦不出此书之旨。其人好传教,欲中国人学之也。"然则南怀仁一流人之说来,而记忆从脑,不出于心,又启国人之蒙蒙矣。

他如熊三拔之《泰西水法》、邓玉函之《奇器图说》、艾儒略之《职方外纪》,虽书成于明季,而收入于《四库全书》。具见农政、物理、地学,盖渐渐得国人之赞与也。

而其最著之被迎合之学问,则历算云。

考汤若望为明造历,以国变而未果颁用。语在上文。清顺治元年七月,即用汤历而目之曰"时宪"《东华录》顺治朝二又三。顺治十四年四月,以回回科官吴明烜劾钦天监汤若望所推水星不见不实,"命内大臣公同测验,水星实不见。议明烜诈妄之罪,援赦得免"《通商始末记》卷一。康熙三年十二月,以歙人杨光先控告汤氏时宪书十谬。若望拟大辟免死,而西法暂绌。然命光先为钦天监正,光先卒以"但知推步之理,不知推步之数"逊辞。卒以康熙八年之用闰舛误,黜光先。翌年,又起汤若望为钦天监正。"自是,时宪书用新法西法,永为定制云"《始末记》一。光先者,后著《不得已》,近南京国学图书馆,重印其书。其间卷下云:"光先之愚见,宁可使中国无好历法,不可使中国有西洋人。无好历法,不过如汉家不知合朔之法,日食多在晦日,而犹享四百年之国祚。有西洋人,吾惧其挥金如土,以收吾天下之人心,如抱火于积薪,而祸至之无日也。……以数万里不朝贡之人,来而勿稽其从来,去而勿究其所从去,行不监押之,止不关防之,十三省之山川形势,兵马钱粮,靡不收归图籍,而莫之禁。古今有此玩待外国人之政否?"历法自历法,外人自外人,"王顾左右而言他",光先盖已认输矣。昭梿《啸亭杂录》卷一云:"自明中叶,泰西人入中国,而算法天文,精于中土。因《大统历》系许鲁斋所定,故终扼其说不行。今皇天纵圣明,夙习算法。乃命灵台,皆以西法为主。乃知圣人御世,故天预令西法入中土也。"然则,光先之认输,固有不得不然者存。

> 光先后暴死，传闻谓西教士毒之，恐未必。叶廷琯《吹网录》卷五《池北偶谈》旧本有“不得已”条云：“钱少詹大昕曰：‘吾友戴东原，尝言欧罗巴人，以重价购《不得已》而焚毁之，盖深恶之也。光先于步天之学，本不甚深，其不旋踵而败，宜哉？……余按《明史·温体仁传》，光先时以布衣上书劾之，至舆榇待命，可谓豪杰之士。始知其少年时，已气节觥觥如此。越三十年，时移世易，而直性不移，可谓豪杰之士。”今案渔洋《池北偶谈》卷四云：“杨光先者，新安人。明末居京师，以劾陈维新妄得敢言名，实市侩之魁也。康熙六年，疏言西洋历法之弊，遂发大难，逐汤若望而夺其位。然光先于历法，实毫无所解。寻大败，论大辟。光先刻一书，曰《不得已》，自附于亚圣之辟异端，可谓无忌惮矣。”则王氏初未以光先为然。

然则当日之拒西学者，于实无可拒之中，其将取如何之态度乎？

盖先以“夸大诞妄”拒之，阮元之记多禄某 Claudius Ptolemy 也，盖依徐光启、李之藻之《新法算书》。而顾斥之曰：“中土推步之学，自汉而唐而宋而元，大抵由浅入深，由疏渐密者也。乃多禄某生当汉代，其论述条目，即与明季西洋人所称，往往相合。岂彼中步算之密，固自昔已然耶。然考西人旧率，即用后汉四分法，是则彼之历术，亦必先疏后密，而谓多禄某时，其法之详备已如是。毋亦汤若望辈，夸大其辞，而徐李诸公，受其欺而不之悟也。”《畴人传》六《多禄某传》海客谈瀛，视为不经，此则拒西学之态度，一也。

次则以不闻不问拒之。纪昀《滦阳续录》卷一云：“宋有神臂弓，实巨弩也。立于地而发其机，可三百步外贯铁甲，亦曰克敌弓。洪容斋试词科，有《克敌弓铭》，是也。宋人拒金，多倚此为利器。军法，不得遗失一具，败不能携，则宁碎之，防敌得其机而仿制也。元世祖灭宋，得其传，至明乃不得其详。《永乐大典》尚全载其图说，一事一图，但有短长宽窄之度与其牝牡凹凸之形，无一全图。予与邹念乔侍郎，穷数日之力，审谛逗合，迄无端绪。余欲钩摹其样，使西洋人料理之。先师刘文正曰：西洋人用意至深，如算术借根法，本中土流入西域，故彼国谓之东来法。今从之学算，反秘不肯尽言。此弩既相传利器，安知不阴图以去，而以不解辞我乎？《永乐大典》贮在翰苑，未必后无解者。余与念乔乃止。惟此老成，瞻言百里，信乎所见大也。”于学术之中，立尔我之虞，不相往来，此则拒西学之态度，二也。

又次，则以“古已有之”拒之，谓代数为“东来法”，固其一征。印光任《澳门纪略》页六七言：“自羲和失其世守，古籍之可见者，仅有《周髀》。而西人浑盖通宪之器，寒热五带之理，地圆之说，开方之法，皆不能出《周髀》范围也。史称傍收博采，以续千年之坠绪，亦礼失求野之意矣。”凌廷堪《校礼堂文集》卷一《读孟子》云：“西人之说，征之《虞书》、《周髀》而悉合，古圣人固已深知之，非吾所未有。由说之者，不得其意耳。则惊其为创者，过也。西人之说，既合于圣人，自当兼取并采，以辅我所未逮。不可阴用其学，而阳斥之。则排其为异者，亦过也。”《数理精蕴》卷一《周髀经解叙》云：“明万历间，西洋人始入中土。其中一二习算数者，如利玛特、穆尼阁等，……及我朝定鼎以来，远人向化，至者渐多。有汤若望、南怀仁、安多明、闵峨。……然询其所自，皆云本中土所流传。粤稽古圣，尧之钦明，舜之睿哲，历象授时，闰余定岁，推步之学，孰大于此？至于三代盛时，声教四讫，重译向风。则书籍流传于海外者，殆不一矣。周末畴人子弟，失官分散，嗣经秦火，中原之典章，既多缺佚，而海外之支流，反得真传。此西学之所以有本也。”斯真以“古已有之”辱西学者之代表议论矣。

以西学为古已有之者，至清季犹有人在。故《太炎文录》卷一《征信论上》云：“释伽言空，不因于老庄。景教事天，不本于墨子。远西之言历算者，不资于厉王丧乱，畴人在吏。世人取其近似者言之，遂若典常耳。”章氏似不主“古已有之”，然章氏固主张法显发见西半球者也。

第所谓古已有之之说，盖已半承认西学之地位。至于开明之徒，则明目张胆，以从西学者，即所谓全然承认西学者，自亦不患无人。魏文魁者，反对西学者也。其弟子“薛凤祚，初从魏文魁游，主持旧法；后见穆尼阁，始改从西学，尽传其学”。《四库总目》一〇六“天步真原”条此薛氏从西学也。钮琇《觚剩》称王寅旭“精究推步，兼通中西之学。遇天色晴霁，辄登屋卧鸱吻间，仰察星象，经夕不寐”予所藏说铃本《觚剩》无此文，此据《四库总目》一〇六，此王寅旭从西学也。至梅文鼎一流人，则明目张胆，以西学为圭臬矣。

梅文鼎者，卒于康熙六十年。伊常言：“今之用西历者，乃兼用其长，以补旧法所未备。”又言：“地之正圆，无可疑也。”他日江永著《翼梅》一书海山仙馆丛书第一一四册，即以其采用西学而多之云见《翼梅》自序。

然则综清初国人之迎拒，而定基督教徒在文化界上之地位，则教徒之胜利，不言可喻。杭大宗《道古堂集》卷三十一云："穆尼阁，泰西人，久居白门，喜与人言历，而不强人入教，君子人也。"盖若不言宗教，则教士为学术之饥荒救济者，自何待言？然正以既言学术，而复言宗教，则以洋人之本身言之，于宗教之推行，自亦有助。故杨光先有《与许侍御书》云："开堂于京师宣武门之内，东华门之东，阜城门之西。山东之济南。江南之淮南、扬州、镇江、江宁、常熟、上海。浙之杭州、金华、兰溪。闽之建宁、延平、汀州。江右之南昌、建昌、赣州。东粤之广州。西粤之桂林。蜀之重庆、保宁。楚之武昌。秦之西安。晋之太原、绛州。豫之开封。——凡三十窟穴。而广东之香山澳，盈万人盘踞其间，成一大都会，以暗地送往迎来。"《不得已》卷上水银到地，着手成文，民族之受胁迫，文化之受胁迫，自清初而已然也。

徐昌治《圣朝破邪集》卷四云："夷又为令曰：能劝百人从（教）者，赏日鸣钟自鸣琴各一。金帛称是。若得一青衿，准十人。得一缙绅，准百人。"是民间传教，固亦有科学为之副导也。

但西学虽然胜利，而西教终不得法律之许可。《大清律例·总类·立绞类》载："西洋人在内地传习天主教，私刻经卷，倡立讲会，蛊惑多人，及旗民等转为传习，并私立名号，扇惑愚众，确有实据为首者。"是立法不可谓不严也。据王之春《通商始末记》所记，康熙八年十二月，禁直省立天主堂。康熙五十六年，广东碣石镇总兵陈昂，请禁开堂传教。雍正元年，闽浙总督请将天主堂改为公廨。五年四月，议入天主教者罪。八年，浙督李卫毁杭州天主堂。乾隆五十八年，赐英吉利国王敕:“西洋人居住教堂,亦不准与中国人民交接,妄行传教。”此皆见于王书。嘉庆时,亦禁洋人传教《东华录》十九。道光时,又定跨过十字架者,始得免刑《道光录》四十一,页二十九。是在江宁立约以前,基督教终未公开也。

第三章 屠杀与玩弄

七 满汉歧异

且也，国人之受胁迫，初不限于洋人之东来，即满洲与汉人之歧异，固亦受人胁迫之一云。

考满洲两字之内涵，“所谓建州女真者，明人称满洲民族之名，原非其自号”。“满洲原非地名”《东方》三十卷十七号《满洲名称之推测》。且以前史言之，肃慎来宾，见于《国语》；公孙辟土，著于陈《志》。东省之为我本土，为时非暂。所谓统治中国二百余年之建州族，原不过东省民族中之少数民族而已。

即以辫发一端言之，《史记·大宛传》言辫发。《南史》六十一言辫发。《宋史》三百六十六《刘锜传》记锜在顺昌夜踏金营，“是夕天欲雨，电光四起，见辫发人辄识之”。李心传《建炎以来系年要录》卷三九云：“建炎三年秋，金元帅府禁民汉服。又下令髡发，不如式者杀之。”则金人与满人正名当曰建州人，当有同似处。金已同化于华，而况满乎？

然自朱明万历间以来，此建州之少数民族，头角崭然，兵威日露。顺治《东华录》载十年语臣工曰："我朝以弓矢取天下。"此足以想象其蚕食坐大，威胁中国之由。及明之亡，越关直入。盗憎主人，焰益张矣。其与中国本部之习俗，固格格不相入。张苍水《奇零草》卷下页四八有《建州宫词》十首。其六云："十部梨园奏上方，穹庐天子亦登场；缠头岂惜千金费，学得吴歈醉一场。"此刺跳神吃肉也。其七云："上寿称为合卺尊，慈宁宫里烂盈门，春官昨进新仪注，大礼躬逢太后婚。"此刺太后下嫁也。其八云："掖庭又闻册阏氏，妙选孀娃足母仪。椒殿梦回云雨散，错将虾子作龙儿。"此刺以寡妇为后也。"孔雀翎，马蹄袖，衣冠中，真禽兽。"《大义觉迷录》卷二页三〇引此刺风俗之幼稚也。《啸亭杂录》卷八云："国初有骁将阿里玛者，能自握其发，足悬于地。入京后，所为多不法。章皇帝欲置于法。……因受缚坐车中，赴市曹。至宣武门，笑曰：'死则死耳，余满洲人，不可令汉儿见之。诛于门内，可也。'行刑者，从其语。"此记意见之水火也。即世所艳传，清初之废八股，禁弓足，亦非有意于矫弊，徒以示统治者与被统治者之习俗之不同耳。

王枕甫《蚓菴琐语》页十八云："康熙七年七月，礼部题，为恭请酌复旧章，以昭政典事覆左都王熙疏，内开：一、顺治十八年以前，民间之女，未禁裹足。康熙三年，遵奉上谕，议政王贝勒大臣九卿科道官员会议，元年以后，所生之女，禁止裹足。因于本年正月内，臣部题定，元年之后，所生之女，若有违法裹足者，其女之父，有官交吏兵二部议处，兵民交付刑部责四十板流徙。家长不行稽察，枷一个月，责四十板。该管督抚以下，文职官员疏忽失于觉察者，听吏兵二部议处在案。查立法太严，或混将元年以前所生捏为元年以后，诬妄出首，牵连无辜，亦未可知。相应免禁止，可也。一、康熙元年以前，考取乡会试，做八股文章。二年八月内，因上谕八股文章，实与政事无涉。自今以后，将浮饰八股文章，永行停止。惟于为国为民之策论表判中，出题考试。钦此。自甲辰康三改制科，历丁未至康熙八年己酉，礼部题定，嗣后仍照元年以前例，仍用八股文章考试，俱奉旨依议。”董含《蓴乡赘笔》中页六云：“八月改取士法，八股制艺，永行停止。乡会试用策论表判、减三场为二场。至戊申康七七月，诏复旧制。”王渔洋《池北偶谈》卷三“八股”条云：“康熙二年，以八股制艺，始于宋王安石，诏废不用。科举改三场为二场。首场策五道，二场四书五经各论一首，表一道，判语五条。起甲辰会试，迄丁未会试皆然。会左都御史王公熙，疏请酌复旧章。予时为仪制员外郎，乃条上应复者八事，复三场旧制，其一也。尚书钱塘黄公机善之，而不能悉行。乃止请复三场，及宽民间女子裹足之禁；皆得谕旨。”——综上，可知废八股者，只五年；禁弓足者，只四年。庸得名曰清之善政乎？

故一则政事不修也，章炳麟《中华民国解》云：“满洲初载，任用族姓。柄政者皆介胄武夫，非独刀笔文法，有所不晓。民间百事，尚未能举其名号也。世传伪高宗南巡时，见田间插有稻秧，问言何草。然此非独一人而已，民间事业，隔阂可知。”《太炎文别录》卷一任用不懂政治之旗人，此则政事不修之所由也。故洪亮吉《更生斋文甲集》卷四《书杭检讨遗事》云：“乾隆中叶，上思得直言。及通达治体者。至特设阳城马周科。试翰林等官。先生预焉。日未中，已得数千言，语近戆直；末又言满洲人官督抚者过多，触纯皇帝怒，抵其卷于地。”然则满人执治柄之弊，殆无可疑。

李元度《先正事略》卷十六记刘统勋事：“户部奏州县府库多空阙，高宗震怒，欲尽罢州县之不责者，而以笔帖式等官代之，召公入对，谕以此事。公顿首言曰：‘州县，治百姓者也。当使身为百姓为之。’上霁颜曰：‘然。’事遂寝。”此又可与洪文互证。

其二，则满汉不均平也。昭梿《啸亭杂录》卷一云：“国初自定中原后，复遭三逆之乱，八旗士卒，多争先用命，效死疆场，丁口稀少。……故当时时加抚恤，至为之代偿债务。凡抚字之术，无不备施。虽一时不无滥溢，而满洲士卒，感戴如天。凡争讨之所，争先效死。”挟马蹄以俱至，逞铁甲之威尊，满人真天之骄子，昭梿所言，胡足以尽之？

当时东来之众，国家至为圈地以处，语详拙作《中国田制丛考》页二五四。李绂《穆堂初稿》卷三十一《畿辅田志叙》云：“八旗之众，从龙以西，五百里以内，拨给旗地。人增于昔，地不加多。旗民杂错，壤地参差。旗地有给有退，有改给，有官庄、王庄，征租督负，蝟攒蜂集。民地有圈有补，圈此而补彼，东处而西食。代征转解，间不以时。呼吁猥冗，户部钩稽，文移之烦，直隶当天下十之四五。”此则圈地之令也。康熙《东华录》三十二记二十二年八月，“旗下兵丁贫无妻室者，官给赀嫁娶。无房屋者，八旗王以下官员人等以上有房屋四十间者，拨给一间给予居住。"此则赐屋满人之令也。又三十六记二十四年十二月,刑部题:"旗人史书等辱骂顺天府府丞王维珍,经王维珍举首。应将史书等枷一月,鞭一百。"此则轻科满人之犯法也。于成龙亦告圣祖曰:"直隶地方,以弭盗为第一务。为盗者倚仗旗下名色,或吓诈,或劫掠,无所不为。有司明知,而不敢深究。"《康熙录》三十七此则满人荫汉人以行奸也。光绪《鄞县志》四十一《范光文传》:"顺治六年,与弟光遇,同登进士,授礼部主事。……初为礼部时,见同里董文和母妻子女,并没入旗下,行乞于途。光文竭资购归,里人高其义。"此则满人之掠夺也。则昭梿所言,语盖未尽。

三则猜防太甚也。《清史列传》十一《马际伯传》:"康熙四十七年疏言:鸟枪久奉禁例。今商民尚有私用者,请令民间鸟枪缴官。如有必需,止许长一尺五寸,刊某地某人姓名,违者治罪。硝磺乃火器所用,应严禁贩卖。"揆之以弓矢定天下之语,知执政者之虞诈甚已。

顺治十年三月,"上持弓顾谓诸臣曰:我朝之定天下,皆弓矢之力也。曩者,每岁出猎二三次,练习骑射"《顺治录》二〇。可见征服者,以武力自诩之意。

四则力改衣冠之制也。戴名世《南山集》卷八《画网巾先生传》云:"先生者,其姓名爵里,皆不可得而知者也。携仆二人,皆仍明时衣冠,事颇闻于外,逮送邵武守将池凤阳。凤阳命去其网巾,戒部卒谨守之。先生既失网巾,戒栉盥毕,谓二仆曰:衣冠者,历代各有定制。至网巾,则我太祖高皇帝,创为之也。今吾曹国破即死,岂可忘祖制乎?汝曹取笔墨来,为我画网巾额上。于是二仆为先生画网巾,画已,乃加冠。二仆亦互相画也,日以为常。”胡韫玉《发史》广益局印《清季稗史》第二编云:“左懋第被拘于太极殿,……监守者拘见清摄政王多尔衮,多令薙发。懋第曰:头可断,发不可断。斫头胜于剃头。惟愿速死! ……遂就义。”此可以见清人初来,风俗抵牾之烈。

清初薙发之禁,初尚宽大。至江南既下,海外势熠,则孔子之孙,尚以不薙发得罪,事具《东华录》。

清高宗云:开国之时,满汉自有歧视乾隆五十六年《东华录》。案吕留良《东庄诗存·万感集》页九云:“十年游侠千金尽,九世怨仇一剑知。为问门前车马客,还能杯酒忆当时?”遗民黍离之感,汉人之视满,固亦有歧视者。读胡适译都特《柏林之围》,记“法有老人朱屋大佐,尝为拿破仑大帝部下军官。方普法之战也,老人有子从军,侍之者,一孙女耳。时法兵屡北,孙女乃故为普军大败,王子被俘之讯,以相慰。几以为柏林可旦暮下也。而普军已围巴黎,老人犹作家书诫子,谓败国之民,当待以宽大,勿过事摧抑。初不知普人已围巴黎,普军入城,炮声隆隆,而孙女语老人,以为法军凯旋也。再一审视,敌军已入,老人伤感之余,自不得黯然谢世。”——惨淡之文,盖无异于赵节愍之遗事焉。

全祖望《鲒埼亭集》正编三十五《节愍赵先生纠谬》载先生自明亡以后,初投江,继绝食,而未死。“先生故授经太白山中,与其徒徐生相得。至是，闻先生事，来视之，因强舆先生入山。欲令食，不可。则为谬语以慰之，或曰：李侍郎长祥，克绍兴矣。或曰：翁洲大将黄斌卿，奉监国来恢复矣。或曰：石浦大将张名振奇捷矣。或曰：四明寨下慈溪矣。先生闻之，即进食。如是者半年，谬语渐穷，而先生病亦稍愈。间出山中，问樵子辈以近事，则循发以示之曰，天下大定，复何问焉？先生大恸踣地，更不复食，至冬益困，淹忽而逝。”其悲惨之状，不减《柏林之围》矣。

八　文字狱之惨闇

然而满汉歧异之中，犹有设文网以限人之一事焉。前者盖为大众，后者则对士夫。

王渔洋《池北偶谈》卷十一记“梅村病中”云：“太仓吴梅村祭酒，辛亥元旦，梦上帝召为泰山府君。是岁病革，有绝命词云：‘忍死偷生廿载余，而今罪孽怎消除；受恩欠债须填补，纵比鸿毛也不如。’先是，先生尝病中赋《贺新郎》词云：‘万事催黄发。论龚生、天年竟夭，盛名难没。吾病难将医药治，耿耿胸中热血。待洒向西风残月。剖却心肝今置地，问华佗解我肠千结。追往恨，倍凄咽。故人慷慨多奇节。为当年、沉吟不断，草间偷活。艾炙眉头瓜喷鼻，今日须难决绝！早患苦，重来千叠。脱屣妻孥非易事，竟一钱不值何须说。人世事，几完缺。’”此犹少年寡妇，被强奸占；而眷恋前夫，犹萦梦寐云。

当时第一办法，自为以美官饵士夫。赵翼《簷曝杂记》卷二记雍正语："上前者谓国初以美官授汉儿，汉儿且不肯受。今汉儿营求科目，足觇人心归附，可谓有道之庆。"梅村者，即在以"美官"为饵而受屈抑者也。谭嗣同《仁学》云："若夫山林幽贞之士，犹在室之处女也，而必胁之出仕，不则诛。是挟兵刃，搂处女而乱之也。既乱之，又诟其不贞，暴其失节，至为贰臣传以辱之。岂惟辱其人哉？实以吓天下后世，使不敢背去也。"《仁学》下页二梅村盖在此苦闷中。

正以士夫眷恋前夫，遗风未乙，故文字之狱，遂为一时矰缴之施云。

顺治十七年十一月。张缙彦序刘正宗诗有曰："将明之材。"世祖以其言诡谲不可解，即绞正宗而斩缙彦详《顺治录》三十三，以明字为忌也。康熙初，则有庄氏史案。《亭林文集》卷五《书潘吴二子事》云："庄名廷鑨，目双盲，不甚通晓古今。以史迁有'左邱失明，乃著《国语》'之说，奋欲著书。其居邻故阁辅朱公国祯家，朱公尝取国史及公卿志状疏草，命胥抄录凡数十帙，未成书而卒。廷鑨得之，则招致宾客，日夜编辑为《明书》，书冗杂，不足道也。廷鑨死无子，家赀可万金。其父允诚流涕曰：吾之子，皆析产，独仲子死无后。吾哀其志，当先刻其书，而后为之置嗣。遂梓行之。慕潘吴盛名，引为重，列置参阅姓名中。书凡百余帙，颇有忌讳语。本前人诋斥之语，未经删削者。庄氏既巨富，浙人得其书，往往持而恐吓之，得所欲以去。归安令吴之荣者，以赃系狱，遇赦得出。有吏教之，买此书恐吓庄氏。庄氏欲应之，或曰：踵此而来，尽子之财，不足以绝，不若以一讼绝之。遂谢之荣。之荣告大吏，大吏右庄氏，不直之荣。之荣入京师，摘忌讳语，密奏之，四大臣大怒，遣官至杭，执庄生之父，及其兄廷钺，及其弟等，并列名于书者十八人，皆论死。其刻书鬻书，并知府推官之不发觉者，亦坐之。发廷钺之墓，焚其骨，籍没其家产。所杀七十余人，而潘吴二子与其难。”据陆莘行《老父云游始末》所记，共惨状犹历历焉。

商务印《痛史》第一辑，有《庄氏史案》，盖顺治十八年辛丑发狱，至康熙二年癸卯决狱。书工、送书者俱斩，《痛史》中收有陆莘行《老父云游始末》，详志之全祖望《鲒埼亭集》二十二有《江浙两大狱记》，即记《庄氏史案》及《南山集》也。

顺治以后，裁制益严，而文人受厄，遂愈甚。

康熙五年，有黄元衡控伊主黄培二十四人逆诗一案。六年，又有沈天甫者，踵吴之荣之故智，伪造书序，以罗织江南北之名士巨室详缪荃孙《艺风堂别存》卷三《陈星士太仆启祯两朝遗诗录跋》。康熙五十一年一七一二，又有方戴两家书案。无名氏《记桐城方戴两家书案》《古学汇刻》中有是书云：“盖当顺治、康熙之间，凡明季遗老，及当时文人著述，凡有涉明季三藩之事，及年号者，均有干厉禁。戴名世《南山集·与余生书》中间有弘光之帝南京一段，实非本朝臣子所宜敢言，大干厉禁。至《孑遗录》，则只记明季桐城被兵始末，并无语有干国朝忌讳，亦不过有弘光年号耳。”此康熙时文字狱之昭昭者也。

钱泳《履园丛话》卷十七记：徐健庵子冠卿，曾毒杀其师，“京师人有知其事者，题其混名曰‘药师佛’。‘药师佛’恃才恣放，怨者颇多。雍正初年，以其诗中有‘明月有情还顾我，清风无意不留人’，怨家遂以出首。及讯，冠卿仰见堂上，有司员胡宗琳侍之于旁，与其师周，貌无异。乃大惊，误供有心诽谤，遂伏法。”陈作霖《炳烛里谈》卷二云：“康熙、雍正之间，文人多以诽谤罹祸。上元车大师鼎晋奉诏校《全唐诗》，其弟鼎丰有句云：‘清风不识字，何事乱翻书。’一日与弟鼎贲小饮，酒杯为明瓷，底有成化年造字样。鼎丰翻其杯以示酒干曰：‘大明天下今重见。’鼎贲置其壶于傍曰：‘且把壶儿搁一边。’取壶胡同音也。后二人，以吕留良案，牵连被戮。鼎贲以忧死。近人有《咏雁》诗云：‘不是弋缴无地避，由来文字祸之阶。’慨乎其言之矣。”法式善《槐厅载笔》卷十三云：“雍正丙午四年，查嗣廷、俞鸿图典试江西以君子不以言举人两句，小径之蹊间一句命题，其时方行保举，有意讥刺。三题，茅塞于心，不知何指，其用心不可问。因查其笔扎诗草，语多悖逆，遂伏诛。”或谓查所出题，为“维民所止”，忌者谓截去“雍正”二字之首云。雍正八年又有吕留良曾静案，时留良已死，曾静为其私淑弟子。曾遗书岳钟琪，劝其反。岳研讯之，遂得留良论夷夏之防，追思旧国数事。因发留良墓，剉其尸，斩其子吕葆中事具雍正八年《东华录》。当时曾记雍正与曾静对答之语，刊为《大义觉迷录》。此雍正时文字狱之昭昭者也。

《大义觉迷录》者，先记世宗问讯曾静取供事。所研讯者，一为封建问题，一为夷夏问题，一为世宗私德问题如杀兄取父妾为妻等等。曾静则自称“弥天重犯”，一一作悔悟语。且自请从重处断。最后，世宗令各省督抚学政，大小举监生员，拟定曾罪，均以罪不可逭议复。世宗反释曾静，放归湖南，而将供辞刊录，颁发“天下”学官。及乾隆元年十二月，征曾静，杀之《东华录》。嗣又禁《大义觉迷录》，以防丑辞流传。盖一极有曲折之文字狱也。

其在高宗乾隆时，据《东华录》所记，十八年有丁文彬逆诗案，二十年有胡中藻《坚磨生诗钞》案（诗中有“一世无日月，斯文欲被蛮”。因令胡中藻大逆凌迟处死，的属男十六岁以上，皆斩立决），二十二年有段昌绪家藏吴三桂伪檄案、彭家屏家藏明末野史案，四十二年有举人王锡侯删改《康熙字典》为《字贯》案，四十三年，举人徐述夔《一柱楼诗集》案（诗有“明朝期振翮，一举去清都”句），其时已在《四库全书》开馆之日，一代文人之受厄，亦可谓至矣尽矣。此非吾有言，当日御史曹一士，已痛言之。

徐珂《清稗类钞》第十一册《谏诤类》记雍正己卯十三年御史曹一士上《请宽比附妖言之狱，并挟仇诬告之文疏》云：“比年以来，小人不识两朝所以诛殛大憝之故，往往挟睚眦之怨，措影响之词，攻讦诗书，指摘字句。有司见事生风，多方穷鞫。或致波连师友，株连亲故。破家亡命，甚可闵也。臣愚以为井田封建，不过迂儒之常谈。不可以为生今反古。述怀咏史，不过文人之习态，不可以为援古刺今。即有序跋，偶遗纪年，或亦草茅一时失检，未必明怀悖逆，敢于明布篇章。若云。以此类，皆比附妖言，罪当不赦，将使天下告讦不休，士子以文为戒。甚非国家义以正法，仁以包蒙之意。”乾隆《上海志》卷十云：“曹一士慷慨敢言，……言奸人挟仇告讦，指摘诗文字句，诬为大逆，株连罗织，宜悉禁绝。”细案一士之所言，固足见文字狱之摧残文物矣。且不特曹一士言之也，即高宗亦自言之：“富勒浑奏，生员陈安兆，妄著书籍，语多悖谬一折，据称将伊所著书两种，及诗稿一部，送学臣毛辉祖阅看，以词句狂放咨覆。应请严加惩究。……所奏殊为过当。此事于富勒浑文义本不甚深，更未免因新进有意从严。……但朕阅该生所著，……要不过村学究识见肤浅，妄矜著作。即诗稿中间有牢骚字句，亦浅学人掉弄笔墨陋习，其实非谤讪国家，肆诋朝政，如胡中藻之比。封疆大吏，遇此等事，当识大体。如遇逞意谤诽，肆无忌惮，自当杀一儆百；若不过此等笔墨之过，则前人亦往往有之。况陈安兆所作，并不足称为著述。于此而加以吹求，转无以服其心。”《东华录》乾二十二年十二月然则功令既严，趋逢自附，群犬成吠，聚蚊成雷，文字狱之莫须有者，又不知几何也。

九　考试与特举

然仅事屠杀固未尽玩弄之余事焉。于是乎而有特举焉，于是乎而有考试焉。前者则博学宏词之征辟，后者则寻常之制科，是也。

考清初诸儒，类以不仕新国为职志。叶昌炽《缘督庐日记抄》卷一丙子年称：“夜至酒家小饮，当垆者瞿氏，忠宣之嫡裔。相传忠宣殉难时，遗命子孙，毋得应有司试，至今隐名屠酤，尚是忠宣家训也。”忠宣者，瞿式耜也。即如孙奇逢之十一征而不起，黄宗羲之“三年食薇，颜色不变”。顾炎武之誓以身殉，王夫之以死拒征《先正事略》卷二十七，皆足证鼎革之后，士夫崛强之概，特征且不起，况寻常制科乎？故清初，特以博学宏词络笼之。

博学鸿词之科，唐人已有。范摅《云溪友议》卷七言：“宣宗十二年，前进士陈玩等，应博学鸿词科。送所司考定名第，及诗赋论进呈。”宋亦有博学鸿词科，见于李心传《建炎以来朝野杂记》甲集十三特不如清世之故为张皇其事耳。

清之特科，盖起于康熙十七年。“康熙十七年诏曰：‘自古一代之兴，必有博学宏词，备顾问著作之选。朕几暇留心文翰，思得博洽之士，用资典学。如有学行兼优，文词卓越之人，不问已仕未仕。京外京内，各举所知。朕将亲试录用。’于是次第举送至京，月给廪饩。十八年，体仁阁集试诗赋，亲选彭孙遹等五十人，命阁臣稽前代制科，授官故事。……雍正十一年，再举是科。乾隆元年，以御史吴元安言，增首场以经解史论，次场诗赋论考试”王庆云《熙朝纪政》卷一。而核其实际，则亦狎弄诸文人，以安其反侧之思而已。

康熙举博学宏词，见康熙录二十一，时在十七年正月。十八年三月，“试内外诸臣荐举博学宏儒一百四十三人于体仁阁，赐宴试题璇玑玉衡赋、省耕诗五言排律二十韵。”《康熙录》二十三观于其试题尔尔，可知较诸八比时文，不能稍分上下也。

然当初，对于诸应试者，以其委身相就，故亦略予优容。周寿昌《思益堂日札》卷五，申报馆聚珍版丛书云：“国初诸先辈殿试策中，尚有慷慨千言，直陈时务者。如马世俊策末云：‘王者以天下为家，今天下倾心，车书同轨。而犹分满人、汉人之名，恐非全盛之世所宜有也。’储方庆策中有云：‘今自三公九卿，为陛下之辅弼者，莫不并列满汉之名。督抚大臣，则多寄于满人，而汉人十无二三……陛下既为天下主，即当收天下材，供天下用。如有偏重于其间；臣恐汉臣有所顾忌而不敢尽忠于朝廷，满人又有所凭藉，而无所取信于天下。’”是直言之目，犹有存于科举者矣。

第此所谓直言者，即玩狎士夫一方面之表演。至于严科举之条规，兴科场之大狱，使士子视科举为神圣事业者，则又一方面之狎弄。

董含《三冈识略》卷三记“乡闱异变”云：“江南乡试，前数日，严霜厚数寸，及锁闱，鬼哭不止。放榜后，主考方犹、钱开宗，俱骈戮于市。前此江宁书肆，刻传奇名《万金记》，不知何人所作。以方去一点为万，钱去偏旁为金。指二主考姓焉。备极行贿通贿状，流布禁中，上大怒，遂有是狱。”此顺治丁酉十四年江南乡试之狱焉。信天翁《丁酉北闱大狱纪略》《痛史》第三种，述北闱有通关节事，上命锁拿诸新举人复试于太和门，“当是时，人人自谓天威严重，此二百人者，不知几许登鬼箓。几许御魑魅，几许锢终身。得返初服者，幸矣！安望同上春官哉？不期日转天旋，雷霆频霁。于正月十五日。集诸士复试于太和门，每名以满兵一名夹之。仍谕以尽心构艺，不必畏惧。供给茶烟，未尝缺乏。题目乃上所亲定，阅卷某某等，上所猝点。甫二日而榜出，止革去白丁霍某等八人，余皆准会试。诸士庆幸更生，且为天子门生”页八。自此以后科举之迷信，深足以慑汉官，饵汉儿，又岂止天下英雄，入吾彀中而已。

孟森《心史丛刊》第一集云：“有明一代，迷信八股，迷信科举，至亡国时，为极盛。余毒所蕴，至清代而尽泄之。盖满人旁观者清，络笼中国之秀民，莫妙于中其所迷信。始入关，则连岁开科，以慰蹭蹬者之心。继而严刑峻法，俾忮求之士称快。丁酉之狱，主司房考，及中式之士子，诛戮及遣戍者无数。其时发难者汉人，受祸者亦汉人。汉人陷溺于科举，至深且酷，且不恤假手满人，屠戮同胞，以泄多数侥幸未遂之人，年年被摈之愤。此所谓天下英雄，入我彀中者也。丁酉之狱，蔓延几及全国。而以顺天、江南二省为最。次则河南，又次则山东、山西，共五闱。明时，江南与顺天，俱有国子监，俱为全国士子所萃，非一省之关系。清人下江南，虽已改应天府为江宁，废去南雍。然士子耳目，尚以顺天、江南为观听所系。是年科场大狱，即以两闱为最惨者，其同时并举，以耸动迷信科举之汉儿，用意至为明显也。"又案章鸣鹤《谷水遗闻补》云："顺治丁酉乡试，我乡朱给谏绍凤首弹江南主试官，嗣后台官竞攻，各省试臣，下狱者甚众。庚子顺治十七、癸卯康熙二亦如之。人遂以典试为畏途矣。辛酉康熙二〇会试，相国成公、卫公，奉总裁之命，皆挥泪出阁门。"可见科场之狱，实含有狎弄士夫之意义云。

即其学校教育，虽云仍有书院，仍有国府州县之学，而"明伦堂之左，刊立世祖章皇帝钦定卧碑，中有云：'军民一切利害，不许生员上书陈言。如有一言建白，以违制论，黜革治罪。'"又云："生员不许纠党多人，立盟结社，把持官府，武断乡曲。所作文字，不许妄行刊刻。违者听提调官治罪。"《清会典》三十六虽云仍宋明之遗风，而清人狎弄士子之心，更昭然若揭云。

宋时曾立戒石于太学，见《宋史》四二五《冯去非传》。又禁学生上书论政，见《宋史》四一八《陈宜中传》。其在明时，亦立石太学，禁诸生言政，见《明史》二一七《于慎行传》。魏嵩《壹是纪始》卷六云："宋大观元年，御制八行八刑条，诏以书刊石，立之学官。明太祖洪武十五年，颁学规于国子监，又颁禁令十二条于天下，镌立卧碑于明伦堂之左。凡建言有禁，唆讼有禁，把持有禁。”是学宫立石，初非始于清也。

诸等狎弄之制，在雍、乾之间，固明明有效。如高宗乾隆元年二月谕：“翰林以读书为职业。”《乾隆录》三是明明以读书为职业，等诸百工杂耍焉。陆长春《香饮楼宾谈》卷一“额外生员”条云：“南昌彭芸楣尚书元瑞，视学两浙。岁试禾郡，有金生某，年六十余矣。交卷日，长跪自陈，自辛卯至今，历三十余试。今将就木，冀得一衿以为荣。公笑而颔之。案发，准作额外生员。批其卷曰：‘年在花甲之外，文在理法之外，字在红格之外，进在额数之外。’闻者笑之。”此虽剧谈，然亦一代文人，饱受痛苦之片影焉。

清初学者，如黄宗羲之《明夷待访录》、顾炎武之《生员论》、颜元之《习斋纪余》，均无不反对帖括之文。即在清初国家亦曾废止八股；而八股终于不废者，则以其终老英雄，可为统治者之利用也。

故天王圣明之念，岁月浸渐，深入人心。《平定粤匪纪略》附记卷四页四云：“同治元年，贼陷浙江湖州府之菱湖镇。有乌程县贡生沈王砻，年七十余，家居东栅，当贼来路，独遮与理论。曳之不退，刺刺不休。贼厌而戕之。夫逆踪遍天下，所践害者不可以数计，独沈生邀与言理，其愚真不可及也。”则知道、咸间之士子，沉醉于天王圣明久矣。

然无论制举与制科，其为戕贼文化，所失正同。袁枚《随园诗话》，载吴江布衣徐灵胎刺时文云：“读书人，最不齐。滥时文，烂如泥。国家本为求才计，谁知道变做了欺人技。三句承题，两句破题。摆尾摇头，便道是圣门高弟。可知道三通、四史是何等文章？汉祖、唐宗是那一朝皇帝？案头放高头讲章，店里买新科利器；读得来肩背高低，口角唏嘘。甘蔗渣儿，嚼了又嚼，有何滋味？孤负光阴，白日昏迷。就教骗得高官，也是百姓朝廷的晦气。”此真慨乎其言之矣。

一〇　四库全书

而世所称道于清世之文化事业者，则更有《四库全书》云。

考《四库全书》之修，始于乾隆三十七年，在此以前，固已有搜集遗书之举动。《亭林集》卷三《与公肃甥书》云：“修史之难，当局者自知之矣。求藏书于四方，意非不美。而四方州县，以此为苦。宪檄一到，即报无书。所以然者，正缘借端派取解费，时事人情，大抵如此。”盖在康熙时已征书也。《望溪年谱》页三十九：“乾隆四年诏重刊《十三经》、《二十四史》，先生充经史馆总裁。乃疏请敕内库内府藏书处，遍检旧本，谕王大臣及在京各宦家藏善本，并敕江南、浙江、江西、湖广、福建五省督抚，购送旧本，详为校正。”是就乾隆而论，在四库开馆以前，盖已征书也。至于《图书集成》之编定，盖尤足为《四库全书》之预影云。

《图书集成》者，分六汇编，三十二典，六千一百九部，共一万卷，五百七十六函，五千册，又目录二十册。原为康熙间，陈梦雷侍皇三子诚亲王所编。雍正即位，梦雷父子得罪，帝命蒋廷锡督在事诸臣编成，以聚珍铜字排印，即后日高宗所颁赐与人，以为殊锡者也。清季总理衙门，为宣扬中国文化计，又以扁体字翻印若干部，至另立图书集成铅印局。由是有两本传世，一、铜字本：二、扁字本。近中华书局所据以印行者，则内府铜字本也。

然高宗之修《四库全书》也，则渊源更有所自。

其一，则好古右文之浮慕也。考列代帝王，如汉武之收集秘书，宋初之修《广记》、《御览》，明初之修《永乐大典》，均赫赫人口！语详拙作《收集遗书与建国新猷》《建国》月刊第六卷第四五期合刊，二十一年四月出版。即就《永乐大典》言之，固足以启发《四库全书》焉。

《先正事略》三十五朱筠《事略》："会高宗下诏求遗书，先生奏言翰林院贮有《永乐大典》，内多古书，世未见者。请开局使校阅。且言搜辑之道甚备，四库全书馆自是开矣。"此中因缘，可想而知。

其二，则历来学人之潜势力焉。

考宋时，周煇已言缀集遗书，详所著《清波别志》卷中页十五。其在于明，则钱谦益《列朝诗集小传》丁集下记曹学佺事云："万历乙未进士，尝谓二氏有藏（佛藏、道藏），吾儒无藏。与王鼎立采掇四库之书，十有余年，而未能卒业也。"又丁集下记姚士粦事云："士粦字叔祥，海盐人。与里人胡震亨同学，以奥博相尚。蒐讨秦汉以来遗文秘简，撰《秘册汇函》若干函。"而谢在杭、胡元瑞云云，尤足为清世诸人之先路乎?

谢氏《五杂俎》十三云:"予尝观中秘之藏,其不及外人藏书家者,远甚。但有宋刻五十余种,精工完美,而日月不及,日就浥腐。恐百年之外,尽成乌有矣。胡元瑞欲以三年之功,尽括四海之藏,而后大出秘书,分命儒臣,编摩论次。噫,谈何容易。不惟右文之主不可得,即知重文史者,在朝之臣,能有几人?而欲成万世不刊之典乎?"

其三,则高宗个人之兴趣也。例如乾隆九年一七四四,荟萃宋元旧板,藏之昭仁殿,名曰天禄琳琅。至乾隆四十年乙未,重加整比,删除赝刻,订为书目十卷。"总计原贮宋版书七十一部,金版书一部,影宋钞书二十部,元版书八十五部,明版书二百五十二部。"《国朝宫史续编》卷八十案高宗雅好拈文弄墨,有如酸畯,则荟集群书,殆亦其性之所好者。

而其最大的出发点,则实与文字之狱,并无所殊。且以往时征之,王明清《挥麈余话》卷一页十二:"朱希真云:太平兴国中,诸降王死,其旧臣或宣怨言。太宗尽收用之,寘诸馆阁,使修群书,如《册府元龟》、《文苑英华》、《太平广记》之属。广其卷帙,厚其廪禄赡给,以役其心,卒老死于文字之间云。"刘壎《隐居通议》十三:"如宋初编《文苑英华》之类,尤不足取。或谓当时削平诸僭,降臣聚朝,多怀旧者。虑其或有异心,故皆位之馆阁,厚其爵禄。使编纂诸书,如《太平御览》、《广记》、《英华》之书,迟以年月,困其心志。于是诸国之臣,俱老死于字里行间,世以为深得老英雄法,推为长策。"或谓高宗之时,清兴已久,终老英雄,似无庸措;然以其困窒人心之一点而论，则与王、刘二子所论，亦未必无些微之类似矣。

乾隆三十七年正月上谕："今内府藏书，插架不为不富，然古今著作之手，无虑数千百家。或逸在名山，未登柱史。正宜及时采集，汇送京师，以彰千古同文之盛。"是收书为文化事业故也，三十八年三月上谕："昨以各省采访遗书，奏到者甚属寥寥。已明降谕旨，详切晓喻，予以半年之限，令各督抚从速妥办矣。……至书中即有忌讳字面，并无妨碍，现降谕旨甚明。即使将来进到时，其中或有妄诞字句，不应留贻后学者，亦不过将书毁弃，传谕其家，不必收存，与藏书之人，并无关涉。必不肯因此加罪。"是收书之故，半为查禁书也。三十九年八月上谕："乃各省进到书籍，不下万余种。并不见奏及稍有忌讳之书，岂有裒集如许遗书，竟无一违碍事迹之理？况明季造野史者甚多，其间毁誉任意，传闻异辞，必有抵触本朝之语。正当及此一番查办，尽行销毁。杜遏邪言，以正人心，而厚风俗，断不宜置之不办。"各该年该月《东华录》是收书之故，乃全然为查书也。图穷而匕首见，其斯之谓乎！

第一分四库全书，告成于乾隆四十七年四月丙寅。嗣后置内庭四阁，又立江浙三阁，沈兆澐尝记其梗概云："书成，缮写七分，仿浙江范氏天一阁式，建阁藏庋，大内曰文渊，圆明园曰文源，热河曰文津，盛京曰文溯，并于扬州大观堂之文汇阁，京口金山寺之文宗阁，杭州圣因寺之文澜阁，亦各庋一分。俾江浙士子，得以就近钞录传观。又择其精者为荟要，计全书三之一，缮为二分，一藏大内，一藏圆明园，凡编录，十三年竣事。四库共存书三千四百六十种，计七万五千八百五十四卷；辑《简明目录》以便观览。底本仍贮翰林院，此诚为古今来未有之大观也。”《篷窗附录》卷上然案文津所藏，已用太上皇帝之宝，则最后之成书，当已在高宗禅位仁宗时堵福诜《补钞文澜缺简记》第二页引。则成书之经过之长固足异；然成书时之贻祸典籍之烈，则颇可惊人也。间尝列为四事云。

故章炳麟云：“满洲乾隆三十九年，既开四库馆，下诏求书。命有触忌讳者，毁之。四十一年，江西巡抚海成，献应毁禁书八千余通，传旨褒美。督各省摧烧益急。自尔献媚者纷起。初下诏时，切齿于《明季野史》，其后四库馆议，虽宋人言辽金，明人言元，其议论偏谬尤甚者，一切摧毁。及明隆庆以后，诸将相献臣所著《奏议文录》，若高拱《边略》，张居正《太岳集》，申时行《纶扉简牍》，叶向高《四夷考》、《苍霞草》、《苍霞余草》、《苍霞续草》、《苍霞奏草》、《苍霞尺牍》，高攀龙《高子遗书》，邹元标《忠介奏疏》，杨涟《杨忠烈文集》，左光斗《左忠毅集》，缪昌期《从野堂存稿》，熊廷弼《按辽疏稿》，孙承宗《孙高阳集》，倪元璐《倪文正遗稿》、《奏牍》，卢象升《宣云奏议》，孙传庭《罪省录》，姚希孟《清閟全集》、《沆瀣集》、《文远集》、《公槐集》（《公槐集》中有《建夷授官始末》一篇），马世奇《淡宁居集》，诸家丝帙寸扎，靡不然爇。虽茅元仪《武备志》，不免于火《武备志》今存者终以诋斥尚少故存之耳。厥在晚明，当弘光、隆武，则袁继咸《六柳堂集》，黄道周《广百将传注》，金声《金太史集》。当永历及鲁王监国，则钱肃乐《偶吟》，张肯堂《寓农初议》，国维《抚吴疏草》，煌言《北征纪略》。自明之亡，一二大儒，孙氏则《夏峰集》，顾氏则《亭林集》、《日知录》，黄氏则《行朝录》、《南雷文定》。及诸文士，侯、魏、邱、彭所撰述，皆以诋触见烬。其后纪昀等作《提要》，孙、顾二家，稍复入录。而颇去其贬文。或曰：朱邵数君子，实左右之。然隆庆以后，至于晚明，将相献臣所著，仅有孑遗矣。其他遗闻轶事，皆逋臣所录，非得于口耳传述，而被焚毁者，不可胜数也。由此观之，夷德之戾，虽五胡金元，抑犹有可以末减者耶？”《检论》卷四焚毁之多，此则文献受厄，共事一也。

故清季邓实跋国学保存会《禁书目录》，谓：“书厄自秦火之后，大厄凡十有一，而以乾隆时焚毁之最后一厄，为最惨烈。”《人文》五卷一期引案邓语，见国粹丛书第二集《禁书目录跋》真痛乎其言之哉！

抑又有抽毁也。陆锡熊《宝奎堂集》卷四《进销毁违碍书籍劄子》云：“凡明季狂吠之词，肆意妄悖，俱为臣子者所当发竖眦裂。其有身入国朝，为食毛践土之人，而敢于逞弄笔端，意含愤激者，尤天理所不容。自当凛遵训谕，务令净绝根株，不得使有只字流传，以贻人心风俗之害。至若明初著作，于金元每多偏谬之词，虽议论乖僻，究非指斥可比。又如明人时代，在嘉、隆而上，则尚属本朝龙兴以前。或其书偶述边事，亦只指鞑靼、瓦剌、朵颜、三卫等部，《明史》可证，并非干碍。即措辞太觉荒唐，原不妨量予删节，似不必概行全毁。”此则以直接忌讳故而抽毁也。乾隆四十一年十一月谕：“所进书内，有拟付钞录之王质《雪山集》如《论和战守疏》、《上宋孝宗疏》诸篇，词旨剀切，颇当事理。竟宜付之剞劂，但其中亦有青词一种，并当一例从删。”《四库提要》卷首此托辞卫道而抽毁也。四十一年十月谕：“汇选各家诗文，内有钱谦益、屈大均辈，所作自当削去。其余原可存留。不必因一二匪人，致累及众。”《东华录》此则以人废言之抽毁，录其大体，而抽毁其一二，其事二也。

抑又有窜改也。如关羽者，于后主景耀三年追谥壮缪侯，此本见于陈寿《三国志》者也。南监本《廿一史》，今尚可按姚南菁《援鹑堂笔记》卷三十一云："缪与穆同，而近日有言壮缪非美谥者，似不然耳。"但殿本《蜀志·羽传》，竟有乾隆四十一年七月二十六日上谕！"今当抄录《四库全书》，不可相沿陋习，所有志内关帝谥，应改为忠义。"如"颉颃汉彻，跨蹑曹丕"，《北史·文苑传》语也。而《东华录》称乾隆四十二年十月上谕："汉武帝在汉室，尚为振作有为之主，……著交武英殿将《北史·文苑传》叙，改为汉武。"黄群《春秋讲义跋》云："宋戴溪《春秋讲义》二十七卷，朱竹垞《经义考》注云已佚。四库馆臣，葺采《永乐大典》各条，有所缺，则所取黄震《日钞》所引，补之。但《黄氏日钞》各条中，称为华夷、蛮夷、夷狄者，阁本皆为中外、外裔、外域，不胜校改。"见敬卿楼丛书第二十二册此则轻改原文，其事三也。

卢文弨《抱经堂集》卷十九《与钱辛楣论熊方后汉书年表书》云："原文之未可轻改，此不欲没著书者辑综之劳，而更虑后人纷更之失，致掩前美。诚凡传述旧人文字者，皆当如此，即仆向来持论，亦然。"此所谓轻改原文，犹指有理由之校改尔。况明指其无误而改之乎？

至于成书草率，又为确凿有据。《清史列传》二十五《陆锡熊传》云："乾隆五十二年六月谕曰：前因热河文津阁所贮《四库全书》，朕偶加批阅，其中错谬甚多，……今据和珅等阅看，讹谬不一而足。此内阎若璩《尚书古文疏证》一书，有引李清、钱谦益诸说，未经删削。其黄庭坚《诗集注》，有连篇累页，空白未填者，实属草率已极。”刘声木云:“《四库全书》,共写七分,惟留京之一分,校对详细。至于分驻各处之六分,则以写官厌倦,无人督率,致多删减。官事草率,大抵如斯云云。语见《刍言报》二十一号。声木案,《四库全书》藏于大内文渊阁者,皆依各省采进,及各家私藏之本。其余六阁之书,皆依此本传写。穰卿主政康年所言留京之一份,校对详细,无大脱落,或指藏于圆明园内文源阁者而言,然早已毁于英人。其余文津、文宗、文汇、文澜四阁藏书,确有此病。甚有全部每帙只钞外面数行字,以便翻阅之用。新建夏中丞敬观,曾亲见之。”《苌楚斋续笔》卷五此则工事草率,其事四也。

然则所谓《四库全书》者,除稽古右文之美名以外,实不能与明之《永乐大典》,相提并论,至少亦带有狎弄士子,查办禁书之阴谋,存乎其中。世顾以此而称清之功,过矣。

七阁者,文渊藏故宫博物馆,文津自热河运平,今藏北平图书馆。文汇、文宗毁于洪杨之役,文源毁于英法联军之役,文澜经两次钞补,今存杭州浙馆拙作《典籍聚散考》页一三九——一五〇。文溯者,曾自沈运平,又自平返沈;九一八以后,与辽沈均非吾有矣,《时事新报》二二年九月十日云:“张学良氏所有在沈阳之住宅,现为伪国国立图书馆,藏有《四库全书》三万八千余册,及关于贵重之文献十四万册。殿版约二十四万册,并伪省署,新以六千余元所购之《李朝实录》八百八十册。该图书馆并不公开,专罗致各学者,预备于东方研究,作一有计划之事业云。”则我所自有仅三部矣(文澜且非完全原本)。

至于此书之印行。民国十年,徐世昌曾拟据文渊本影印,此为第一次《聚散考》页五〇六。十二年清室内务部亦拟将文渊本交商务影印,此为第二次。十四年,章士钊佐段祺瑞时,又以文津本拟付影印,此为第三次同上,页五〇七。十四年九月二十七《申报》云:"吾国文化事业之盛,为全球之冠,固不待言。而聚书印行,尤为流传典籍所独尚。盖一以防散失,一以垂久远也。释家道家,久有大藏道藏之轸。而《永乐大典》、《四库全书》,尤为明清二代典籍之渊海。惟《永乐大典》,早已散佚不全,《四库全书》虽当时钞存七部,分存馆阁。而屡遭兵燹,亦复存者无几。承学之士,相与忧之。近来西洋人之研究中国学术者日多,知中国之有此瑰宝,亦复延颈企伫,拟资观摩。民国以来,遂渐渐有印行之动机矣。第一次在徐世昌任内,因获法赠博士之徽号,求有自效。即已刷印样本目录,以朱桂莘游历欧洲,图谋销售。而印书则或设局专办,或指定由商务印书馆承揽,正待熟筹,忽又中止。迨前年商务印书馆又定印行之计划。虽明知卷帙之繁,印工之巨,成本之大,无可获利。而以此为中国文化之最大事业,故毅然自任。且与政府清室,双方议妥。即将奉天之原书,运京装箱,豫备运沪。而其时曹锟左右,因故泥止,卒以不果,论者惜之。战役之后,奉张因原书之贵重,恐致散失。即运回奉天,而商务之志不懈。政府亦以此时若不印行,万一再有滞误,即戕贼文化无限,决拟付之影印云。"即述第三次之影印也。民国十七年,奉张又拟印行文溯藏本《聚散考》页五〇九,此为第四次,——然厥无成功也。

直至民国二十二年"六月十七日,教育部委托中央图书馆筹备处与敝馆(商务印书馆)签订影印四库全书未刊珍本合同。规定将文渊阁四库未刊珍本,缩成小六开本,限用江南毛边纸印一千五百部，每部九万页，分计千五百册，并限二年内将书出齐。”商务印书馆《四库全书珍本影印缘起》近书已陆续出版，是印行四库之问题，暂时可得一解决矣。

然《四库全书》，虽为乾隆一家之书，而于其收罗遗逸之鼓吹，究亦有力。因其式而利用，取其形而去其神，使国内典籍，群登国家图书之府，而无焚毁抽毁窜改等等之恶劣手段，存乎其间，则《四库全书》之事虽死，而《四库全书》之影响，或可不至于零，或不仅限于摧残晚明文献，及箝制古人喉舌也。

考光绪戊申三十四年喻长霖请续编《四库》《醒提斋存稿》卷一，然其旨仍在“排斥邪说”。至段执政时，李木斋又拟续编，则提议增补“反清派”之书籍，续收乾隆后之名著，其意较充善矣《聚散考》页五二一。《申报》十四年八月二九记：“续编《四库全书》一节，经政府批交内、教二部核办后，二部会商，均认为可行。惟经费一层，颇感困难。闻有拟由日本退还庚子赔款项下挪用数十万元。此案发起人，系李盛铎。李氏自见阁议后，复往谒段，专商此事。段亦甚表赞同。李益拟分三种编法。其一，关于前清《四库全书》，将反清派以及列代反对君主思想诸书如《思明录》等等，及有种族思想之著作，悉屏勿录，此种著作，弥有价值，堙灭不传。殊觉可惜，现均续编以广流传闻李氏本人即已搜集千余种。其二，自乾嘉以后，诸种公开著作，以年代稍后，未列入《四库全书》者，现均续编。惟概以已死者为限。其三，凡有价值而稍次者，则编其大概，列入后部。”李氏之旨美矣，然国家多故，言而未行也——平心论之，四库之动机不良。四库之焚毁甚烈,在文化史上,初可一痛一笑。但立偌大名目以收罗遗书,则弊中亦未必无利。李氏之重视续编,较时贤之言影印,见解似较胜云。

第四章　清学术之转换方面

一一　藏书与校勘

综上,可知满汉之歧异也。文字狱之大兴也,科举与特科也,《四库全书》也,均含有取缔反清之方法,特含量有不同尔。总之,使秀才莫造反也,然而第由表面观之,学术亦受其影响矣,藏书之业,校勘之学,特其间之一二端。

考明季藏书,本已丰富参看近古卷三十八节;其在清初,则取其脍炙人口而言,如钱谦益之宋刊《汉书》也。宋牧仲《筠廊偶笔》卷下言:"王弇州先生旧藏宋版《汉书》,得之吴中陆太宰家,纸为罗纹笺,字类欧阳率更,云是赵文敏故物。卷首有文敏自作小像,紫衣纱帽,神彩如生。弇州亦作一像于后,弇州没,虞山以千金得之,后转鬻于四明谢象三。虞山云:'此书去我之日,殊难为怀。李后主去国,听教坊杂曲,挥泪对宫娥一段,凄凉景色,约略相似。'"《初学集》八五有《跋前后汉书》一文——则以亡书为亡国也。如黄宗羲之以书启争也,全祖望言:"吾闻澹生堂书之初出也,其启争端多矣。南雷黄公,讲学于石门,其时用晦吕留良父子,俱北面受经。已而以三千金出购澹生堂书,南雷亦以束修之入参焉。交易既毕,用晦之使者，中途窃南雷所取卫氏《礼记集说》、王偁《东都事略》以去，则用晦所授意焉。南雷大怒，绝其通门之籍，用晦亦遂反而倒戈，而妄自托于建安之徒。并删去蕺山学案私淑，为南雷也。"《鲒埼亭集》十七《小山堂藏书记》则以藏书而卖友焉。如毛晋之高价标买也。荥阳悔道人《汲古主人小传》古学汇刻本云："性嗜卷轴，榜于门曰：有以宋椠本至者，门内主人计页酬钱。每页出二百。有以旧钞本至者，每页出四十。有以时下善本至者。别家出一千，主人出一千二百。于是湖州书舶，云集于七星桥毛氏之门矣。邑中为之谚曰：'三百六十行生意，不如鬻书与毛氏。'前后积至八万四千余册，构汲古阁、目耕楼以藏之。"则以购书为标榜焉。如朱彝尊之偷钞钱书也。钱林《文献征存录》卷二《钱曾传》云："绛云未烬之先，藏书至三千九百余种。钱遵王撰《读书敏求记》，凡六百一种，皆记宋版元钞，及书之次第完缺，古今不同，依类载之，秘之枕中。康熙二十四年一六八五，彝尊典试江左，与遵王会于白下。求一见之，终不肯出。乃置酒召诸名士高宴，遵王与焉。私以黄金，及青鼠裘予其侍史，启箧得之。雇藩署廊吏数十，于密室半宵写毕，并录得《绝妙好词》一卷。词既刻，遵王渐知之。彝尊设誓以谢曰，不流传于外人。""嗟夫，一《敏求记》也，不过记载宋本、钞本，或片纸只字，可资考订。而深秘诡得，标榜矜尚，好奇多癖，信文人已。"赵祖铭《文献迈古录》卷二十语然而清初藏家之风气，则不难推论得之矣。

朱彝尊《曝书亭集》卷六十一《书椟铭》云："余入史馆，以楷书手王伦自随，随录四方经进书。伦善小词。宜兴陈其年，见而击节。寻供事翰苑，忌者潜请学士牛纽，形之白简。遂罢予。归田之后，家无恒产，聚书三十椟，老矣，不能遍读也。铭曰：夺侬七品官，写我万卷书，或默或语，孰智孰愚？”盖藏家矜奇，不止上列四事云。

故《四库全书》之成，亦赖当时藏家之力。乾隆三十九年五月十四日上谕：“国家当文治休明之会，所有古今载籍，宜及时蒐罗大备，以光册府而裨艺林。因降旨命各督抚，加意采访，汇上于朝。旋据各省陆续奏进，而江浙两省藏书家，呈献种数尤多。廷臣中亦有纷纷奏进者。今阅各家进到之书，如浙江之鲍士恭、范懋柱、汪启淑，两淮之马裕四家，为数多至五六七百种。皆其累世弃藏，子孙克守其业，甚可嘉尚。因思内府所有《古今图书集成》，为书城巨观，人间罕觏。此等世守陈编之家，宜俾专藏勿失，以俾留贻。鲍士恭、范懋柱、汪启淑、马裕四家，著赏《古今图书集成》各一部，以为好古之劝。又如进呈一百种以上之江苏周厚堉、蒋曾莹，浙江吴玉墀、孙仰曾、汪汝瑮以及朝绅中黄登贤、纪昀、励守谦、汪如藻等亦俱藏书旧家，并著每人赏给内府初印之《佩文韵府》各一部，俾亦珍为世宝，以示嘉奖。”《四库提要》卷首是私人之收藏，雪纂露钞，晨夕经营，固大有造于《四库全书》之完成矣。

藏书之业，若仅为国家收集遗书时之妆点，则其事较无足重。第就其于学术有关，屹然自有其立场者，则亦有三。

一则曰旧籍之保存也。即以钱谦益之宋本《汉书》言，《古学汇刊》第一集收有无名氏《牧斋遗事》云：“初，牧翁得此书，仅出价三百余金。以《后汉书》缺二本，售之者固减价也。牧翁宝之如拱璧。遍嘱书贾，欲补其缺。一书贾，停舟于乌镇，买面为饭食。见铺主人于败簏中，取书两本，作包裹。谛视，则宋版《后汉书》也。贾心动，窃喜，因以数枚钱买之。而首页已缺，贾向主人求之，主人曰：

顷为对邻裹面去，索之可也。乃并获其首页，星夜来常，钱喜欲狂，款以盛馔，予之二十金。其书遂为完璧。纸色墨汁，炯然夺目，真藏书家不世宝也。入本朝，为居要津者取去。”离奇屈折，志在必得，此则存古之功一也。

袁枚《随园诗话》卷十三云：“李穆堂侍郎云：凡拾人遗编断句，而代为存之，比葬暴露之白骨，哺路弃之婴儿，功德尤大，何言之沉痛也！”藏书家之存古，即以是项精神造成者。

二则曰旧籍之是正也。《梦溪笔谈》二十五曰：“宋宣献博学，喜藏书，皆手自校雠。常谓校书如扫尘，一面扫，一面生。故一书三四校，犹有脱误。”而清代收藏之家，钞校之业，则确能存此精神而勿失。吴焯之钞《咸淳临安志》也，始于康熙辛卯一七一一终于雍正癸卯一七二三，前后十三年而始成《拜经楼藏书题跋记》卷二一。孙庆增《藏书纪要》云：“古人每校一书，先须细心䌷绎，自始至终，改正谬字错误，校雠三四次，乃为尽善。……若古书有不可考校，无从改正者，亦当多方请求博学君子。善于讲求古帖之士。又须觅旧碑版文字，访求藏书家秘本，自能改正。……至于字画之误，必须请教明于字学音韵者，辨别字画音释，方能无误。”页十四十五别白鱼鲁，订明亥豕，此则存真之功，二也。

古书之中，往往一字之歧，累及全意。《老子》云：“佳兵不祥。”后人无从训解。卢文弨《抱经堂文集》卷二十二有《佳兵不祥解》，以为唯字之讹，陈说立去，遂觉脉理井然，则校勘家之功，可想知矣。

三则曰为学术而学术也。鲍以文者，乾隆时之藏书家也。阮元《定香亭笔谈》页四，昭代丛书本曰："歙鲍以文廷博居杭州，博极群书，家藏万卷，虽隐僻罕见著录者，问之无不知其原委。尝刻《知不足斋丛书》及《四库全书提要》；又尝为《夕阳诗》，盛传于时。人呼为鲍夕阳。予赠以句云；清名即是长生诀，当世应无未见书。"周书昌者，四库入馆者也。桂馥《晚学集》有《周书昌传》，谓其"结茅林汲泉侧，因自称林汲山人。先生衣服饮食，声色玩好，一不问，但喜买书。有贾姓出入大姓故家，得书辄归先生。凡积五万卷。先生见收藏家易散，有感于曹石仓及释道藏，作《儒藏说》。约予买田。作借书园，祀汉经师伏生。聚书其中，招致来学，苦力屈不就"。据俞樾《荟蕞编》十二引摩挲故纸，意味盎然，此则为学而学之好态度，三也。

然则，与其称颂《四库全书》之伟大，曷若称述藏书家之锲而不舍，更为有功学术哉？异时之百宋一廛、千元十驾，非徒佳话流传，即于存古存真，为学而学之三方面言之，固自有其不朽也。

百宋一廛，苏州黄丕烈荛圃所创。黄为乾隆五十三年戊申举人，顾广圻为作《百宋一廛赋》，有除夕祭书故事者也。同时海昌吴骞兔床，立千元十驾，谓千部元版，遂驾及百部宋版也拙著《典籍聚散考》页三四一至三四六。嘉道以后，山东有聊城杨氏海源阁，承受百宋之珍。江苏有常熟瞿氏铁琴铜剑楼，亦得黄氏百宋之珍者也。浙江有归安陆氏皕宋楼，则在洪杨乱间，杂收各家所出者也。又有杭州丁氏八千卷楼，来自与陆氏正同，是为清季收藏四大家。皕宋之书，已归日本东京静嘉堂文库；杨氏之书，比年亦日告散佚。瞿氏书闻在沪，未审平安否也！惟丁氏之书今归南京龙蟠里国学图书馆。魂依故里，差为得所。念乾嘉盛时，藏书家故事，特略及之。语在拙作《中国典籍聚散考》卷三《藏弃卷》中，此不详也。

一二　清学述概（上）

然藏书之业之受清世政略之影响，犹未如清时之学人焉。痛哭于明亡也如此，受厄于清之兴也如彼。故清学之建树，与其力反明学，初也固有其所自之所；其后则盛名所在，人皆附之，忘朔忘本，自有根据矣。

曷言夫反明学也，夫宋明理学，日趋萎沉详近古卷三十二节。言性言道，无裨实际；此因清初学术界之大势。故顾炎武反之以经学即理学，与施愚山书云："理学之传，自是君家弓冶。然愚独以为理学之名，自宋人始有之。古之所谓理学，经学也。非数十年不能通也。故曰君子之于春秋，没身而已矣。今之所谓理学，禅学也。不取之于五经，而但资之于语录，较之帖括之文，而尤易也。"《亭林文集》卷三黄宗羲反之以通经而致用。《清史稿》四八六《黄宗羲传》云："明人讲学，袭语录之糟粕，不以六经为根柢，束书而从事于游谈，更滋流弊。故学者必先穷经。然拘执经术，不适于用，欲免迂儒，必兼读史。读史不多，无以证理之变化。"颜元反之以惟习为学。李塨尝述元意云："率天下之聪明杰士尽网其中，以空虚之禅悦，怡然于心，以浮夸之翰墨，快然于手，自明之末世，朝庙无一可依之臣，天下无复办事之官。坐大司马堂，批点《左传》，敌兵临城，赋诗进讲。其习尚至于将相方面，觉建功奏绩，俱属琐屑。日夜喘息著书曰：此传世业也。以致天下鱼烂河决，生民荼毒。呜呼，谁实为之？无怪颜先生之垂涕泣而道也。"《恕谷后集》卷四综三家之说而通之，"通经致用"，四字足以概之。通经致用，反明学之运动也。

> 故《亭林文集》卷二有《与友人论学书》云："今之君子，聚宾客门人数十百人，与之言心言性，舍多学而识，以求一贯之方。置四海困穷而讲危微精，一吾勿敢知也。"又曰："孔子删述六经，即伊尹、太公救民水火之心，故曰载诸空言，不如见之行事。"《亭林集》一《与人书二》而刘献廷则谓："今之学者率知古而不知今，纵使博极群书，亦只算半个学者"《广阳杂记》卷二。吴光传："既究心经济，博综典坟，及九流百氏，自成一家言。明亡，太息流涕，取所著付之火焉。"《清史列传》六六——此皆反明学者。

然自"天下"大定，狎弄日甚，则当日力言经世致用之诸儒，自不期然而但以读书自慰。善夫全祖望之言，曰："王高士不庵之言曰：'宁人身负隐痛，思大揭其亲之志于天下。奔走流离，老而无子。其幽隐莫发，数十年靡愬之衷，曾不得快然一吐。而使后起少年，推以多闻博学，其辱已甚安得不掉首故乡，甘于客死？'"《鲒埼亭集》十二《亭林神道碑》此言顾氏不得已而读书，而后人但慕其读书，而不谅其不得已也。"张天章尝语（颜元）习斋，何不著礼仪水政书？习斋曰：'元之著存学也，病后儒之著书也。尤而效之乎？且纸墨功多，恐习行之精力少也。'"李塨《习斋年谱》卷下，页十九然元之大弟子，为蠡县李塨恕谷。《保定府志》五十九述其著作之目，有《周易传注》七卷、《箴考》一卷、《郊社考辨》一卷、《论语传注》二卷、《大学传注》一卷、《中庸传注》一卷、《学乐录》二卷、《论学》二卷、《小学稽业》五卷、《恕谷后集》十三卷，又有《诗经传注》、《拟太平策》、《运心编》、《瘳忘编》、《平书订》、《田赋考辨》、《宗庙考辨》、《禘祫考辨》、《阅史闳视》、《览天主书辨》、《学礼》、《学射》、《学御》、《学书》、《学数》诸书。——然则，其师以读书为非，其徒以读书为业，岂但可以观世变，亦学术幻化之林也。至黄宗羲之徒，尤不足论矣。

桓谭《新论》严氏《全后汉文》卷十四引云："秦延君能说《尧典》，篇目二字之说，至十余万言。但说'粤若稽古'，三万言。"《文心雕龙》十八《论说篇》："若秦延君之注《尧典》，千余万言，朱普之解《尚书》，三十万言。是以通人恶烦，羞学章句。"今案全氏《鲒埼亭集》外编二十三《春秋辑传叙》云："往者姚江黄徵君，以经学大师，论教浙东西之间，尝欲……大修群经。而先从事于《春秋》。先令其徒，荟萃大略，辑为丛目，只篇首'春王正月'一条，草卷至五大册，犹未定。徵君笑曰：'得无为秦延君之说《尚书》乎？'"至其弟子万斯同，则冯辰《恕谷年谱》卷三云："康熙庚辰三十九年一七〇〇万季野谓先生曰：'先儒训学各异，予谓只是读书耳。'先生不答。"盖一时务实慷慨之学，不得已而抱书终老，时实为之，非梨洲一人之过也。

于是而刘献廷半个学者之说熄焉，于是而颜习斋以习为学之说熠焉。而顾黄一流之读书致用说，后人略其致用，而但以读书为康熙、雍正间之学术宗主。傅山曰："弯强跃骏之骨，而以呫哔朽之,是则埋吾血千年而碧不可灭者矣。"《鲒埼亭集》二十六《青主事略》此语本已沉痛,而阎若璩之徒,顾以"呫哔"自朽,亦岂顾、黄、颜等初料所及者哉?

阎若璩者,其《潜邱劄记》,世有原刊本。其书述,遇人问使功不使人过一语,初不知出何书。越十五年,而读《唐书·李靖传》知之,又五年而读《后汉·独行传》得之《劄记》四卷。真可见其以活头颅埋死书本之精神矣。

故自清初以至康雍,诸大师之成就,在"通经"而非在"致用",在读书而不在行事,充此通经读书之结果,则在打倒"理学"之外,其功效殊戋戋。

粤在清初,政治者之假藉宋学,亦可云甚矣。昭梿《啸亭杂录》卷一《崇理学》曰:"仁皇夙好程朱,深谈性理。虽宿儒耆学,莫能窥测。尝出《理学真伪论》,以试词林。又刊定《性理大全》、《朱子全书》等书。特命朱子,配祀十哲之列。故当时宋学昌明,世多醇儒,非后世所能及也。"朱子之配祀十哲,见康熙五十一年《东华录》。然陈确卒于康熙十六年,清史称其谓:"本体二字,不见经传,是宋儒从佛氏脱胎来者。又曰:《乐记》云,人生而静,天之性也,二语亦是禅宗。……世儒习气,敢于诬孔孟,必不敢非程朱,言之痛心。宗羲谓其于圣学,已见头脑。"《列传》六六则圣祖之令,无效也。乾隆六年一七四一又以御史谢济世,著书毁斥程朱,奉旨将书板销毁乾隆《东华录》四。严有僖云:"御史谢济世,注《四书》,多与考亭、朱子不合。且诋考亭云,明祖与之同姓,故开国遵用其注等语,至形诸章奏。并刻其书行世,虽奉有毁板之旨,而所刻未必不流传。"《漱华随笔》卷一是帝王之于程朱，本已竭提倡之能事，而为通经致用派所攻击，卒至于渐渐消沉矣。

《方东树传》："时海内竞尚考证，号为汉学，姚鼐尝为文辨之。东树因著《汉学商榷》四卷，自序谓近世汉学，辟宋儒；攻朱子。以言心言性言理为厉禁，观其所著书，不出训诂小学名物制度，弃本贵末。于圣人躬行木讷治平修齐之教，一切抹杀。名为治经，实足乱经。"《清史列传》六十七可见但主读书之经世学，能与宋学以极大威胁也。

刘声木言："国朝诸儒，能言而不能行者，莫如大兴翁学士方纲。侈言理学，研求宋五子书，乃至跪求差事，见于《啸亭杂录》。以妾为妻，并已死之妾亦扶正，见于《翁氏家事略记》。"《苌楚斋随笔》卷三凡理学者之虚伪，固有其本身的成因。然以读书运动之高张，一二等之人材，群集而依附于盛名所归之考据；其斤斤守理学之壁垒者，多为三四等人材。则宋明理学之销歇，自受新兴之读书运动之威胁乎！劳乃宣云："《皇清经解》，不取宋学家一字，世遂轻宋学如土苴。而间有笃信宋学者，则又讥汉学为破碎。但宋学终不敌汉学之盛，盖举世风气，轻视宋学。于是人心风俗，日即于苟，而乱祸肇矣。"《桐乡劳先生遗稿》卷一《论为学标准》此言也，盖统指雍、乾以后，学术界之大势而确凿可据者也。

是故《四库》修书之日，纪文达为总纂官，"文达天资高，记诵博，尤不喜宋儒。及是遗书毕出，纂修者益事烦杂，诋讪宋元来诸儒讲述，极卑隘谬盭可尽废"《惜抱轩书录叙》。戴震亦撰《孟子字义疏证》，专驳宋儒，"盖以宋儒言性言理，言道言才，言明言权，言仁义礼智，言智仁勇，皆非六经、孔孟之言，而以异学之言糅之。故以《孟子》字义开人示人，如人欲流行，天理净尽之语病。于是作《孟子疏证》，及《原善》、《原性》诸篇。”《先正事略》三十五最后至嘉庆二十二年一七一七，阮元刻《学海堂经解》于粤中，力屏宋学诸作。此盖承纪昀之遗，而开宋恕、李善兰之先者也。——要之，则宋学之消沉，以读书致用之说之张而然也。

纪昀著《四库提要》及《阅微草堂笔记》，訾謷宋儒，语近已甚，详拙作《颜习斋哲学思想述》页二。友人黄云眉又有《从学者作用估计〈四库全书〉之价值》一文《北平图书馆刊》七卷五号。案宋恕《六斋卑议》永嘉黄氏刊《敬卿楼丛书》之十云：“洛闽师徒，本不能目为道学。”《救惨章》三十四又记海昌李善兰“闻其痛恨闽洛，甚于德清（戴望）。每入孔祠，必指洛闽神主而骂，骂已则泣”《留别杭州诸生诗》注。是在光绪十七年。则斥责宋学，更进一层。然承流接衍，以事从其朔言之。固远自提倡读书运动之诸大师云。

一三　清学述概（下）

平心论之，非斥宋儒，固非一朝一夕。杨慎《丹铅录》十一记《刘静修论学》云：“六经自火于秦，传注于汉，义疏于唐，议论于宋，日起而渐变。学者当知其先后。近世学者，往往舍传注疏释，便读宋儒之议论。不知议论之学，自传注疏释出。传注疏释，于经十得其六七。宋儒用力之勤，铲伪以存真，补其三四而备之也。”然则清儒以前，早有非斥宋学者也。若夫亭林不背朱子，梨洲有取阳明，则开国诸大师之风绪，固非与宋学势不并立者也。

《南雷文定》卷三有《骂先贤》一文："今之敢于骂象山阳明者，以晦翁为之主也。此如豪奴之慢宾客，猘犬之逐行人，其主未尝知也。"是梨洲不非陆王可知。《日知录》卷十八《朱子晚年定论》云："《姑苏志》言，姚荣著书一卷，名曰《道余录》，专诋程朱。少师亡后，其友张洪谓人曰：'少师于我厚，今死矣，无以报之。'每见《道余录》，辄为焚弃。少师之才。不下于文成，而不能行其说者。少师当道德一、风俗同之日，而文成在世衰道微，邪说又作之时也。"盖炎武诋朱子之心学，而又自谦，"故僭书其所见如此"《日知录》十八"心学"条。然则顾君虽力斥阳明，而对于程朱，仍有相当之礼敬也。

惟帝皇之玩弄，使聪颖者，不得不折而读书；而对于宋学，尤启厌恶之感。充其所之，则流而之于雕虫小技。刘献廷《广阳杂记》卷四云："陈青来执贽于予，问为学之方。予言为学须先开拓其心胸，务使识见广阔，为第一义。次则于古今兴废沿革，礼乐兵农之政，一一淹贯，心知其事，庶不愧于读书。若夫寻章摘句，一技一能，所谓雕虫小技，壮夫羞为者也。"凡献庭之所慨叹，而不知其没身以后，竟有徒贤博弈之考证学，发辉光大，蔚为清学之重镇也。而不知其没身以后，黄顾颜诸大师之学问旗帜，竟由通经史而致用，一变而化为通经史于读书也。

以今观之，以读书通经史，何朴学实学之有？第"朴学"、"实学"，虽不如言者之甚，而其效亦有可观者。

其一，则寻根究底，颇有合于科学之精神也。《先正事略》三十五《戴震事略》云："甫授《大学章句》，问塾师，此何以知为孔子之言，而曾子述之？又何以知为曾子之意，而门人述之？师曰：'朱文公说也。'问：'文公何时人？'曰：'宋人。''孔子、曾子何时人？''周人。''周宋相去几时？'曰：'几一千年矣。'曰：'然则文公何以知其然？'塾师不能对。"寻源溯故，不为盲从，此则其效一也。

后日崔述为《考信录》，竟以"打破砂锅纹到底"为治学之本详《畿辅丛书》所收《考信录提要》卷下页十五，则较戴震更甚矣。

其二，则敢于疑古，能去旧说之桎梏也。阎若璩之著《尚书古文疏证》也，其言曰："二十五篇之书，其最背理者，为太甲稽首于伊尹；其精密绝伦者，在虞廷十六字。……予曰：此盖纯沿用《荀子》而世举未之察也。《荀子·解蔽篇》：'昔者舜之治天下也云云，故《道经》曰：人心之危，道心之微。危微之几，惟明君子而后知之。'此篇前又有'精于道一于道'之语，遂隐括为四字。复续以《论语》'允执厥中'，以成十六字。伪古文盖如此。或曰：安知非《荀子》引用《大禹谟》之言也。余曰：合《荀子》前后篇读之，引'无有作好'四句则冠以'《书》曰'，引'惟齐非齐'一语则冠以'《书》曰'，以及他所及《书》者十皆然，甚至引'弘覆乎天，若德裕乃身'则明冠以《康诰》，引'独夫纣'则明冠以《泰誓》以及《仲虺之诰》皆然，岂独引《大禹谟》而独改为《道经》耶？予以此知'人心之危，道心之微'必真出古《道经》而伪古文袭用之。初非其能造语精密，至此极也。"《尚书古文疏证》卷三十一"人心惟危，道心惟微，惟微惟危，允执厥中"，此十六字之心法，宋儒以为秘授者，至此而偶像破矣。又如太极无极之说，本非孔门所有，当日张端义已论之近古卷十一节。至清初，则胡渭作《易图明辨》，其言曰："邵子之学，源出希夷，实老庄之宗派。但希夷一言一动，无非神仙面目。而邵子则不尚虚谈，不立异行，不落禅机。……故我以为邵氏之《易》，与圣人之《易》，离之则双美，合之则两伤。学者不可不审也。"《易图明辨》十于是乎而朱子所谓："此非熹之说，乃康节之说；非康节之说，乃希夷之说，"《朱子文集》三八《答袁枢仲问易书》至此而得一解决矣。

凡此两事，均足证清儒之敢于疑古焉。

此即近人所谓辨伪运动之嚆矢也。明胡应麟作《四部正譌》《少室山房笔丛》之一已开先河。至清，则姚立方著为《古今伪书考》，列可疑之书至多。虽其证断不明，引据不详，顾亦一时之翘楚矣。

其三，则欲读古书，遂能多通古韵古文也。声韵之学，开国时，大师顾炎武已言："嗟夫，学者读圣人之经，与古人之作，而不能通其音；不知今人之音，不同于古也。而改古人之文以就之，不亦惑乎！"《文集》四《答李子德书》准此，则通古韵与读古书之关系，不已明乎？文字之学，洪亮吉述朱筠言："先生以读书必先识字，病士子不习音训，购得汲古阁许氏《说文》新印本，延高邮王孝廉念孙等校正刊行。工竣，令各府士子，入钱市之。许氏之学，由是大行。"《更生斋文》甲集卷四此即后此金榜所谓"不通《说文》，不足与语读书"之说，而段玉裁之《说文解字注》、朱骏声之《说文通训定声》，虽问世之时间有殊，而确乎皆以识古字读古书之精神而成者。

自文字学而旁衍，则金石学乃其旁枝。顾炎武开其端，钱大昕继其后，以前者言："性喜金石文，所至必躬自蒐访，有《金石文字记》"《先正事略》二十七《亭林事略》以后者言："尤嗜金石文字，举经史子集，以证其异同。同好如毕秋帆、阮芸台、武虚谷、黄小松、孙渊如，咸有记撰，而先生熟于历代官制损益地理沿革，故其考据精审，多出数公之外。"同上三四《竹汀事略》此皆金石之学，依附考据以生之证也。

然其最大的发扬，则在史地之学。盖以六经皆史之说论之，主张力治经学者，本已涉及于史学。而涉及古史，则又及古地名。此亦相连而至者也。此其失，诚如刘继庄（献廷）之主张"诸公考古有余，而未切于用"，以为"有圣人出，经理天下，必自西北水利始"《先正事略》三十二《继庄事略》。**然而亦有所得，如顾祖禹之《读史方舆纪要》，则魏叔子推之以为千百年间绝无仅有之书者也；马骕之《绎史》，时人称为"马三代"者也，此皆史地之学之不可诬者。**

清时多研究古地理者，语在梁著《清代学术概论》页九十—九一。马骕者，"字宛斯，济南邹平人。顺治己亥进士，生而清羸，博雅嗜古。著《绎史》凡分五部：一曰太古，二曰三代，三曰春秋，四曰战国，五曰外录。合一百六十篇，篇为一卷。始开辟原始，迄古今人表。其书最为精博，时人称'马三代'，昆山顾亭林，尤服之"《池北偶谈》卷九。马氏之书，治上古史者，于今尤有取焉。

然而，四效虽可睹而四弊亦作。

其一，则墨守泥古也。程廷祚者，卒于乾隆三十二年，史称“廷祚深于经学，能确然言其所言。尝曰墨守宋学已非，墨守汉学更非”《清史列传》六六。此盖斥惠氏父子。江藩《汉学师承记》卷二论曰：“儒林之名，徒为空虚藏拙之地，独惠氏世守古学，而先生所得尤深。拟诸汉儒，当在何邵公、服子慎之间。”惠氏父子，指惠士奇、惠栋；考两惠之主张，“凡古必真，惟汉皆好”，此非顾、黄诸先辈所能认可者。

《焦氏丛书》卷首有王伯申引之《手札》云：“惠定宇先生考古虽勤，而识见不高，心思不细，见异于今者，则从之。大都不论是非。”可谓一针见血之论。吾读《旧唐书》一〇二《元行冲传》载当时口语，有“宁道孔圣误，不言服郑非”之语，汉学者亦尔尔耳。

其二，则迂愚可哂也。彭荪毓《渔舟纪谈》卷下《记考据》云：“刘恕斋因举孙星衍渊如一事，亦足以资嗢噱。先生学最富，尤喜考据。秦小岘学士瀛，其甥也，夏日食蒸饼，未竟，燥裂作篆隶文。戏拓一纸，寄先生。诡云，新得一半截砖，有字不可识，请辨之。先生忻然，谓字画古拙，的是秦汉间物。旁订博引，写成一帙，缮寄学士，并求其砖。学士报曰：‘久为鸟鼠食去矣。’备言其故，先生大恚。”盖古为不可捉摸之物，必汲汲而期求焉，影响附会于以生矣。

其三，则细碎凌琐也。夏炯《乾隆诸君学术论》云：“乾隆以后，近百余年来讲学之士，专为一节一句，一文一字，盈千累百，刺刺不休。不特丝毫不适于用，且破坏碎裂，转为贼经。今就其稍著者论之，穿凿性理，故为艰深，勾股割圜，改宣城之面目，六书音韵，窃江氏之绪余。是休宁戴氏之学也。据此校彼,改异为同,明知无用之辨,好为小慧之行,是抱经卢氏之学也。生今反古,以篆代真,说《尧典》不让三万言之繁,诠《禹贡》独无一二端之得,是艮庭江氏之学也。炫博矜奇,以多为富,读史不镜得失,仅详某本或作某;《养新》萃为一录,令人味之无可味,是嘉定钱氏之学也。妄诞已邀宽典,著述仍窃虚名,汉魏之音,掇拾前人所唾弃,传志诸作,不明体要而立言。是稚存洪氏之学也,考工何补匠氏?辨谷正算老农。禀资既愚,不能贯通经注。传会不合,因而转驳郑君。是新安程氏之学也。割裂本经之句读,变易传注之原解,《广雅》一字,疏至千言;语助之词,汇成巨帙。是高邮王氏一门之学也。自知浅陋,依傍他人,著书亦觉其多多,鸣虫终诮其唧唧,是金坛段氏之学也。此数人者,皆近百年来名稍显著之人,试取其书,平心而察之,徒觉其芜鄙琐碎,坐井观天而已。"《国风》二卷四期汪辟疆《方湖读书记》引语虽近于周内,然芜鄙琐碎,其评固至当也。故曾文正亦云。

《曾文正集》卷一《朱慎甫遗书叙》:"嘉道之祭,学者承乾隆季年之流风,袭为破碎之学。辨物析名,梳文栉字。刺经典一二字,解说繁称,杂引流衍,而不知所归。张己伐物,专抵古人之隙。或取孔孟书中心性仁义之文,一切变易故训,而别创一义,群流附和,坚不可易。"然则考证学者末流之弊,国藩固知之矣。

而其最后之疵累,则为重学而轻德。《啸亭续录》卷三云:"王西庄未第时,尝馆富室家。每入宅,必扬手作搂物状。人问之,曰欲将其财旺气搂入己怀也。及仕宦后,秦诿楚諈,多所乾没。人问之曰:'先生学问富有,而乃贪吝不已,得无畏后世之名节乎?'公曰:'贪鄙不过一时之嘲,学问乃千古之业。'"此与宋儒之不事著述,雅意潜修,自有间焉。康有为云:"纪昀力攻朱子,述董亨复《繁露园集》之野言,讥《名臣言行录》不载刘元城者数事,其他主张杂学,所以攻宋儒者无不至。后生小子,多为所惑。近世学术坏,气节茺,大抵纪昀之罪也。"《伪经考》卷三上斯言也,实不得以人而废之乎?

综上云云,乾嘉以来之"朴学",其得失参半,盖可知云。梁启超《变法通议》《时务报》十云:"学会之亡,起于何也?曰:'国朝汉学家之罪,而纪昀为之魁也。'汉学家之言曰:今人但尚著书,不尚讲学。"此斥其死人心也。辜鸿铭旧题汉滨读易者《幕府纪闻》卷下页二十七云:"名儒大家,负泰山重名者,日夜穿凿经史,讲究谬异,金石、说文二家,宋明以前之所无。顾亭林、钱大昕诸家,以考证为学以来,务出新奇,务胜宋明。其为无用,百倍宋儒。此与晋时老庄相距几何。"此斥其不实用也。洪允祥《读史随笔》《国风》三卷十一期引云:"满清以武力屠杀汉族,旋又愚以利禄荣辱,今日所谓清代之名臣者,皆当时皇帝之弄臣也。今日所谓清代之名儒者,皆不得已而托于破碎琐屑之考据训诂,以自藏其身者也。故清人考据之学,其始与魏晋人之谈《老》、《庄》同一用心,其后则盛名所在,人皆附之矣。"此议其琐屑也,综二三子之所云,亦足以见清学之末流之失,非如近人所喧传,朴学实学,百世不废者也!

一四　清代文艺杂事

至于考证学者之厄及文艺,盖犹其余事也。

粤在清初，在经世致用之论学标准以下，文艺固受轻视。如《日知录》二十六记《通鉴》不载文人，颜元又指诗、文、字、画为乾坤四蠹拙著《颜习斋》页二五引戴望言，原文见《习斋年谱》下页十四。平心论之，时承王李余孽参近古三十六节之余，文坛本甚肤浅。以通经致用之学当之，固犹卵之敌石，自致立碎。然自康熙以后，迄于乾嘉，所谓考证之学，固全然不能致用，又何以执文人之口乎？

即在清之初建，钱谦益以东南人望，提倡震川，预启方姚之先路，其势亦不可侮。《有学集》十六《新刻震川先生文集叙》云："往予笃好归震川先生之文，与先生之孙昌世，访求遗集，参读是正，始有成编。昌世子庄，游于吾门，谓予少知其先学，抠衣咨请，岁必再三。既而与其从叔进士君，谋锓先生遗集，以惠后学。"又《初学集》五四张元长《墓志铭》云："君之为古文，曲折倾写，有得于苏长公，而取法于同县归熙甫。非如世之作者，佣耳剽目，苟然而已。"归庄亦言："顾府君（归有光）晚达位卑，压于同时之有盛名者，不甚彰显。虞山极力推尊，以为三百年来第一人。于是天下仰之，如日月之在天，后进缀文之士，不为歧途所惑，虞山之力为多。"《高士集》卷二《吴梅村六十寿叙》盖铲去明季之伪古文运动去"僦"、"剽"、"奴"之三弊，而新古文斯立焉。而韩、柳、欧、苏……八大家之得志，方苞、姚鼐之浪得大名，在考证学初萌芽时，其端倪已见矣。

《初学集》五十三《郑孔肩文集叙》："近世之伪为古文者，其病有三，曰僦、曰剽、曰奴。"即斥王、李之文，非秦汉不读的文学论也。以此为标的，震川遂得一身后之名。黄氏《南雷文定》三集卷一《郑禹梅刻稿叙》曰："近时文章家，共推归震川，以为第一，已非定论。不过当王李之波决澜倒，为中流之一壶耳。然震川之所以见重于世者，以其得史迁之神耳。神之所寓，一往情深，而迂回曲折次之。顾今之学震川者，不求于神，而求于枯淡。……执陈根枯干，以求春光，不亦悖乎？”盖震川之所得为文坛宗主，全以王李之反动耳。

于是有桐城派之目。李元度《姚姬传事略》云：“自望溪方氏以文章称海内，上接震川，推文家正轨。刘海峰继之，先生亲问法于海峰。……三君皆籍桐城，故或称桐城派。”《先正事略》四十三然观乎方苞受万斯同之讥，姚鼐不受纪昀之礼，则桐城文人，固亦见薄于考证学者。万斯同告方苞曰：“子于古文，信有得矣，然愿子勿溺也。唐宋号为文家者八人，其于道粗有明者，韩愈氏而已。其余则资学者爱玩而已。”《望溪集》十二《万季野墓表》叶昌炽《缘督庐日记抄》卷四云：“乾隆时，开四库馆，惜抱预校录之列，其拟进书题，以提要勘元，十仅采用二三。惜抱学术，与纪文达不同，宜其凿枘也。”即自姚鼐以后，主张三位一体之论调者，殆亦为文人屈服于考证学者之证欤！

姚鼐之言曰：“学问之道，有义理、考核、词章三者。世必有豪杰之士，兼收其美。”李兆洛《惜抱轩书录序》页二曾国藩《欧阳生文集叙》云：“当乾隆中叶，海内魁儒畸士，尚弘博，繁引旁证，考核一字，累数十言不能休。别立帜志，号曰汉学。深摈有宋诸子义理之说，以为不足复存。其为文尤芜杂寡要。姚先生独排众议，以为义理考据词章，三者不可偏废。必义理为质，而后文有所附，考据有所归。”《文正公文集》三此又桐城宗派，见胁于考据者之明征焉。

桐城以外，又有阳湖。以张惠言为首，然亦“学韩愈、欧阳修”《清史列传》六九，较夫桐城，其泽短矣。

第豪杰元士，虽无文王。犹兴。清文人虽无足观，而诗坛则远胜明世。若夫渔洋之神韵说，商邱之条畅说，赵执信之巉刻说，以及夫袁枚之性情说，虽诗凡屡变，而亦绰有余妍。如袁枚之性情说，盖已启白话诗之先河矣。洪亮吉曰：“康熙中主坛坫者，新城王尚书士祯、商邱宋尚书荦。新城源出《沧浪诗品》，以神韵为宗所选《唐贤三昧集》，专主王、孟、韦、柳，而己所为诗亦近之，是学王、孟、韦、柳之派。商邱诗主条畅，刻意生新，其源出于眉山苏氏，而及门如邵长蘅等，又皆靡然从风。同时海宁查编修慎行，亦有盛名，而源又出于剑南陆氏，是为学苏陆之派。秀水朱检讨彝尊，初则描摩初唐，继则泛滥北宋，是为学初唐北宋之派。博山赵宫赞执信，复矫王、宋之敝，以唐温、李为极则，是为学温、李之派。乾隆中，长洲沈尚书德潜，以诗名天下。专以唐开元、天宝为宗，从之游者，类皆摩取声调，讲求格律，而真意渐漓。是为学开元、天宝之派。盖不及百年，诗凡数变。”《卷葹阁文》甲集十《西溪渔隐诗叙》洪氏云云，已极诗坛之概略，第未及袁枚。至袁枚云云，则更为进步矣。

恽敬《大云山房言事》卷一与黎楷屏：“近时袁子才有格调增一分，则性情减一分之说，鄙意以为无性情之格律，必成诗囚。无格律之性情，则东坡所谓饮私酒，吃瘴死牛肉发声矣。”案随园《续诗品》《崇意》曰：“虞舜教夔，曰诗言志。胡今之人，多辞寡意，意如主人，辞如奴婢；主弱奴强，呼之不至，穿贯无绳，散钱委地。”以情性为宗主，此实新诗运动之张本，不得以枚之佻薄而少之也。

非但诗坛为远胜也，即小说剧戏之作，固亦有不受考据学之影响者。如《红楼梦》者，乾隆中曹雪芹之所作也。其书之脍炙人口，腻细入神，近已口碑载道。梁恭辰《池上草堂笔记》卷八“红楼梦”条曰：“《红楼梦》一书，诲淫之甚者也。乾隆五十年以后，其书始传。为演说故相明珠家事，以宝玉隐明珠之名，以甄宝玉、贾宝玉乱其绪。以开卷之秦氏，为入情之始。以卷终之小青，为点睛之笔。摹写柔情，婉娈万状。启人淫窦，导人邪说。自是而有《续红楼梦》、《后红楼梦》、《红楼后梦》、《红楼重梦》、《红楼复梦》、《红楼再梦》、《红楼幻梦》、《红楼圆梦》诸刻，曼衍支离，不可究诘。……此书全部，无一人真的；惟属笔之曹雪芹，实有其人。”是否演说明珠姑不论，然书之振撼一世，盖可见矣。

至于戏剧，阮葵生《茶余客话》页七，昭代丛书本曰：“赵秋谷执信，以丁卯国丧，赴洪昉思寓观《长生殿》剧，被黄给事六鸿劾罢。时徐胜力编修亦与宴，对簿时，赂聚和班优人，诡称未与，得免。都人有口号云：‘国服虽除未满丧，如何便入戏文场？自家原有三分错，莫把弹章怨老黄。秋谷才华迴绝俦，少年科第尽风流；可怜一出《长生殿》，断送功名到白头。周王庙祝本轻浮，也向长生殿里游，抖擞香金求脱网，聚和班里制行头。’”因此可见戏剧之盛行也。虽所谓昆曲者，渐离元明两代之盛，而残响所及，犹有波靡一世之概云。乾隆间盖仍存此态焉。

《定庵续集》卷四书金铃（德辉）事云：“乾隆甲辰，上六旬，江南尚衣鹾使，争聘名班。班之某色人艺绝矣。而某色人颇拙。驾且至,颇窘。德辉献策曰:'小人请以重金号召各部,而总进退其所短长,合苏杭扬三郡数百部,必得一部矣。'鹾使喜,以属金。金部署定其目录,琵琶曰苏州某、笛师曰昆山某、鼓员曰江都某、各色曰杭州某,而德辉自署则曰正旦吴县某。队既成,比乐作,天颜大喜。而宠其名曰集成班。"乾隆间,昆曲之盛可想。《东华录》,称嘉庆四年四月,以京城九门以内,戏馆渐多,八旗子弟,销耗歌场,步军统领奏称,此系粉饰太平之事,不宜禁止。后定城外戏园,照旧开设;城内仍行禁止。是嘉庆初年戏剧之盛,亦可见焉。

但乾嘉以后,昆曲已不能保持尊严**青木正儿《中国近世戏曲史》,页四四六**。于是而有弋阳腔,有京腔,然犹与昆曲近似。至嘉庆间,张祥珂著《偶忆编》,谓"戏曲二黄调始自湖北,谓黄冈、黄陂二县"。则二黄调起矣。青木正儿引《梨园佳话》页八云:"徽调者,皮黄是也。皮为黄陂,黄为黄冈,皆鄂地名。此调创兴于此,亦曰汉调。西皮则仅行于黄陵一县而已。"则西皮调起矣。二调虽较昆曲为俗,然接近民间亦较甚。故不受学术上之影响,而独自蔓炽云。

第五章　清政局之转换方面

一五　吏治之刷新与腐败

藏书校勘之业，清学之发皇，以及文艺之盈拙，要之，实与时世之表面之承平有关。步军统领谓戏园可以粉饰太平，亦属倒果为因尔。

粤在清季，虽政体专制，而吏道较明为清。即有各省驻防之制，深为残虐吾民，而虐我则仇，抚我则后，闾阎小民，亦未尝不受专制政治以下条理秩然之赐。世宗尤称刚健，如啸亭所记，则当时之为大臣者，实不得不黾勉从公。

《啸亭杂录》卷一《察下情》云："雍正初，上因允禩辈，深蓄逆谋，倾稷，故设缇骑，逻察之人，四出侦诇。凡闾阎细故，无不上达。有引见人买新冠者，路逢人问之，告其故。次日入朝，免冠谢恩。上笑曰：'慎勿汙汝新帽也。'王殿元云锦，于元旦同戚友为叶子戏，忽失一叶。次日趋朝，上问夜间何以为欢？王以实对。上笑曰：'不欺暗室，真状元郎。'因袖中出叶示之，即王夜间所失也。王制府士俊出都，张文和公荐一健仆供役甚勤。后王将陛见，其仆预辞去。王问何故，仆曰：'汝数年无大咎，吾亦入京面圣，以为汝先容地。'始知为侍卫某，上遣以侦王劣迹也。故人怀畏惧，罔敢肆意为也。"虽驭下如贼，事非忠厚，然一时奏效，亦其宜也。

章学诚《文史通义》《古文十弊》云："明中叶后，门户朋党，声气相激；我宪皇帝澄清吏治，裁革陋规。整饬官方，惩治贪墨，实为千载一时。彼时居官，大法小廉。殆成风俗。贪赗之徒，莫不望风革面，时势然也。今观传志碑状之文，叙雍正年府州县官，盛称杜绝馈遗，搜除积弊，斤斤自守。革除例外供支，其文洵不愧于循吏传矣。不知彼时逼于功令，不得不然。千万人之所同，不足以为盛节；岂可见奄寺而颂其不好色哉。"揆之章氏之所言，知世宗之整饬纲纪云。

当时负整饬之任者，自为满人。铢庵《杌庐所闻录》云："康熙中琼州道林嗣环，乃奇人也。其在琼时，旧藩遣二虾（侍卫）入署言事，连骑至公堂不下。林诘之曰：尔何人？应曰：虾。林故误曰：'尔两人四眼如明星，安得谓之瞎耶？'各与杖四十，事见《碑传集》。"《申报》增刊一卷十二期可见清制在一般的行政机关上，常有满人为监察也。

然自乾隆时，已修《四库全书》，已凑十全武功，而吏治之不纲，则渐渐见矣。乾隆五十二年，尹壮图言："各督抚声名狼藉，吏治废弛。臣经过地方，体察官吏贤否，商民半皆蹙頞，各省风气，大抵皆然。"《清史列传》二十七此则言封疆大吏之失职也。《乾隆英使觐见记》页一二四曰:"卫队中有以一人,以多食水果之故,暴病急死,此事初无足异。惟其死处,不在馆舍中,而在某处皇宫之内。因此人早食之后,尚偷闲至皇宫中游玩,不意急病骤发,以此丧其生也。吾辈闻此信后,初亦以为无关重要,而樊、周二大人闻之,惶骇不知所措。向吾言曰:此事万万不可声张。因皇宫重地,向来不许外人在内身故。倘此事为皇上所闻,不特吾辈必罹重谴。即贵国钦使,亦大有不利。不如先用一轿秘密舁尸出宫。声称此人尚活,不能行走,故用轿。至出发后行十数里,乃言此人已死,则可保无虞。予如其言,事果未为皇帝所觉。"夫以素昧生平之西洋人,得入宫禁也,得死于宫禁也。得运尸出宫,而不被觉也,此则可以见政府诸公之泄沓也。

薛福成《庸盦笔记》卷三《入相奇缘》云:"乾隆中叶,和珅以正红旗满洲官学生,在銮仪卫当差,选舁御轿。一日,大驾将出,仓猝求黄盖不得。高宗曰:'是谁之过欤?'各员瞠目相向,不知所措。和珅应声曰:'典守者不得辞其责!'高宗见其仪度俊雅,声音清亮,乃曰:'若辈中安得此解人?'问其出身,则官学生也!和珅虽无学问,而《四书》、《五经》,则尚稍能记忆。一路舁轿行走,高宗详加询问,奏对颇能称旨。遂尊宠用事,旋自尚书授大学士,盖自乾隆四十二三年以后,向用益专,其子丰绅殷德复指尚公主,而权势愈熏灼矣。性贪黩无厌,征求财货,皇皇如不及。督抚司道,畏其倾陷,不得不辇货权门,结为奥援。高宗英明,执法未尝不严。当时督抚如国泰、王亶望、陈辉祖之伦,赃款累累,屡兴大狱。侵亏公帑,钞没赀产。动至数十百万之多,为他代所罕睹。然其始,未必皆非和珅之党。……潜窃魁柄，行文各省，凡有折奏，先令具副封，先白军机处，专政既久，吏风益坏。酿成川楚教匪之变，和珅复任意稽压军报，虚张功级，几至不可收拾。”是吏治之腐败，几可以和珅一人为缩影矣。《笔记》卷三又列《查钞和珅清单》，《人文》七卷五期又载《嘉庆和珅档案》，谓当时有“和珅跌倒，嘉庆吃饱”之语，可谓骇人之事。

其在嘉庆时，则八年有疯僧入顺贞门案《东华录》八年又二月。“嘉庆十三年，淮扬大水，上不惜数十万帑金，赈济灾民。有山阳县王伸汉，冒开饥户，领赈银入己。上司委试用知县李毓昌查赈，毓昌新进士，以清白自矢。查出浮开饥户无数，伸汉惧，许分肥，不受。乃置酒饯别，是夕毓昌暴卒于公馆，遂以自缢报闻。……上大骇怒，以为从来未有之事”赵翼《簷曝杂记》卷六。“嘉庆十四年冬，有蠹吏蔡泳受、王书常、吴玉等私雕假印，凭空捏造事由，向三库及内务府广储司库共十四次”《簷曝杂记》五《假印大案》。朝局之不修，当时洪亮吉云云，尤可见民之憔悴于弊政矣。

《卷葹阁文》甲集卷一《守令》云：“往吾未成童，侍大父及父时，见里中有为守令者，亲友慰勉之，必代为之虑曰：此缺繁，此缺简，此缺号不易治。及弱冠之后，未入仕之前，二三十年之中，风俗趋向顿改。见里中有为守令者，亲友慰勉之，必先为之虑曰，此缺出息若干，此缺应酬若干，此缺一岁之可入己者若干。而所谓民生吏治，不复挂之齿颊已。于是为守令者，其心思知虑，亲戚朋友，妻子兄弟，奴仆媪保，于得缺之时，又各揣乎肥瘠。及相率抵任矣，守令之心思不在民也，必先问一岁之陋规若何？属员之馈遗若何？钱粮之赢余若何？不幸而守令屡易，而部内之属员，辖下之富商大贾，以迄小民，亦大困矣。”

故自乾隆之季以迄嘉庆，教匪之目，史不绝书《人文》六卷一期矢野仁一《关于白莲教之乱》、《大云山房文稿》初集卷三《书获刘之协事》、赵祖铭《文献迈古录》卷十。而嘉庆十八年，天理教徒林清，又乘仁宗木兰秋狩之际，潜入皇城，猛扑宫禁《啸亭杂录》卷六《癸酉之变》。是年九月庚辰，仁宗至下罪己诏云：“我大清国一百七十年以来，定鼎燕京，列祖列宗，深仁厚泽。爱民如子。圣德仁心，奚能缕述？朕虽未能仰绍爱民之实政，亦无害民之虐事。遭此突变，实不可解。总由德薄愆积，惟自责耳。然变起一时，祸积有日。当今大弊，在因循怠玩四字，实中外之所同；朕虽再三告诫，舌敝唇焦，奈诸臣未能领会，悠忽为政，以至酿成汉唐宋明未有之事。较之明季梃击一案，何啻倍蓰？思念及此，实不忍再言矣。予惟返躬修省，改过正心，上答天慈，下释民怨。诸臣若愿为大清国之忠良，则当赤心为国，竭力尽心。匡朕之咎，移民之俗。若自甘卑鄙，则当挂冠致仕，了此一身。切勿尸禄保位，益增朕罪，笔随泪洒，通谕知之！”嘉庆《东华录》三十六——赳赳满人，自道困苦；得无鸟之将死，其鸣也哀耶？

朱克敬《瞑庵杂识》卷二云：“曹文正公，晚年恩遇益隆，身名俱泰。门生某请问其故，曹曰：‘无他，但多磕头，少说话耳。’道光以来，世风柔靡，实由于此。近更加以滑浮，稍质直，即不容矣。有无名氏赋《一剪梅》云：‘仕途钻刺要精工，京信常通，炭敬常丰，莫谈时事逞英雄，一味圆融，一味谦恭。’又云：'大臣经济在从容，莫显奇功，莫说精忠。万般人事要朦胧，驳也无庸，议也无庸。'又云：'八方无事年岁丰，国运方隆，官运方隆。大家赞襄要和衷，好也弥缝，歹也弥缝。'又云：'无灾无难到三公，妻受荣封，子荫郎中，流芳身后便无穷，不谥文忠，便谥文恭。'"曹文正为曹振镛。历相乾嘉道光三朝，则当时朝政，胥可知矣。

一六　国力之消长及边疆经营之欠缺

论其政治如斯，论其武功亦然。

考清人军制，初设八旗，黄、白、红、蓝加镶为八《清开国方略》卷四卷八。又掠辽沈之民，及明之降将溃卒，以为汉军八旗《啸亭杂录》卷二。入关东来，生力军之声势煊赫，李自成且引为惊也。

徐鼒《小腆纪年》卷五记一片石之战，"自成方挟明皇子，登高冈观战。有僧进曰：'此必东兵也，宜急避之。'俄尘开，见甲而辫发者，阵遂动。"此八旗劲旅之表现之最显者。

入关以后，如康熙二十二年一七二二之定台湾，康熙三十年受蒙古喀尔喀诸部之朝。及雍正时之用兵西藏，均昭昭在人口舌。乾隆五十七年，《御制十全记》云："昨准廓尔喀归降，命凯旋班师，诗有十全大武扬之句。盖引而未发，兹特叙而记之。……十功者，平准噶尔为二，定回部为一，埽金川为二，靖台湾为一，降缅甸、安南各一。今两次受廓尔喀降，合为十。其内地之三叛么麽，勿屑数也。”乾隆《东华录》百六趾高气扬，盖发泄一时之盛云。

《东华录》载乾隆二十年二月谕：“汉时西陲，塞地极广。乌鲁木齐，及回子诸部，皆曾屯戍，有为内属者。唐初都护，开府扩地，及西北边，今遗址久堙，著传谕鄂容安，此次进兵，凡准噶尔所属之地，有与汉唐史传相合，可证据者，并汉唐所未至处，一一询之土人，细为记载，遇便奏闻。”乾隆《录》四十一盖思超轶汉唐也。

然而所谓有清盛时之武功者，计其缺点，则亦偻指难数。若举其要者而言之，其一，则不思为政治之灌输也。如台湾郑氏之平，盖已竭牛虎之力而仅得成功者也。然案之施琅之疏云：“且此地原为红毛住处，无时不在涎贪。若坐弃数千里之膏腴以资其停泊，必倡合党与，窃窥边场。逼处门庭，沿边诸省，断难晏然无虞。”《清经世文编》八四此台湾之不弃，幸得功臣施琅一言而后定焉。

其二，则不思以文明同化焉。如于内蒙、西藏也，盖一仍其神道设教之旧。王华隆《内蒙古人民之生活状况》《东方》十九卷十一号云：“佛教传入西藏，后与其地固有之邪教混合，而喇嘛教出焉。及蒙古侵入西藏，挟喇嘛教以归，厥后元世祖忽必烈统一内外，利用宗教以服民心。遂委大喇嘛，以西藏之政教，崇为帝师法王，广布教于大陆，蔓延传播，及于全蒙。后蒙民诚心皈依，浸濡愈甚。”此谓蒙藏以神道治，于元已然。而及清之平蒙藏也，则仍用活佛掣签之事，所谓驻藏、驻蒙之大臣，不过羁縻政策之施行者！

《啸亭杂录》卷二《活佛掣签》云：“西藏喇嘛，自宗喀巴兴扬黄教，其徒达赖喇嘛、班禅额尔德尼，率言永远转生，以传其教。行之日久，其徒稍有道行，为人雅许者，亦必踵其转生之说，以致'呼图毕罕'多如牛毛。蒙古王公有利其寺之资产者，乃请托达赖喇嘛，指其子侄为的胤以相承受。与中国之世袭无异，纯皇帝习知其弊，因其陋习已久，难以遽革。乃命制金丹巴瓶，设于吉祥天母前，遇有呼尔毕罕圆寂者，即拣其岁所生者数人，书名于签，令达赖喇嘛会同驻藏大臣封名掣之，赂请之弊始绝，时谓之'活佛掣签'云。"

其三，则不为彻底之解决焉。往梁启超诋笑高宗用兵缅甸，经时累岁，不过得白象数头："不见夫乾隆间故事乎？数次大举，攻缅甸不下，乃不惜重贿其酋，使贡象数匹，以博十全老人之一头衔。要而论之，皆不惟其实，惟其名耳。惟然，则虽属国遍天下，而于我国曾无丝毫之益，反受莫大之累。"《饮冰室集》四十一《张班合传》今考缅甸之役发难于乾隆三十一年，终了于乾隆五十四年，阅年二十，屡易帅臣。故魏源为《圣武记》，其《乾隆征缅甸记》，亦惟强辞而言："亦小夷气数未熸，天姑少延之欤？"又言："夫字小者大国之仁，伐交者上兵之智。臣是以反复于前代以蛮攻蛮之成效，而知刺虎持鹬。功在乘时；固不在勤天下之力以求之也。"卷六微词蕴藉，其意可见矣。岂但征缅而已，其于安南也，盖亦然也。

安南在明成祖时，臣黎氏，曾囚其君陈氏自立，成祖命张辅出征，一度并入版图。后来黎氏子孙又叛，宣宗仅能命其入贡，藉此收兵。清初黎氏力衰，阮氏力起。清人虽以宗主自期，思挽回黎氏之厄运，然阮终并黎。其后奉表乞贡，高宗谓

“天厌黎氏，不能存立”《圣武记》六《乾隆征抚安南记》，不能力持正义，此即十全武功“凑数”而成之证据也。

即如对于西陲，麻勒吉于乾隆三十八年言：“自平定西陲以来，关外耕屯日辟，生聚滋繁。其秀民并知蒸蒸向化。弦诵相闻，渐知向化。前已议准办事大臣所奏，于乌鲁木齐等处，专设学额。今巴里坤复请照例，取进生童。将来人文日盛，即当建置胶庠，遐方文德衍敷，声教广被，实从前所未有。”《清史列传》二十五然此实夸敷之语！不观乎西域之建立行省乎？虽议发于定庵，而迟至清季，始能建省云。

龚自珍《定庵集》卷中页六《西域建行省议》以为：“与其为内地无产之民，孰若为西边有产之民，以耕以牧，以长其子孙哉？当行者，官给每户盘费若干，每丁盘费若干，议闻。……其迁政，暂设大臣料理之，七年停止。”此固建省徙民之大节目。然西域建省，成于光绪八年一八八二。定庵云云，在当时未尝奏效云。

故评论清世武功之最有造于中国者，当为雍正时之改土归流也。

中国西南诸省原有少数民族，阅岁如驰，未肯同化。国家对之，亦不求为操切过甚之举。例如汉平西南夷，而尚以滇王王滇《史记》一一六《西南夷传》。宋太祖亦云：“大渡河西非吾有也。”顾炎武《天下郡国利病书》六十八《四川四》其在明时，则如王守仁之平思田八寨，已有改土归流之目与事。阳明经济集卷六《奏报田州思恩平复疏》，今可覆按。近章炳麟言:"纯粹苗人,自有土司辖地。其独立之性自在。改土归流,实满洲之创制;汉民曷尝翦灭苗民而侵其国土哉?"《太炎文别录》卷一《复仇是非论》章氏于是而失言矣,且改土归流,原有其需要云。

> 土司之制,导源自远。严从简《殊域周咨录》卷九页一二——一四云:"元时始以云南等路,如内地设官。而其土酋所辖,不可以汉法治,则仍以其俗羁縻之。"实非,考《砚云乙编》收有魏濬《峤南琐记》页五云:"土司法极严酷,鞭笞杀戮,(而其民)不敢有二心。所谓怯于私斗,勇于公战者。"此则政治之黑暗也。刘继庄《广阳杂记》卷四云:"符五云,云南有土司三家最强。一曰龙鹏,一曰黎世屏,一曰黎思进,皆有众数万,火器兵仗坚利绝伦。而黎世屏尤为强悍者,南土之隐忧也。"此则好乱而弄兵也。

魏源《圣武记》卷八《西南夷改流记》云:"……故云贵川广,恒视土司为治乱。国初因明制,属平西定南诸藩镇抚之。康熙三年,吴三桂督云贵兵,二路讨水西宣慰安坤之叛。平其地,设黔西、平远、大定、威宁等四府。三藩之乱,重啗土司兵为助。叛藩戡定,余威震于殊俗。至雍正初,而有改土归流之议。……世宗宪皇帝勤求民瘼,有辞于苗。四年春,以鄂尔泰巡抚云南,兼总督事。奏言云贵大患,无如苗蛮。欲安民,必先制夷,欲制夷必改流。……于是自四年至九年,蛮悉改流,苗亦归化。……鄂尔泰卒于乾隆十年,以开辟西南夷功,配享太庙。"鄂尔泰以后,乾隆又两征金川土司详同上,滇、黔、川、楚少数民族之底于开化,不可不谓清世武功之有造于国家者也。

惟改土归流，亦非雍乾朝一时所能完全办竣。例如李慈铭《桃花圣解盦日记》乙集二，页一一四记光绪元年五月事云："广西巡抚刘长佑，请收思恩府之土田州为流，革去知州岑氏世职，诏下部议。原奏土田州与百色厅相连，土知州岑氏，原系宋时随征有功世袭。自明以来，叛服不常。岑氏支争承袭，仇斗叠出。查广西那马等处，均由地方多故，承袭不得其人，先后改土归流。今土田州，自可援案办理。"又如宣统三年，民教部奏准改土归流官折云："查西南各省，十府州县，及宣慰安抚长官诸司之制，大都沿自前明，远承唐宋。因仍旧俗，官其酋长，俾之世守，用示羁縻。要皆封建之规，实殊牧令之治。立法未善，流弊殊多。是以康熙、雍正年间，川楚滇桂各省，迭议改土归流。如湖北之施南、湖南之永顺、四川之宁远、广西之泗城、云南之东川、贵州之古州、威宁等府厅州县，先后建置，渐成内地。清季，广西一省，改革尤多。所有土州县，均因事奏请停袭，及撤任调省，另派委员弹压代办。"张其昀《本国地理》，页二五三即在今日，土司仍有存者，语详予所作《改土归流考》中。

然则高宗之十全武功，当卑之无可高论。而乃父世宗之改土归流，则实不可诽薄。至于高宗以后，并此不"全"之"十全武功"，亦属广陵旧散矣。观英使马戛尔尼，觐见南回，见沿途州县，均列兵致敬。"然其人数之众多，军容之整肃，于行礼之中，挟有示威之性质，乃不能令吾无疑。……吾料其心中，必蓄有一语。谓汝辈洋人看者,吾中国兵备甚佳,汝等若敢犯顺。吾辈无时不有对付之具!然以予观之,此种宽衣大袖之军队,既未受过军事教育,而所用军器,又不过刀枪弓矢之属。一旦不幸,洋兵长驱而来。此辈果能抵抗与否,尚属一不易置答之疑问焉"《觐见记》,页二〇一!果也,至鸦片战争之前夕,而军队之纪律训练,均一一不堪置问矣。此亦太平军所以起事之一端也乎?

《清史列传》四二《姚元之传》记道光十三年上谕:"国家养兵卫民,所以戢奸禁暴。如该侍郎所奏,窝娼聚赌,械斗殴人,不服管束,尚复成何事体。甚至营中操演,有受雇替代之弊。则是吾兵竟作壁上观而此辈无籍流民,性本犷猂,而又习之以战斗,假之以凶器,岂不相率而为盗耶?"此武力废弛之征。

一七 满汉同化问题

所谓武功消沉者,正表现于鸦片战争、太平天国之两役。于兹两役也,可以见政治之衰朽也,可以见汉族之抬头也,而更可以见八旗武力之衰颓也。质言之,则满汉之同化,是也。

考满人自入关以前,常以不学汉俗,诏其部族。太宗谕众曰:"先时儒臣巴克什达、海库尔禅等,屡请朕改满洲衣冠,效汉人衣饰制度。朕不从,辄以为朕不纳谏。朕试设为比喻。如我等于此聚集宽衣大袖,左佩矢,右挟弓,忽遇硕翁科啰巴图鲁劳萨挺身突入,我等能御之乎?若废骑射,宽衣大袖,待他人割肉而食,与尚左手之人,何以异?朕发此言,实为子孙万世之计。在朕之身,岂有变更之理。恐日后子孙，忘旧制，废骑射，以效汉俗，故常切此虑耳。”阿桂《清开国方略》卷二十二即入关以后，亦未尝不以力杜汉化为言。

《东华录》雍正十年六月云：“我朝设立各省驻防兵丁，原以捍卫地方，申明武备。其历来所定规条，尚属尽善，无可更张。乃近有以一二事渎陈朕前者，一则称驻防兵丁子弟，宜准其各省乡试。独不思国家设立驻防弁兵，原令其持戈荷戟，备干城之选；非令其攻习文墨，与文人学士争名场屋也。”又乾隆二十年五月云：“满洲本性朴实，不务虚名；即欲通晓汉文，亦不过于学习清语技艺之暇，略为留心而已。近日满洲，熏染汉习。每思以文墨见长，并有与汉人较论同年行辈往来者，殊属恶习。夫弃满洲之旧业，而攻习汉文；以求附于文人学士，不知其所学者，并未造乎汉人堂奥，而反为汉人所窃笑也。”则世、高二宗力阻满汉之同化，可见。

然而，此岂事之所许哉？

以言语言之，昭梿《啸亭杂录》卷七《宗室小考》曰：“乾隆中，上尝召见宗室公盛宁额，以不能国语应对。上以清语为国家根本，而宗室贵胄，至有不能语者，风俗攸关甚重。因增应封宗室，及近支宗室十岁以上者之小考。于十月中，钦派王子王公军机大臣等，亲为考试清语弓马。而先命皇子较射，以为诸宗室所遵式。故诸宗室无不谙习弓马清语，以备维城之选焉。”正言若反，盖隐示满人之不能旗语也。

以学术言之，《东华录》顺治二年三月称冯铨、洪承畴等奏：“上古帝王，奠安天下，必以修德勤学为首务。故金世宗、元世宗，皆持综典籍，勤于文学。至今犹称颂不衰。皇上承太祖、太宗之大统，聪明天纵，前代未有。今满书俱已熟习，但帝王修身治人之道，尽备于六经。一日之间，万几待理，必习汉字晓汉书。而后上意得达，下意得通。祈择满汉词臣。朝夕进讲，则圣德日进，而治化日光。"斯言也，则清帝所不敢驳斥者矣。

读书自为满人汉化之一节目。《清开国方略》载天聪五年谕："朕令诸贝勒大臣子弟读书，所以使之习于学问，讲明义理，忠君亲上，实有赖焉。闻诸贝勒大臣，有溺爱子弟，不令就学者，殆谓我国虽不读书，亦未尝误事。独不思上年我兵之弃滦州，皆由永平驻守贝勒，失于救援，岂非未尝学问，不明义理之故。今年明国筑大凌河城，我兵围之，经四越月，人皆相食，犹以死守。虽援兵尽败，凌河已降，而锦州、松山、杏山，犹不忍委弃者。由读书而明道理，为朝廷尽忠故也。自今凡子弟八岁以上，十五岁以下，俱令读书。"《方略》卷十五则是未入关前，乃早有诵汉书者。及夫入关以后，则诵习汉书之风更盛。观夫赵翼所记："余内直时，届早班之期，率以五鼓入。时部院百官，未有至者。然已隐隐望见，有白纱笼一点，入隆宗门。则皇子入书房也。吾辈穷措大，专恃读书为衣食者，尚不能早起；而天家金玉之体，乃日日如此。既入书房作诗文，每日皆有程课；未刻毕，则又有满洲师傅，教国书国语，及骑射等事。薄暮始休。然则文学安得不深，武事安得不娴乎？"《簷曝杂记》卷一《皇子读书》则洪承畴所言，至此乃全然生效矣。

故至乾、嘉之间，满汉之界，殆已可谓泯然。洪亮吉《更生斋文》甲集卷四《书文成公阿桂遗事》云："文成公阿桂，满洲正白旗人。……予登第日，公为读官，拟第一进呈。予素不工书，公独赏之。尝谓吾友刑部侍郎孙公星衍曰：'人皆以洪编修试策该博，不知字亦过人。予首拔之者，取其无一毫馆阁耳。'"是满人知隆风雅焉。英和《恩福堂笔记》卷上页三六云："满洲编检出身，而大拜者，自乾隆年间尹文端始。"陈其元《庸闲斋笔记》卷八云："顺治九年壬辰，十二年乙未，均分满汉榜。壬辰科，汉状元邹忠漪，满状元麻剌吉。乙未科，汉状元史大成，满状元图尔宸，嗣后不分满汉榜，则满人无状元。至同治乙丑科，崇公绮，始以蒙古人得大魁，海内艳称之。"则满人能竞科举焉。以场屋之得失言之，亦满汉迹泯之征欤！

满洲初轻视科第，故梁章钜《退庵随笔》卷六云："康熙二十八年，始定考满洲生员举人进士，皆兼试骑射。……国家政令所在，八旗有不与试之人，而无不能射之士。入则含毫挟册，出则跃马弯弓。要皆为有用之学。窃谓汉人，亦可仿此。"梁氏慕满人之"跃马弯弓"，而不知后来满人则遍慕于"含毫挟册"焉。

至于嘉道以后，则旗人之名实，盖益与汉人相近。郑观应《论旗籍》云："窃尝思古之王者，居中国为一人，合天下为一家，甚盛轨也。溯我朝龙兴辽沈，入关平乱。天下生民，皆仰赖焉。二百年来，久应畛域全销矣。顾满汉之名犹别，旗籍之生不遂。甚非所以示宽大，图久远也。考旗籍有三，上则天潢之贵胄，中则勋戚之世裔，下则甲士之子孙。国初生息无多，原可人给廪饩；中叶以后，生齿日繁，户口滋盛，廪给钱米，何以济其事畜？除汉军八旗，已于乾隆初年,奏准出旗自便外,尚有满蒙二籍,闲散无事。置产营建有禁,出京四十里有禁。局促一城,俨同禁锢。日臻贫乏,乃失恒心。作奸犯科者有之,窝赌包讼者有之,此强有力者所为也。弱者则变易姓名,冒汉产赴外省谋生者,有之,甚至服役执鞭,亦所不辞。"《经世文三编》二十七引可知乾隆之时,汉军之名实已澌。而嘉道以后,则贫弱之旗人,乃相率而改为汉氏汉名,形迹无殊,态致不二。此因清世开国诸帝,所斤斤防范,而卒不能卜效者乎?至于满汉通姻,虽法所不奖,而亦事所不禁者也。

李慈铭《越缦堂日记》《荀学斋日记》丁集下记光绪九年事:"侍郎宝廷,曾劾工部尚书贺某,认市侩妻为义女,宝廷曾买一船伎,被逃去。自闽典试,归至衢州,纳江山船女为妾。面麻,年已三十六七矣。故有人为诗嘲之曰:昔曾浙水载空花,又见闽娘上使查。宗室八旗名士草,江山九姓美人麻。曾因义女弹乌柏,惯逐京娼吃白茶。为报朝廷除属籍,侍郎今已婿渔家。"鱼相忘乎江湖,人相忘乎满汉,取其脍炙人口者记之耳。

良由洪杨、鸦片二役以后,满人既同化于汉人,则蛮力自退。在大事变中,无以显其一片石破闯之威烈。而国家所用,大抵反清初之旧,即以汉人为主而以满人辅之。薛福成《庸盦文续编》下,页四《记长白文端公相业》云:"圣清驭宇,余二百年,凡磊落宏伟盖世之勋业,皆出满洲世族,及蒙古汉军之隶旗籍者。汉臣虽不乏贤儒,不过以文学议沦,黼黻降平而已。先皇措置之深意,盖谓疏戚相维,远近相驭之道,当如此。而风气文弱,不娴将略,骑射非所长,又其次也。乾隆、嘉庆间,防畛犹严,如岳襄勤公之服金川,二杨侯之平教匪，虽倚任专且久，而受上赏，为元勋者，必以旗籍当之。斯制所由来旧矣。虽然，人材视时势为转移者也。限于一格，则时栋不出；用之有方，则赓续不穷。必有深识伟量者，默烛先几，乃能知穷变通久之道。而断然行之不疑。此其斡旋气运之功，何可及耶？长白相国文端公文庆，以咸丰初年为大学士军机大臣。是时海内多故，粤寇纵横。经略大臣如赛尚阿、纳尔经额两使相，皆以失律获咎。公尝言欲办天下大事，当重用汉人。彼皆从田间来，知民疾苦。熟谙情伪，岂若吾辈未出国门一步。瞢然于天下大计者乎？故平时建白，常密请破除满汉藩篱，不拘资地以用人。曾文正公起乡兵击贼，为寿阳祁文端公所抵排，又累战失利，公独谓曾某负时望，能杀贼，终当建非常之功。时时左右之。胡文忠公以庚子江南科场失察，与公同镌秩。公尝与胡公语，奇其才略，由贵州道员，一岁中擢巡抚湖北。所请无不从者，公实从中主之。”观满人之自居于无用，固八旗武力消沉之征；而就其另一方面言之，则亦同化于汉俗，因致文弱之征。辛亥革命以后，所以遍中国之大，而不得一满人者，即此之由。故为详述之，著于编。

统治之权，由满至汉，非止文端公知之。《庸庵文编》卷四有《书益阳胡文忠公与辽阳官文恭公交欢事》，可参证也。

第六章　由海洋来之波浪

一八　由禁海至开海

满汉之同化也，国力之消缩也，吏治之腐败也，举足证清世政治之转换方面。然就其转换之方面言之，盖莫若由海而来之波浪之摇撼中国也乎？

断自元代，朱张之海运，事固昭昭详近古卷二十七节。然自有明开国，而海事稍衰。《明史》二〇五《朱纨传》，所谓“初，明祖定制，片板不许下海”是也。顾海亦安得而严锢之哉？穆宗隆庆中，梁梦龙已“请以河为正运，海为备运，万一河未易通，则海运可济，而河亦得悉心疏濬，以图经久。又海防綦重，沿海卫所，玩愒日久，不加缮饬，识者有未然之忧，今行海运，兼治河防，非徒足裨国计，兼于军事有补”《明史》二二五《梁梦龙传》。而隆庆六年，王宗沭“遂运米十二万石，自淮入海，五月抵天津，与梦龙俱进秩，赐金帛”《明史》二二三《王宗沭传》。及明之季而海运，遂为神功圣绩，观《明史·倪元璐传》可知：“先是有崇明人沈廷扬者，献海运策，元璐奏闻，命试行。乃以庙湾船六艘，听运进。月余，廷扬见元璐，元璐惊曰：‘我已奏闻，上谓公去矣，何在此？’廷扬曰：‘已去复来矣！运已至。’元璐又惊喜,闻上,上亦喜。"《明史》二六五至于贤智之士,主张海运,更不待言。

谢肇淛《五杂俎》卷三云:"运河之开,无风波之患,诚为良策。然因之遂废海运,亦非也。"严从简《殊域周咨录》卷二页七云:"按陈建谓国初海运之行,不独便于漕纲,实令将士习于海道,以防倭寇。自会通河成,而海运废。近日倭寇纵横,海兵脆怯,莫之敢撄。亦以运道不习之故耳。此则言海运之当复者也。然给事中钱薇著论,唐宋无海运,故倭奴之修贡也勤。元为海运,倭奴劫掠运舟,故其为寇也繁。我洪武北代,亦用海运以济。永乐中海运凡十三举行,给辽东等地。惟我运于海,故彼寇于海。宣德以来,倭患遂少。盖运从内河,而寇无所利,故耳。此不足见罢海运之功哉?二说各有所见,故并存之。"征此,可知明人之于海运,固有赞成反对二家之说,谓之海运之未有定论,可也。

入清以后,台湾郑氏存旧明衣冠于海外,屡侵金厦,清人引为厉敌。故朱绪曾《昌国典咏》云:"顺治十二年,复下舟山。因海氛未靖,明年迁徙城乡民人入内地。"据缪荃荪辑《缪燧遗爱录》引而顺治十八年一六六一又定东南海禁,其详盖见于江日升《台湾外记》卷十一及王胜时《漫游纪略》卷三"粤游"条云。

《台湾外记》云:"顺治十八年,海澄公黄梧,陈灭贼五策。其一云:金厦两岛,弹丸之区,得延至今日而抗拒者,实由沿海人民走险,粮饷油铁船桅之物,靡不接济。若以山东、江浙、粤闽沿海居民,尽徙入内地,设立边界,布置防守,不攻自灭也。其二云:将所有沿海船只，尽行烧毁，寸板不许下水。凡溪河椿栅货物，不许越界。时刻瞭望，违者死无赦。如是半载，海贼船只，无可修葺，将自然朽烂。贼众既众，粮草不继，自然瓦解。此所谓不战而坐看其死也。"《漫游纪略》云："乌乎，倡为迁海之说者，谁欤？辛丑顺治十八年予从蔡襄敏公在淮南，执政者遣尚书苏纳海等，分诣江浙、闽粤，迁濒海之民于内地。蔡公曰：'此北平人张星焕所献策也。'予请其说，公曰：'星焕，北平酒家子也。其兄星华。少时被掳出关。大凌河之战，明师败绩。监军太仆卿张公春，被执不屈。太宗遣降将黑云龙等多方说之，终不从。太宗深敬之，叹息语诸臣曰：此忠臣也。命馆之于喇嘛寺中，待以客礼，称为张大人。一日，星华偶从公儿入寺，张公旧尝为北平监司，星华在里时，曾识公貌。遂向公叩首，知为北平儿也。因曰：若能侍我乎？其主闻之，即以归公。公命寺僧薙染之，名曰和尚云。星华固黠，侍公左右，稍稍习书计。久之，张公卒，太宗以礼葬之。星华归其主家，从入关，始与其弟星焕相聚。星华官至漳南太守，星焕从之官。漳城陷，兄弟皆被掳入海。旋纵之归。其主因问海外情形，星焕乘间进曰：海外所用钉铁麻油，神器所用硝磺，以及粟帛之属，岛上所少，皆吾濒海之民，阑出贸易，交通接济，今若尽迁其民入内地，斥为空壤，画地为界，仍厉其禁，犯者立死，彼岛上穷寇，内济既断，来无所掠，如婴儿绝乳，立可饿毙矣。'蔡公之言如斯。"以寸板不得下海立界徙民为事，此则顺治十八年之海禁，所以为历来海禁之大观也。

《东华录》称康熙十七年闰三月："以海寇盘据厦门等地，勾连山贼，扇惑地方，皆由内地滨海居民为之藉也。应如顺治十八年立界之例，将界外百姓，迁于内地。仍申严海禁，绝其交通。"《大清律例》第二二五条云:"凡将牛马、军需、铁质、铜钱、缎匹、绸绢、丝绵、私出外洋贩卖,及下海者,杖一百。挑担驼载之人,减一等。货物船车,均入官。于内以十分为率,三分付告人充赏。若将人口军器出境,及下海者,绞。因而走泄事情者,斩。其该拘束官司,及守把之人,通同夹带,或知而故纵者,与犯人同罪。其失察者,减三等。"此律也,直至宣统二年,沈家本等重修《大清律》,始罢。可以见清初海禁之根柢深固焉。

关于尔时立界移民之惨,目击者志其状云:"以予所睹,界外所弃,若县若卫所,城郭故址,断垣遗础,骷髅触目,隐现草间。所存瓦砾,盐场四漏,化为沮洳。小绝桥梁,深厉浅揭,行者病之。其山皆丛莽黑菁,豺虎伏焉。田多膏腴,沟塍久废,一望汙莱,良可惜也。"王胜时《漫游纪略》卷三史论者道其敝曰:"台湾郑氏,舟师入讨,惧海滨居民,为之乡导。特申海禁,其后海外侨民,为荷兰所僇者,三万余人。自以开衅中华,上书谢罪。大酋弘历,悉置不问。且云寇盗之徒,任尔殄灭。自是白人,始快其意。遂令南洋侨民,死亡无日。"章炳麟《太炎文录》卷二《讨满洲檄》虽至康熙二十二年,台湾平,"时沿海居民虽复业,尚禁商船出洋,互市。施琅等屡以为言,又荷兰以曾剿助郑氏,首请通市,许之。而大西洋诸国,因荷兰得请,于是凡明以前,未通中国,勤贸易而操海舶为生涯者,皆争趋。疆臣因请开海禁。设粤海、闽海、浙海、江海榷关四,于广州之澳门、福建之漳州、浙江之宁波、江南之云台山,署吏以莅之。"《柔远记》卷二——然吾民族,在海洋上之活动,盖已大受挫折云。

开海禁事，见康廿三年七月《东华录》。然二十四年四月，议政王大臣会议："今海内一统，寰宇宁谧，满汉人民，俱同一体。应令出洋贸易，以彰庶富之治。得旨，开海贸易，原欲令满汉人民，各遂生息。倘有无赖棍徒，倚势横行，贻害地方，反为不便。应严加禁饬，如有违法者，该督抚即指名题参。"则是所谓开海禁者，乃开而未开云。

自康熙禁海之后，海运之事，仍以不公开式进展。其著名者，如康熙五十二年三月，以江南漕粮，由海转运广东《东华录》。是清人固知海运之利也，知海之不当"晦"而为厉禁也。嘉庆十六年三月：两江总督勒保会议海运，谓为不可行十二事，而结论之曰："断不可轻议更张，所谓利不百，不变法！"《东华录》是清人力反海运也。因谬袭讹，相沿不改，非至道光之初，海运终不成定局。观夫尔时洋人，挟艟艨以横行于海上，君子于是叹国力之消缩，由于海禁，盖至当不易之论也。

英和《恩福堂笔记》上，页十三云："未第时，因仓有海运名，即注意于运务。迨入翰林后，每于清秘办公之余，辄阅《永乐大典》，凡有元一代海运事宜，手自摘录，汇抄成册。藏之于家。历数十年，每以河工为患，粮艘挽运为艰。时思海运，而未敢轻举也。道光初年，任大司农，……闽督孙文靖，闻之书来。是岁台米丰收，闽浙两省，足敷接济十万石，可浮海来，当即促其速运。适南路河水阻滞，盘驳官粮，粒米狼戾，势不得不行海运，不能顾恤人言也。疏凡两上，仰蒙宸断，饬江督苏抚琦静庵、陶云汀等筹办。天佑吾皇，迅速蒇事。一百六十余万石之南粮，稳然入仓。较之元季初行，仅得数万石，后亦不过数十万石，明季初运三十万石，最多至七十万石，相去何啻倍蓰哉。”盖道光五年七月，“李鸿宾等筹议海运事宜，本年以不及行，来年筹运”。翌年三月，“陶澍奏海船初运兑竣，仍接续赶办一折，本年初次试行海运，据该抚奏，截至二月二十一日止，共兑过正耗米一百十二万二千余石。事机极为顺利”各该年《东华录》。则海上行运，始正式成为故事云。

一九 西洋技艺之认识

然则海禁之法令的及事实之开放，谓之始于道光时，可也。盖由另一方面视之，处彼时与彼地，西洋人之技艺，固不容深沟高垒，自屏于“海内”而深拒之也，更无论西人航海而来，杂居数省，更不容我人有自塞聪明之海禁也。

《东华录》嘉庆十年一八〇五十一月上谕：“朕恭读皇考《高宗纯皇帝实录》乾隆四十九年十一月内钦奉圣谕，以西洋人蔓延数省，皆由广东地方官，未能稽察防范所致。……可见西洋人等来至内地，授徒传教，为害风俗，早在圣明鉴察之中。本年，因江西省拿获为西洋人送信之陈若望，及山西省民人李如，接引西洋人若亚敬传教等案。业经根讯明确，分别惩创。嗣后著各该抚等，饬知地方官，于澳门地方，严查西洋人等，于贸易以外，如有私行逗留，讲经传教等事，即随时饬禁，勿任潜赴他省，致滋煽诱。并当晓喻民人等，以西洋邪教，例禁綦严，不可受其愚惑，致蹈法网。”《东华续录》卷七——案此年为鸦片战争以前之二十五年，而西人势力，已有闭关闭不住之叹也。

盖技艺之足以令西洋人表白自己者，自莫过于火器。此虽明季清初已有此事参本卷第五节、第六节，而在鸦片战争之前后，则西洋火器之价值，自更抬高。今存《李秀成供状》云：“此洋兵攻城，其力甚大。嘉定、青浦到省百余里，其攻城，只要五六个时辰，便成功也。其炮利害，百发百中。打坏我之城池，洋枪炮连响，一踊而进。是以我救不及。我兵死者万余人。”页四十一，金陵大学藏本此则洋炮表白自己之明验也。

而更有西洋船也。火轮船者，美人富尔敦，初创于仁宗嘉庆十二年一八〇七者也。然在轮船未发明之前，西洋船之庞大，已足以震慑吾人。赵翼《簷曝杂记》卷四记西洋船云：“西洋船之屯深广，已详予所咏番舶诗，而其帆尤异。帆竿高数十丈，大十余抱，一桅之赀，几数千金。三桅，中桅最大。中国之帆，上下同阔，西洋帆，则上阔而下窄，如翅翮展开之状。远而望之，几如垂天之云。”然此，犹仅指帆船也。王韬《华英通商事略》页一八云：“英建轮船公司，往来各处，道光十年，轮船初至印度。水师总督讷白尔，始至我国之广州。虽未必有心于窥伺，然其谋肇于此矣。”光绪丁酉，可阅山房校刊本然此，犹指轮船之初至华也。江上蹇叟《中西纪事》卷八页二云：“是月道光二十二年七月初六七等日，有夷船火轮四，自外洋一路探水而入。牛督（鉴）方自沪来，见其连樯内进，枪炮相接，其樯帆高出塘上丈余，轮烟蔽天，牛督惊疑束手。”然此时，盖犹轮帆并用也。世变推移，制作日巧，胡林翼因此而呕血，则于片段之事实中，可见西洋技艺之动人，令吾人知西洋之强也。

> 薛福成《庸盦笔记》卷一“荩臣忧国”条云：“有合肥人刘姓，尝在胡文忠公麾下为戈什哈。既而退居乡里，尝言楚军之围安庆也，文忠曾往视师，策马登龙山，瞻眄形势。喜曰：此处俯视安庆，如在釜底，贼虽强，不足平也。既复驰至江滨，忽见二洋船，鼓轮西上，迅如奔马，疾如飘风。文忠变色不语，勒马回营，中途呕血，几至堕马。文忠前已得疾，自是益笃，不数日薨于军下。盖粤贼之必灭，文忠已有成算。及见洋人之势方炽，则膏肓之症，着手为难。虽欲不忧，而不可得已。”

西洋船者，指其强也；而更有证其巧者，则有如钟表是。《乾隆英使觐见记》页五五曰：“殿之一角，有一八音时辰钟，拨其奏乐之键，能奏乐十二阕，如 Balk Joke，Lilibúlero 以及《乞丐》一剧中之歌曲等类，均为英国旧时流行之乐曲。钟上饬物，均为旧式。有透明及五色之宝石多枚，此钟虽非珍品，然以历年既久，余不得不以其为古董而贵之。钟面有英文数字，曰伦敦理敦赫尔街乔治克拉克钟表店造。原注：‘一老太监语我，此钟系中国人自造，予不屑与辨，付之一笑。’是巧器之投人所好，乾隆之季已然。”赵翼《簷曝杂记》卷二云：“自鸣钟时辰表，皆来自西洋。钟能按时自鸣，表则有针随时刻指十二时，皆绝技也。今钦天监中占星及定宪者，多用西洋人。盖其推算，较中国旧法较密云。”钟表之外，则如洋画，江上蹇叟《中西纪事》卷二记之云：“工绘画，虽刻本亦精绝。一帧之中，烟云人物，备诸幻态。而寻其理，皆世俗横陈图也。又能刻物为裸妇人，肌肤骸骨，耳目齿舌阴窍，无一不具。初折叠如衣服，以气吹之，则柔软温暖如美人，可拥以交接，如人道。其巧而丧心如此。”是巧器之。震撼流俗,嘉道之际益烈。要之,皆其技艺之超拔,足以促吾人之省识。至道光以后,更无论焉。故陈其元曰:天下之巧,至泰西而极云。

陈其元《庸闲斋笔记》卷三云:"天下之巧,至泰西而极。泰西之巧,至今日而极。古人云铁船渡海,为必无之事,壬申同治十一年,一八七二之春,竟有北德意志国铁甲船,至吴淞海口。其船纯以精铁铸成,大片镶合,一船重数千万斤,可载战士万人。大炮击之,不损分毫。每造一船,须用银三百万两,此时英法俄美各国,皆有此船。或数只,或数十只不等。海中有此船,则各种大轮船,皆不能敌矣。又有气球,其身可分作五六间屋,用机转运,则上升数十丈,东西南北,无不如意所向。北德围法兰西都城时,法主乘气球出亡,北军亦乘气球追之;空上争战,卒为法王逸去。此则行于天上矣。""泰西制造之巧"条以泰西制造之巧命题,具征西洋技艺之"巧"之动人云。

然道咸间人,对于西洋技艺之巧,非认识其技艺本身之所以然,而仅仅认识其技艺之所表演。然如乾隆中英使来华,英使语福大人曰:"'大人为中国兵家,功业彪炳,良使敝使钦慕。敝使拟请大人观操,藉聆雅教。勿审大人,亦肯赏光否?'福大人意颇冷淡,岸然答曰:'看亦可,不看亦可。这火器操法,谅来没有什么希罕!'余聆此答语,心乃不胜大异。余于福大人虽能断定其曾否一睹火器之式样。而中国目下之军队,则可决言其必无火器。既无火器,而犹以没有什么希罕一语了之,吾诚不解其用意所在矣。"《觐见记》页一〇三——则并技艺之表演而亦轻蔑之。若在道咸之间,则技艺之巧，决非国人所能轻蔑；国人亦不敢轻蔑之矣。

故道光二十年一八四〇林则徐有《请戴罪赴浙图剿片》奏云："议者以为内地船炮，非外洋之敌。与其旷日持久，不若设法羁縻。不知夷情无厌，得一步又进一步。若使失威不克，即恐患无已时。且他国效尤，更为可虑。……即以船炮而论，本为防海必需之物。虽一时难以卒办，而为长久之计，亦不可不先事预筹。且广东利在通商，自道光元年到今，粤海关已征银三千余万，收其利者，必思预防其害。若前此以关税十分之一，制造炮船，则制夷亦可以裕如。……夫以通夷之银，量为防夷之用，从此制炮必求其利，造船必求其坚。似经费亦可酌筹，即裨益良非浅鲜。"《中西记事》卷五——此即不肯菲薄西人技艺，而他日船炮建设论者之权舆也。

技艺之出发点，自为科学本身；不重科学之本身，而但重科学之所可表现，则与儿童爱好幻术何殊？盖但论结果，不问原由，其弊害大致然也。薛福成《出使日记》卷三："中西医理不同，大抵互有得失，西医所长，在实事求是，凡人之脏腑骨节，皆考验极微，互相传授。又有显微镜，以窥人所难见之物，或竟饮人以闷药，用刀剜人之腹，视其脏腑之秽浊，为之洗刷，然后依旧安置，弥月即平复如常。如人腿脚，得不可治之证，或倾跌损折，则为截去一脚，而以木脚补之。骤视与常人无异。此其技通造化，虽古之扁鹊、华佗，无以过之。然亦间有不效者，如曾惠敏公之伤其一子，黎莼斋之损其一目，人颇咎其笃信西医之过。余谓西医之精者，其治外证固十得七八。但于治内证之法，则得于实处者多，得于虚数者少。其用药但有温性而无寒凉敛散之用，以视古医书之精者，如张仲景、孙思邈之方，近代喻嘉言、陈修园之说，其深妙之处，似犹未之得也。”盖亦论技艺之表演，而未重科学之本身焉。

二〇　民族创痛之开始

所谓承认外洋技艺之所表演，而不承认产生此技艺之科学本身，即足以表示国力虽在衰耗，而民族之自尊意识，屹然未减。然在道光之季，则东方第一雄主，与西方第一雄主用马戛尔尼《觐见记》语不免于一决斗。《北山》之诗云：“溥天之下，莫非王土；率土之滨，莫非王臣。”丁尼生 Tennyson《与殖民地国人》诗 To Our Countrymen in Colonies 曰：“不列颠的呼声，威象万千。孩儿们，每人联合，大家联合，造成帝国之安全。心与灵魂，均付与不列颠一致。一个生命，一面旗帜，一座皇座，一队兵船，不列颠之有众，依着它，莫牵连。”而决斗之结果，《北山》之诗之诵读者，竟无以维扶昔日之令问，此则鸦片战争，所以为中国文化史上，由海而来之波浪之大而且烈者也。

海斯（Hays）《今世欧洲政治社会史》（*A Political and Social History of Modern Europe*, Vol. Ⅱ, p. 562）“在此世纪十九世纪之中，中国向所自满之与世隔绝，遂为下列三事所扰乱。其一，中政府自知无力禁欧商之沿海贸易，教士之宣扬教义，以及外国资本家之筑路开矿，建立工厂于中国之中。其二，中国边省及藩属之落于外人之手。其三，西洋思潮之浸淫于群众头脑，而竭力反攻中国之政治生命。……在此许多步骤中，一重要之急步，即行于一八四〇年，所谓鸦片战争，由英人发动，以击中国，即在尔时。”又 Bland 著 *Recent Events and Present Politics in China*，p. 257 记北平第一任英使在与人书中，谈及南京和约，曾曰：“国如支那，和约之缔结，乃困苦之开始，而非困苦之终了。”则鸦片战争之决斗，与民族国家之运命，无论以政治、经济、社会、学术而言，胥可知已。

鸦片战争者，肇始于道光十九年九月，而终结于道光二十二年八月之南京和约。据和约中之规定，一则五口通商也，一则赔偿烟价广东所焚之烟、兵费也。一则关税协定也。一则割让香港也。嗣后又订立《中英五口通商条款》、《五口通商细则》，如言“英人如何科罪，由英国议定章程法律，发给管事官照办”；如言“现定值百抽五，若有更改，须行商酌”。茧缚日益，可以三叹，而由诸事一一细析之，割地之辱，无论已。赔偿烟价，使毒物随地流行，则霍特斯根谓：“终结战争之条约，反使鸦片贸易为合法，是乃英吉利之大羞。”（Hodskins，*China in the Family of Nations*）爱德华云：“为自卫其国体，及阻止其人民之陷于罪恶，中国之所要求于洋商者，固非无理取闹，亦非超乎主权。”（Edward Fly：*England*，*China and Opium*，Pg.）王之春云：“英吉利国王。谋于上下议院，佥以此项贸易本干中国例禁。其曲在我。遂有律士向衙门递禀求禁，并请禁印度人栽种波毕。又有地尔洼者，在伦敦作《鸦片罪过论》，以为既坏中国风俗，又使中国猜忌英人，反碍通商之局；英王闻而是之。”《通商始末记》卷八——凡中外之论，均谓曲在英而不在我也。

然由治文化史者视之，渠曰外交失败而已。以今觇之，盖有四象。

盖至此而中国真不能闭关自守，而遂为世界上之一国也。粤在唐时，贞观二年六二八六月十六日敕：“诸蕃使人所娶得汉妇女为妾者，并不得将还蕃。”《唐会要》卷一百开成元年八三六六月，“京兆府奏准令式，中国人不合私与外国人交通、买卖、婚娶、来往。又举取蕃客钱，以产业奴婢为质者，请重禁之。”《册府元龟》九百九十九是中国人之闭关自守，久有成例；然《宁约》第二条，则将此原则扑破之矣。

《江宁约》第二款：“自今以后，大皇帝恩准英国人民，带同所属家眷，寄居沿海之广州、福州、厦门、宁波、上海等五处，港口贸易，通商无碍。英国君主，派设领事管事等官，住该五处城邑，专理商贾事宜。与各该地方官，公文往来。”执此约以与乾隆赐英使敕：“况西洋诸国甚多，非止尔一国。若俱似尔国王，恳请派人留京，岂能一一听许？是此事断断难行。岂能因尔国王一人之请，以致更张天朝百余年法度，”《东华录》五十八年八月相提并论，门户之洞开可见。

盖至此而中国之政权，至是而不能完全行使也。《唐律疏议》卷六曰：“诸化外人同类自相犯者，各依本俗法；异类相侵者，以法律论。”《宋史》四〇〇《汪大猷传》，记大猷治蛮，有“苟在吾境，当用吾法”之语。《明律》卷一《名例》云：“凡化外人犯罪者，并依律拟断。”最近如乾隆癸巳，“澳门华民遇害猝死，伪言为英人肆阁所杀，执之，控于葡人公廨，欲定罪而苦无证。华官云，如不献之出，必毁澳门一邑。葡人难之。集长老议其事，一曰：……不与，则民受害。与一人以救众，似亦可为。更一人曰：华官若阻塞通商，我将饥而死。与以英人，乃所保全我也。因与之，华官即杀之”《华英通商事略》

页五。是中国之司法之尊严，与国体之完整，昔人固严持之。至鸦片战争而此政权之行施，遂寓有限制已。

道光二十三年《五口通商章程》第十三款："凡英国商人禀告华人者必先赴管事官处投禀，候领事先行查察，谁是谁非，勉力劝息，使不应讼。间有华民控告英商者，亦应听诉，一律劝息，免致小事酿成大案。……其英人如何科罪，由英国议定章程法律发给管事官照办。华民如何科罪，应治以中国之法。"此后美法等国，一致效尤，乱阶至此未已，可吁也。

盖至此而中国之经济命脉，遂受人之支配也。自此以前，国家财政之主要，厥为田赋。《旧唐书·杨炎传》谓钱谷国之大本，民之司命是也。"清初税收，什九出自田赋。逮乾隆三十一年，岁入四千余万两之中，地丁正耗，达三千二百万两，而米麦豆之征本色者，犹不与焉。咸丰军兴，转以厘金关税为大宗。"万国鼎《中国田赋之鸟瞰》载《地政》月刊四卷三期，页一六〇自《江宁约》后，关税受有限制，而大宗之来原，遂受有限制。外货源源，漏卮日甚，其阻碍民族国家者，又何限焉？

国人对于外货之税，向不主张重税。《全唐文》七十五载文宗太和八年八三四敕："南海蕃舶，本以慕化而来，固宜接以仁恩，使其感悦。如闻比年长吏，多务征求，嗟怨之声，达乎殊俗。朕方宝勤俭，岂爱遐琛。深虑远人未安，税率犹重，不有矜恤，何以绥怀？其岭南、福建及扬州蕃客，宜委节度观察使，常加存问，除舶脚收市进奉外，任其流通往来，自为交易，不得重加率税。”惟前此出乎自动，今兹由于索迫，故未病于古而独病于今云。

盖至此而中国之行政黑暗，愈有以见其加甚也。牛应之《雨窗消意录》卷一云：“道光壬寅年，英夷犯广东。果芳侯杨芳为参赞，因夷人炮利，下令收粪桶及诸秽物，为厌胜计。和议成，遂不果用。有无名氏嘲之曰：杨枝无力爱东风，参赞如何用此公？粪桶当年施妙计，秽声长播粤城中。”则是人以新异之科学利器而来，而当事者，竟以神秘之腐说为用也。道光二十一年正月：“琦善奏，英吉利见已遣人前赴浙江，缴还定海，并将粤省之沙角、大角炮台，及原夺师船、盐船，逐一献出，均经验收。兵船全数退出外洋，奴才查勘各情形，地势则无要可扼，军械则无利可恃。兵力不固，民情不坚，若与交锋，实无把握。不如暂加羁縻。得旨：朕断不能如汝之甘受欺侮，迷而不返，汝被人恐吓，为此遗臭万年之举，今又摘举数端，恐吓于朕，朕不惧也。”道光《东华录》卷十案此时，琦善已以香港许英，而饰词尔尔。则是人以辟土之精神而来，而我以省事之恶习为用也。后之君子，读史而不愤愤于一“牛”者有几？而在当时，则滔滔者，天下皆“牛”尔！

牛谓尔时江督牛鉴，当时英兵逼南京，而“新调寿春镇兵，已抵城外，将弁陈平川等，皆愤愤，请决一战。牛曰，虎须未可撩也。曰：然则请闭城，登陴而守。牛曰：‘是令寇疑我。’”《中西纪事》卷八后开议军费，英索兵费一千二百万，议及此款，时随从之仆张喜，拂衣而起，而一品大员，则一词莫赞同上卷九。此与无名氏《一剪梅》所云“好也弥缝，歹也弥缝”者，同可为之一哭欤！

综言之，闭关局面之打破，政权完整之破碎，经济命脉之受人制限，行政黑暗之愈暴于世，实足使全中国之民族，首开膺受创痛之记录。观夫鸦片战争之前道光八年，“先是洋商在粤通市，定制不得携家属；自大班公司既设，出入自便。是时，遂有大班挈一洋妇采粤城，时东裕洋行司事谢治安，为置肩舆出入。久之，侈然自大，翻不许行中人乘轿入馆。大吏闻之，立拏究治安，死狱中。大班辄架大炮，洋馆外设兵自卫。大吏恐激变，乃遣通事谕令撤兵炮，速遣洋妇返国。于是洋行具禀，托以大班患病，需人乳为引，请俟稍愈遣之”《通商始末记》卷八。乘轿者，财力也。架炮者，武力也。是洋商之武力、财力，已足以笼套吾贫弱之中国而有余。至鸦片战争以后，则更甚矣。不谓为民族之创痛，得乎？

二一 对外态度之转变

在鸦片战争以后，如咸丰八年一八五八则有英法联军之役。《天津条约》及《北京条约》所由签订者也。此后俄占西域，法据安南，英占缅甸光绪十年。至光绪二十、二十一年，而有中日之役，马关之和。国耻固绝顶矣，至光绪庚子二六年、辛丑一九〇一而有四百五十兆之赔款，盖除近时之东省不守，无与比伦者也。

盖自鸦片战争终结后，主持洋务者，终有“非战之罪”，“不肯服输”之度。故道光二十九年，广州绅民，有拒绝英人入城之事。宣宗上谕云：“夷务之兴，将十年矣。沿海扰累，糜饷劳师。近年虽略臻静谧，而驭之之法，刚柔不得其平，流弊以渐而出。朕恐沿海居民蹂躏，故一切隐忍待之。盖小屈必有大伸，理固然也。”《通商始末记》十二是年四月上谕：“我粤东百姓，素称骁勇，乃近年深明大义，有勇知方。固由化导之神，亦由天性之厚。”道光《录》卷十三可知在洪杨发难之时，论洋务者，尚存小屈大伸之说云。

然此时西人，实已凶狠。《李秀成供状》页四二云：“打入城者，洋兵把守城门，凡清朝官兵，不准自取一物。大小男女，任其带尽。清朝官兵不言，若多言者，不计尔官职大小，乱打不饶。我天王不肯用洋兵者，为此也。”朱克敬《暝庵杂识》卷四云：“曾国荃攻江宁，久不下。洋人请以兵助战，如苏杭故事，兵费半之。国荃不可，曰：‘彼眈眈者可恃乎？倚以杀贼，将益轻我。是杀狼豢虎也。’固谢之。”则当时小屈大伸之说，盖亦渐渐自知不可靠矣。

即如咸丰间，英法联军之役，菲薄西人，要亦不免有之。薛福成《庸盦文续集》卷下《书汉阳叶相广州之变》云：“叶相（名琛）以翰林清望，年未四十，超任疆圻。初以拒洋人入城有贤声，因颇自负，常以雪大耻，尊国体为言。凡遇中外交涉事，驭外人尤严。每接文书，辄略书数字答之。或竟不答。顾其术仅止于此。”其后广州倾败，名琛虏焉。时人因为之语曰：“不战不和不守，不死不降不走，相臣度量，疆臣抱负，古之所无，今亦罕有。”考名琛未败前，清帝曾赞其外交七年十一月咸丰《录》七十七。则虚憍偾事，固不能自叶氏一人负之，而亦当由时世之风气负之尔。

其后英法联军，进犯津、沽，夷务令文宗三叹咸丰十年七月《东华录》。东南正有太平天国之役，曾国藩虽请北上勤王十年四月《东华录》，讵曰可能？据近人毛以亨《太平天国之对外政策》《时事月报》十四卷二期云：法大使Gros云："广东当局叶名琛，即令尽从我辈之要求，我人亦将提兵北上。北上之原因，即为予清室以直接威胁。使其感受痛苦，以得重大让步。再则俄美是时，俱以讨平内乱，要求清室。英法惧俄美计划之万一成功也，故有扬兵耀武之必要，以促成清室之借重。"然则津沽之寇，事非偶然。人以其实，我以其虚；又安得而不败哉？

且自《津约》保护新旧基督教原约第八条以后，咸丰十年之《京约》，又准宣教师在各省租买田地，建造教堂刘彦《近时外交史》页五六。于是而仇教排教，与国人之厌恶宗教之积习，反有激水过颡之感。而秉国钧者，则惩于前此之败，虚憍之气，化而为畏慑。曾国藩之外惭清议，内疚神明，可为同治中叶之对外态度之代表。李瀚章之曲徇英人，戮及无辜，可为光绪初叶之对外态度之代表。由昧外而渐渐至于畏外，贤者不免，郐以下，又何讥焉？故李慈铭《越缦堂日记》《荀学斋乙集》下，页五十二光绪七年引刘云生《英轺私记》云："中国外交之道，当据理直言，不可为客气之谈，尤不可为阴阳之论。凡自夸强大，不惮用兵，及中外一家，怀柔远人等等，皆彼所共识，传相姗笑。而或自相轻薄，诋华媚夷，至效其衣冠，习其礼节，尤彼所深鄙。"自昧而至于畏之趋势可见。

同治九年，天津以教案毙法领丰大业。国藩戮罪人以谢，始寝。"公与人书云：内疚神明，外惭清议，深自引咎而已。"朱孔彰《中兴名臣事略》一故李慈铭《越缦堂日记》第十三册乙集，页七五有感愤诗。陈衍《年谱》光绪三十四年戊申云："学部尚书徐华卿协揆，就部中宴广雅张之洞谈次，协揆逢迎广雅意，曰三儒顾、黄、王业已从祀，闻外间亦将以曾文正请矣。广雅嚄唶曰：'曾某亦将入文庙乎？吾以为将入武庙。'举座愕然。广雅曰：'天津教案，曾某至戮十六人以悦法人，其时德兵已入巴黎指普法之战，曾某尚如此。'"——是畏外之讥，曾公自知不免，而果不免焉。

光绪元年，云南杀英使随员玛嘉里。玛嘉里者，英使使入滇以侦虚实者也。副将李珍国，语滇督岑毓英，英将窥滇，当防之。因得岑之密札，结野人而杀玛于火焰山畔。李根源《记玛嘉里案》《国学论衡》第五期，苏州国学会出版谓李瀚章讯玛案，英人格维纳傍听。受质者，野人耳。"野人不达汉语，应对必赖舌人。瀚章曰：'杀玛嘉里，汝辈为之乎？'舌人则曰：'官问汝，汝是腊都耶？'野夷颔其首。瀚章又曰：'汝曹杀玛嘉里，作何状乎？'舌人曰：'官问汝，汝在山中，伐木斫薪状，可得见乎？'野夷群举手，作持斧下劈状。瀚章曰：'杀玛嘉里信矣，谁为汝谋主乎？'舌人曰：'官问汝，汝穷苦，何所啖？啖蝮蛇乎？'野夷摇其首者数。瀚章顾格维纳曰：'案定矣。……英使威妥玛愤不能罪毓英，至下旗出都，调战舰北上。李鸿章追威妥玛于烟台，与定《烟台条约》"。然则畏外之甚。亦可谓煞费苦心矣。

自光绪二年一八七五与英人烟台缔约之成，外患初未已也。越四年，而日县琉球一八七九，越十年而英吞缅甸，法吞安南。至甲午一八九四，光二〇而有中日之战，乙未而有马关之和，光绪二十三四年，而德借胶州、俄租旅大、法借广湾、英租威卫。"故光绪廿三年十二月，德占胶州之事起，康有为上书，极言事势之急云：……窃自马江败后，法人据越，隐忧时事，妄有条陈。发英俄之谋，指朝鲜之患，以为若不及时图治，数年之后，四邻交逼，不能立国。已而东师大逼，遂有割台赔款之事。于是外国蔑视，海内离心。……愿皇上稍采其言，发奋维新。或可图存，宗社幸甚，天下幸甚。否则沼吴之祸立见，裂晋之事即来，职诚不忍见煤山前事也。"《戊戌政变记》卷一征此，可知光绪二十三年顷外氛之紧急。畏外之徒，不免有困兽之斗，果也又三年，而有庚子之事云。

庚子事变者，畏外之反动也，仇教之余波也。抵抗海洋势力最后之挣扎也。故瓦德西《拳乱笔记》页一一六云："中国排外运动之所以发生，乃由于华人之渐渐自觉。外来新文化，实与中国国情不适之故。更加建造铁路之时，漠视坟墓，以致有伤居民信仰情感。重以近年以来，瓜分中国，常为世界各国报纸最喜讨论之题目。复使中国上流阶级之自尊情感，深受刺激。最后更以欧洲商人，时常力谋损害华人，以图自利。此种阅历，又安能使华人永抱乐观？至于一二牧师，作事毫无忌惮，以及许多牧师，为人不知自爱。此必吾人不必加以否认疑惑者。"然则庚子事变者，即就西人之言而言之，因华人自求生存之挣扎也。梁任公《军国民篇》云："甲午一役以后，中国人士，不欲为亡国之民者，群起以呼啸叫号。声撼大地。或主变法自强之议，或吹煽开廸民智之说。或故立危词以警国民之心。或故自尊大，以鼓舞国民之志。未几而薄海内外，皆惧为亡国之民，皆耻为丧家之狗。未几而有戊戌变法自强之举，此振兴之自上者也。未几而有长江一带之骚乱，此奋起之自下者也。未几而有北方诸省之乱，此受外族之凭陵，忍之而无可复忍，乃轰然而一爆者也。"《新民丛报》卷十三然则庚子事变者，即史人之言而言之，因外力凭凌之所激成者也。盖由畏而生恨，由恨而生仇，原为思想过程之顺叙。惟感情之放，一发而惨败，则畏外者，又趋于媚外云。辜鸿铭之言，亦一时之实录也。

汉滨读易者《幕府纪闻》卷上页四二曰："厩焚，子退朝，曰伤人乎，不问马。今日地方有一事故，内外衮衮诸公莫不电函交驰，曰伤羊乎，不问民！"辜文成于宣统二年庚戌，盖愤嫉之言，而亦深切事势云。

然则由鸦片战争，以至于庚子事变之六十年间，国人之对外态度，其涯略可得而言：首为昧外，叶名琛之徒是也。次为畏外，曾国藩之徒是也。继为媚外，李鸿章之徒是也。威妥玛《答东方时局问》云："中国骄傲之气，不可一世。而所作之事，则正与相反。即如中国素称文明之国，而其民乃有至愚极拙者。中国之教化，固所谓最古而最上者也，然衡以各国今日之教法，则中国今日之所教，仅未成丁之稚子耳。华人又有不肯自谦之弊，岂知适成为不能交战之人。"陈忠《经世文三编》卷五此盖就中日战争之后而立论耳。若夫汪康年言："华人初见西人，人怀恶怒之心，至今日则恶怒之心，一变而为信畏矣。夫不问是非曲直，而辄以恶怒之心待人，非公理也。至若不信畏己之人，而信畏他人，则尤异矣。夫中国商人虽未可尽信，然钱庄银号，固不亚于西人也。而今则富贵人之金，多托汇丰矣。修造轮机，中国非不能为也，而今则购办之人，必托耶松矣。同一器皿，而必凿洋行字者为贵；同一货物，而必以来自西土者为佳。若夫乱兵肆横，非口舌所能喻也，乃亦见西人而敛迹。差役恣暴，非礼让所能禁也，乃亦见西人而戢威。无怪乎闻公使之骄横，而骇汗长流；遇西兵之严整，而闻风远避也。”同上卷十三人侮我而不敢言，人辱我而不敢校，此则海内势力，在吾国之登峰造极之时，西人所称为门户开放，而吾人所当引以耻弼教者也。

《新民丛报》卷十四《国闻短评》曰：“驻俄公使杨儒暴卒，世人固稍已疑之。未几而其子复自缢，濒死时有极痛心之语，世人乃益疑之。近者日本报乃详述杨儒之死，实被俄人从楼上踢下致命。盖因满洲条约，为各国所制，不得行其志，故以此泄忿云。其言确否，未能知。然谅非无因矣。呜呼，德公使之死，遂致八国联兵，神京陆沉，意国公使大人途中，遇群儿哗笑，遂劳明诏，皇恐谢罪。巨鹿之乱，法教士受伤，政府吊慰之电稍缓，天津法领事，即相责言。吾国公使，独非人乎？”此即庚子变后，对于外侮，宁媚毋校之证也。

二二　坚甲利兵政策之来因去果

虽然海禁之洞开，洋人技艺之认识，以及民族之创痛，外交之惨败，均以洋人之坚甲利兵，为之阶缘。故林则徐云：“制炮必求其利，造船必求其坚”，言洋人他无可取，而坚甲利兵，盖自有其不磨之价值云。岂特林则徐言之，他日薛福成辈，亦以为言！

《戊戌政变记》卷一页二八曰：“甲午以前，我国士大夫言西法者，以为西人之长，在乎船坚炮利，机器精奇。故学之者，不过枪炮铁舰而已。此实吾国致败之由也。乙未和议成后，士大夫渐知泰西之强，由于学术。”

薛福成光绪十六年闰二月初七日记，记在法京晤土耳其国头等公使爱萨德鲁，交谈之下，“土使则叹息痛恨于英俄诸国之恃强相陵。大抵谓，今之时世，一铁舰枪炮之世耳。未有势不强而可立国者，盖王道之不讲也久矣。所谓公法条约，皆不过欺人之谈耳，奚足恃哉。其寄慨之旨如此”《出使日记》卷一。

以今觇之，论洋人之富强，以为由于坚甲利兵者，道咸之世，固属无怪其然。但得就轮船、洋炮二端而推论之，足矣。

李秀成云：“其炮利害，百发百中。”供状页四十一是秀成知洋炮之猛也。咸丰六年正月，“胡林翼奏，请饬粤东购运洋炮，当经谕令叶名琛等，赶紧购运。……由湖南舟运解往湖北胡林翼营应用”咸丰《录》五十六。是秀成之敌人，知洋炮之猛也。盖在太平天国与清室之决斗中，有以洋枪之有无，为胜负之关键者，此坚甲利兵之所以启人信任者，一也。

曾国藩奏咸丰十一年三月初二日休宁抗敌之败云：“适骤雨如注，衣服火药尽湿。骑贼皆用洋枪，乘我于危，遂致挫败。”咸丰《录》九十九此则土枪与洋枪之竞决，于此见之。

至于轮船者，如咸丰六年三月，曾望颜奏：“请雇火轮船以清江面一折，据称火轮船船身高大，最为利用。若雇募四只入江，必可将江内贼船，悉行埽荡。赴粤雇募，以江南士商报效为词。”咸丰《录》五十八同年同月，江督怡良奏：“英吉利司税李泰国呈请买办火轮船，以备剿逆。现饬上海道蓝蔚文随机办理”同上。盖在清室与太平天国之决斗中，有以轮船之有无，为胜负之关键者，此坚甲利兵之所以启人信任者，二也。

薛福成《出使日记》卷二云："尝考火轮船之权舆，乾隆元年，英人或议造小火轮船，运用之力，不用水气，而用风气。船头置轮，船尾置机，以大绳运转其轮，欲拖大船出海口，未成。是后制作日精，道光十八年，英人造一大火轮船，载货一千四百吨，开行十五日，可抵美国之纽约，是为轮船出大西洋之始。咸丰二年，始造铁船，即遇飓风，可免迸裂沉没之虞。又有隔舱之法，以防渗漏。自是轮船之制全备，殚无穷之财力，积数国奇智异能之士，苦心经营，有美必备，然后无遗憾矣。然则握富强之枢者，岂非以轮船为第一要图乎？"——薛氏记此于光绪十六年三月，第轮船之为我重视，则远兆于前此也。

至于太平天国以后，洋兵洋器，大有造于清之中兴。于是而时人之论，对于西洋人之坚甲利兵，更有神秘之崇拜。如《时务报》五页二十二云："德国克虏伯厂，有机器工程师，新造一种炮，以纸造之，可以卷舒，分量极轻。可为军士包裹之用。炮口大五个生特，据闻五个生特之钢炮，尚不及此炮之耐用，水陆险阻之区，林木丛杂之境，用此炮，最为合宜。"《经世文三编》六十二卷亦引此薛福成云："西人制造，愈出愈奇。美国新法，以纸制造各物，令其坚实，以代钢铁之用。火车之轮，亦以纸为之。又造货厂一所，墙壁屋瓦，以及楼板阶砖，无不以纸为之。耐久不颓，火不能然，水不能入。较砖瓦之用，为尤坚。"《出使日记续刻》卷六——观夫两处所记，知太平天国以后，戊戌政变以前，国人对于洋人坚甲利兵之崇拜，可谓至矣尽矣。

故江南制造局之产生，实基于此等观念而产生者。此实同治四年一八六五即曾国荃攻拔金陵之翌年也。

陈其元《庸闲斋笔记》卷十一记之云："李爵相既平粤贼后，于同治四年，先在上海开机器局，以造洋枪洋炮。比督两江，于金陵亦设制造局。曾文正公，继督两江，仍踵行之。嗣福建创造轮船，文正亦令于上海兼造。数年来已成八艘，十二年又仿造铁甲船一艘。洋人所能者，吾尽能之矣。十三年，李爵相复请开轮船招商局，共集赀一百五十万两，官给二十万，商给一百二十万，先购买外国轮船，而以机器局所造之轮船益之，以运江浙两省漕粮。漕运既毕之后，准商人雇载赴外洋，及各海销售货物，以分外洋之利。无事则运粮贩货，取其赀为修购船只之用。有事则用为战船，以之巡防，以之攻击，盖一举两得之术也。"黄或权《淞南梦影录》卷二记之云："自粤匪克复后，当道诸巨公，渐知泰西火器之利。乃于各省冲要之地，设局制造。沪局在城南高昌庙侧，度地四百余亩，工匠皆闽粤宁波人。以西人之精通机器者，督之。局侧设广方言馆，招华童之聪颖者，肄业其中，礼延西儒傅兰雅诸君，授以西法、化学、算学、光学、行阵造作等事。而兼聘中儒，教授华人，岁一考校，拔其尤者，充翻译管驾等官。其事创始于李少荃傅相，而观成于应敏斋方伯。谋国远猷，万世攸赖矣。"——同治中之江南制造局，盖集坚甲利兵政策之大成者也。

此种坚甲利兵政策，在当时自有小效。《大公报》二三年五月三一日云："中国之海军，成于日本之先，甲午战前，北洋战舰驶至横滨，军容甚盛。水兵上岸，道路以目。东乡见我军舰上，有水兵所洗衣服，晾于大炮之上，以为不知战争之尊严。

独谓中国海军不足深畏。甲午黄海之战，中国海军实力，原较日本为厚。而开炮时炮弹，竟多赝鼎。龚照玙且不战而弃旅顺军港。我国既受挫辱，复使东卿获知言之明，岂不可痛？今日本已握海权，为世界三大海军国之一。中国虽先举步，今日直等于零，抚今思昔，感斯生已。"案《中兴名臣事略》卷五《沈葆桢传》："前后造成兵轮二十艘，分布各海口。居无何，而有进视台湾之役。同治十三年夏，有日本船避风来泊，为生番所杀。日本调集兵船，藉辞生事。公据理诘责之。倭人为之夺气。"是坚甲利兵之收效，有时固能以虚声恫吓洋人焉。

然而坚甲利兵之收效，竟不验于甲午。故文廷式五百余人，联名劾李鸿章云："用一卫汝贵，而百战之淮军，化为叛卒。用一丁汝昌，而大桅之铁甲，尽属漏舟。倭国国势兵力，不能与西洋各国同年而论。国债重而民力困，则根本未坚也。有快船而无巨舰，则武备不足也。兵出于卒募。非素练之师也。权纷于党论，非划一之政也。东事之兴，凡曾经战阵之士，通晓夷情之人，莫不以为螳臂当车。应时立碎。虽西人亦凿凿言之。——而事竟有大谬不然者。"张廷骧《不远复斋见闻杂志》卷四是则由海洋而来之波浪，经百年之摇撼，而吾国文化之所得，仍不免限于工匠器事之末，穷民丧财，而结果于甲午之惨败。使国家、民族、政治、经济，均无以证其自全。盖大而言之，当为中国仍轻视西洋文明之本，而无法否认西洋文明之末。夫以轻视西洋文明之本之人，而驾驭西洋文明之末，则吴大澂之悬古印而统新军，其不败者几希？过而存之，治近世史者，傥有取焉。

《新民丛报》二十三《文苑》有黄公度题人境庐主人《渡辽将军歌》云："闻鸡夜半投袂起，檄告东人吾来矣。此行领取万户侯，岂谓区区不予畀。将军慷慨来度辽，飞便跃马夸人豪。平时蒐集得汉印，今作将印悬在腰。将军向者曾乘传，高下句丽踪迹遍。铜柱铭功白马盟，邻国传闻犹胆颤。自从珥节驻鸡林，所部精兵皆百练，人言骨相应封侯，恨不遇时逢一战。雄关巍峨高插天，雪花如掌春风颠。岁朝大会召诸将，铜炉银烛围青毡。酒酣举白再行酒，拔刀亲割生彘肩。自言平日习枪法，炼目炼臂十五年。目光紫电闪不动，袒臂视客如铁坚。淮河将帅巾帼耳，萧娘李姥实可怜。看予上马快杀贼，左盘右辟谁当前？鸭绿之江碧蹄馆，坐令万里销烽烟。坐中曾黄大手笔，为我勒碑铭燕然。么么鼠子乃敢尔？是何鸡犬何虫豸？会逢天幸遽贪功，它它籍籍来赴死。能降免死跪此牌，敢抗颜行可一试。待彼三战三北余，试我七纵七禽计。两军相接战甫交，纷纷鸟兽空营逃。弃冠脱剑无人惜，只幸腰间印未失。将军终是察吏材，湘中一官复归来。八千子弟空摧折，白衣迎拜悲风哀。幕下部卒皆云散，将军归来犹善饭。平章古玉图鼎钟，搜箧价犹值千万。闻道铜山东向倾，愿以区区当芹献。藉充岁币稍补偿，毁家输国臣所愿。燕云北望忧愤多，时出汉印三摩挲。忽忆辽东浪死鬼，印兮印兮奈汝何？"治古印者，即轻视洋学之态度；统新军者，即认可西洋技艺之态度，卒致劳师糜财，朝鲜燔焉。而究其所以，则由于鸦片之役，下迄中日之争，虽海潮之波靡一世，而崇奉仍在皮毛之故乎？

第七章　国家财计之变革

二三　赋税制度之因革

清世政治之转换方面，自乾隆始；外交政策之转换方面，自道光始；至光绪甲午之战时，则政治之弊日甚，外交之害日烈之秋也。而谓仅仅以坚甲利兵救之，欲有效，得乎？不宁惟是，“四海困穷，天禄永终”，即国家财计之成为问题，固亦非支离破碎之清室，所能支持焉。

考自海禁未启之前，国家主要岁入，首指田赋，关于此项岁收，丁明盛时，有就田问赋之鱼鳞册，可以应用参见本卷二〇节、近古卷三十一节。而国家岁有工作，又有征之于民之力役。粤在明季，赋役册无可考。于是而有一条鞭法：“一条鞭者，总括一县之赋役，量地计丁，丁粮毕输于官。一岁之役，官为佥募。力差，则计其工食之费，量为增减。银差，则计其交纳之费，约以增耗。立法颇为简便，嘉靖间数行数止，至万历九年，乃尽行之。”《明史》七八《食货志》若比诸唐世之租庸调而立说，则国家所责，偏责于田，自无疑也。其在清初，赋役之册，颇沿讹袭谬。故《清史列传》卷五《范文程传》云：“时宫阙灰烬，百度废弛。明季赋额屡增，而籍皆毁于寇。惟万历时，故籍犹存，或欲于直省求新册，文程不可，曰：即此为额，犹恐病民，岂可更求哉？自是天下田赋，悉照万历年间则例征收，除天启、崇祯间诸加派，民获甦息。”——然则清人初入关时，征于财计之主要部分，未尝为整理也。国受蠹矣，民亦病之。

故吕留良死康熙时，“其文集内云，今日之穷，为羲皇以来所仅见”雍正七年五月《东华录》。吕留良力主反清，所言或有失实。然清室盛时，已不能改良赋制，救济民人，则十口不殊也。

康雍之间，又有混丁于地之令。俞正燮述之曰：“康熙五十三年，御史董之燧请统计丁粮，按亩均派，部议，不便而止。然舍此，别无长策。故广东四川两省先行之，雍正元年，直隶抚臣请行之，三年山东抚臣请行之，五年竟通行之。”《癸巳类稿》卷十二《地丁原始》于是富户多丁，税亦一率于田；下户少丁，税亦一率于田。而赋役册之外，丁口册亦无所取凭，此又国计凌乱之一征焉。

清康熙五十二年诏：“海内承平日久，户口日繁，地亩并未加广，宜施旷大之恩，共享恬熙之乐。嗣后直隶各地方官，遇十年编审之期，止将（人口）实数，另造清册奏闻。其征收钱粮，但照康熙五十年丁册定为常额，续生人丁，永不加赋。”康熙《东华录》八十九是地丁未合一前，人口犹有十岁一报之制。至乾隆三十七年五月上谕：“今丁粮既皆摊入地亩，而滋生人户，又钦遵康熙五十二年圣祖恩旨，永不加赋。则五年编审，不过沿袭虚文；嗣后编审之例，著永行停止。”乾隆《录》七五是则地丁合一以后，非但赋册无凭，即人口之籍，亦因之而先于攒造也。

且雍正间之并丁入地，原有康熙时之盛世滋生，永不加赋，为之基因（盛世滋生者，即云生于康熙五十年以后之剩余丁口，不出丁粮，见康熙五十一年二月《东华录》）。此所谓永不加赋，盖指人口之赋；而后人傅会"仁政"，即指田赋为不可增减。于是国家岁入，又无形的受有道义的限制。而税收所至，遂不得不别开方便法门。则有如火耗也，雍正即位，谕州县曰："至于钱粮，关系尤重。丝毫颗粒，皆百姓之脂膏。前有请暂加火耗，抵补亏空帑项者，皇考示谕在廷，不允其请，诸臣共闻之矣。今州县火耗，任意加增，视为成例，民何以堪，嗣后断宜禁止！"雍正《东华录》一而雍正二年"山西巡抚诺岷，请以通省耗羡，提解存公，将全省公事之费，及上司下属养廉之需，咸取于此。于国计民生，上下公私，均有裨益"。雍正《录》十二，事在六年四月至此而赋税史上，遂有额外取赢，公开秘密之"耗羡"两字矣。火耗之外，则又有平余也。《清史列传》十五《硕色传》记硕于乾隆二年为四川巡抚，"疏言川省陋例相沿，火耗羡余外，银百两提解六钱，名曰平余，充各衙门用度。谕曰：川省耗羡，向因公用不敷，每两完银两钱五分，朕驭极以来，减去一分，只存一五之数。今据硕色之奏，不胜骇异。火耗报官，原以杜贪官污吏之风。今若耗外复听其提取，岂非小民又添一交纳之项乎？"乾隆三年十二月谕："四川火耗，较他省为重。今闻该省耗银虽减，而不肖有司，巧为营私之计，将戥头暗中加重，每两有加至一钱有余者。"乾隆《录》八巧取与营私，是又国受蠹矣，民亦病之之一征焉。

盖火耗之得名，原由于银之应用，《亭林文集》卷一《钱粮论》云："《汉志》言秦币二等，而银锡之属，施于器饰，不为币。

自梁时，始有交广以金银为货之说。宋仁宗景祐二年，始诏诸路岁输缗钱，福建二广易以银，江东以帛。所以取之福建、闽广者，以坑冶多而海舶利也。至金章宗始铸银，名之曰承安宝货登原案：元宝之名始见《元史》一七〇《杨湜传》。民但用以市易，而不用铸，至于今日，上下通行，而忘其所自。”自银子通用以后，遂有火耗。故亭林又云：“火耗之得名，其起于征银之代乎。此所谓正赋十而余赋三者欤？此所谓国中饱而奸吏富者欤？原夫耗之所生，以一州县之赋繁矣，户户而收之，铢铢而纳之，不可以琐屑而上诸司府，是故不得不有资于火。有火则有耗。所谓耗者，特百之一二而已。有贱丈夫焉，藉火耗之名，为巧取之实。此法相传，官重一官，代重一代，以至于今，于是官取其赢十二三，而民以十三输国之十。里胥之辈，又取其赢十一二，而民以十五输国之十。解之藩司，谓之羡余，贯诸节度，谓之常例。责之以不得不为，护之以不可破，而生民之困，未有甚于此时者矣！”

然而巧取营私之外，又有附加税也。此盖起于洪杨发难之后，要之，亦国家财政，以无办法而出此者也。附加税者，渊源明季之加派《廿二史劄记》三六“明季剿饷练饷”条。清初，屡奉禁绝之令，如康熙初年，“两河为患，岁用银三四十万，旧皆按亩以征，至是（佟凤采）请发公帑修之”《先正事略》二《佟传》。即其一例。至同治军兴，军食不继。乃沿明季加派之陋，而不能自己。如同治元年正月上谕：“皇帝虽在冲龄，亦当存民饥民溺之思，不可稍耽安逸。前以军饷浩繁，度支不足，不得议亩捐厘捐之举。地方有司，不知善为经理。暴敛横征，漫无限制。方希逆贼荡平，轻徭薄赋。何意贪吏朘削，民不聊生，殊堪痛恨！”同治《东华录》五同治八年，又谓：“据倭仁奏称，胪陈河南省官民情形，内称该省州县，诛求无厌，钱漕浮收，杂派讹索，日增月盛。甚至星零小口，逼索无遗。胥役劣绅，从中私饱。”同治《录》十二虽痛恨之语，语有明文，而禁止之意，亦在言内，具足征西洋人侮华最烈之时，太平军为势尚张之日，国家财政，实无办法，而欲“仅仅以坚甲利兵救之，欲有效，得乎？”重述上文

咸同间之国家经济，真可谓黑漆一团。如行用钞票也咸丰《录》三十三，行使当千大钱也同上五十四，要可证明国计家之捉襟见肘。至光绪之初，此病原未能尽除。如光绪二年三月八日《申报》云：“按亩派捐，照民田而核数之，一图约有二千亩田。核一县之田，可得三十余万亩。按亩一文而算之，可得钱三百余千。若以十文算之，可得钱三千余千。若倍忙倍数算之，则有钱一万五千万文矣。若又倍之，则此项将何用处？且捐之意，愿捐之意也。非勒捐之谓也。按亩加捐，小民有愿捐之禀状乎？小民不愿，而一二绅董耸成，则绅董不过一言，而官长已受其欺矣。”然则以财计之不足而豪绅劣胥狼狈为奸，又跃跃眼底也。

二四　社会经济之病态

且以社会经济之分配言之，固非仅仅坚甲利兵所能奏效也。

往昭梿《啸亭续录》卷二记本朝富民之多云：“本朝轻徭薄税，休养生息，百有余年。故海内殷富，素封之家，比户相望，实有胜于前

代。京师如米贾祝氏，自明代起家，富逾王家。其家屋宇至千余间。园亭瑰丽，人游十日，未竟其居。宛平查氏盛氏，其富丽亦相仿。然二族喜交纳士大夫，以为干进之阶。故屡为言官弹劾，致兴狱讼。不及祝氏退藏于密也。怀柔郝氏膏腴万顷，喜施济贫乏，人呼为郝善人。纯皇帝尝驻跸其家，进奉上方，水陆珍错至百余品。其他王公近侍，以及舆台奴仆，皆供盛馔。一日之餐费，至十余万云。王氏初为市贩弄童，后以布帛起家，筑室万间，招集优伶，耽于声色。近闻其家已中落，然闻其子弟云：'器皿变置，犹足五十载。'其他可知矣，盖皆极一时之盛者也。"是则。在乾嘉盛世，社会病态历历可见。更无论仕宦者之宦囊之剥削平人焉。至嘉道，人间更无论已。

沈守之《借巢笔记》《人文》七卷四期曰："风俗之坏，其起甚微，皆视乡先生为转移。乾嘉之前，阛阓之子，虽拥厚赀，士大夫绝不与通庆吊。忆儿时闻先大母言，我大父中乾隆癸卯乡试第一，有袖二百金来贺，求一喜单不可得。道光中，士人一登科第，择乡里之富厚者，广送朱卷，不问其出身奚若，喜单称谓，随意填写。眷弟眷侄字样。甚且结为婚姻。一派市井之气，令人不可向迩。军兴以来，以捐饷例得优保，干预公事，罔顾大局。讫于苏城失陷而后止。呜呼，是谁之过欤？"然则嘉道以后，富人之势更张也。

道咸之际，国力新蹙，而富人之力未蹙。其蠹害政治者，则如捐官入班。其贻害地方者，则如财可通神。以前者言：闽抚王凯泰《应诏陈言疏》云："《史记》，司马相如以赀为郎，《汉书·食货志》，令民得入粟补吏。捐纳之制，由来久矣，然必家有余财，而后输将献纳。固可抒报效之私，又可为进身之阶。此中非无人才也。乃自捐章折减以来，持银百余两，而得佐杂矣，持银千余两，而得正印矣。即道府例银巨万以上。今亦折算至三四千两矣。家非素封，人思躁进。或攒凑于亲友，或借贷于商贾，以本求利，其弊可胜言哉？”《同治中兴京外奏议》卷一以后者言：则宰白鸭之惨，尤惨极一时云。陈其元云：“福建漳泉二府，顶凶之案极多。富户杀人。出多金与贫者代之抵死。虽有廉明之官，率受其蔽，所谓宰白鸭也。先大夫在谳局，尝讯一斗杀案，正凶年甫十六岁，检尸格，则伤有十余处，似非一人所能为。且年稚弱，亦非力所能致。提取复讯，则供口滔滔，与详文无丝毫之差。再令复述，一字不讹，盖读之熟矣。加以驳诘，矢口不移，再四开导，始垂泣称冤，即所谓白鸭者也。乃驳回县更审。未几，又顶详仍照前议，再提犯问之，则断断不肯翻供矣。……案定后，先大夫过诸门曰：‘尔何故如此坚执？’则涕泗曰：‘极感公解网恩，然发回之后，县官更加酷刑。求死方不得，父母又来骂曰：卖尔之钱已用尽，尔乃翻供，以害父母乎？若出狱，必处尔死。吾意进退皆死，不如顺父母而死耳！’先大夫亦为之垂泣。”《庸闲斋笔记》卷三——秉此两事而论，然则富民之横行不法，固足以致一世于黑暗而有余。何况洪杨战役以后，兵过如洗，贼过如篦，平人之经济，更陷于万劫不复之境哉？

《曾文正集》《奏稿》卷二十一《遵旨覆陈疏》云：“今同治四年凤、颍、徐、泗、归、陈等郡，几于千里废耕。而官兵又骚扰异常，几有贼过如篦、兵过如洗之惨。圩民仇视官兵，于贼匪反有恕词，即从贼亦无愧色。”又《文正集》《书札》卷十三《复冯鲁川》云："昨者东来金陵，目睹万宝焚烧，白骨山积。益复惨不成欢。自五季以来，生灵涂炭，盖无逾于今日。"又《求阙斋日记》《军谋第四》云："近年从事戎行，每驻扎之处，周历城乡，所见无不毁之屋，无不伐之树，无不破之富家，无不欺之贫民，大抵受害于贼者十之七八，受害于兵者亦有二三。目击心伤，喟然私叹。行军之害，一至此乎？"陈康祺《燕下乡脞录》卷十三云："同治三四年，皖南到处食人，人肉始货三十文一斤，后增至百二十文一斤。句容二溧，八十文一斤；惨矣。"——此皆述乱后社会景象之骇人听闻者。

何况更重之以洋人经济之侵略哉。

黄爵滋《请塞漏卮原奏》云："窃见近年银价递增，每银一两，易制钱一千六百有零；非耗银于内地，实漏银于外洋也。盖自鸦片流入内地以来，道光三年以前，每岁漏银数百万两，其初不过纨绔子弟，习为浮靡。嗣后上自官府缙绅，下至工商优隶，以及妇女僧尼道士，随在吸食。粤省奸商，勾通兵弁，用扒龙快蟹等船，运银出洋，运烟入口。故自道光三年，至十一年，岁漏银一千七八百万两。十一年至十四年，岁漏银二千余万两。十四年至今，渐漏至三千万两之多。福建、江浙、山东、天津各海口，合之，亦数千万两。以中土有用之财，填海外无穷之壑。易此害人之物，渐成病国之忧。日复一日，年复一年，臣不知伊于胡底。"《中西纪事》卷四，页十二——然则鸦片战争之所以，固属于经济方面者不少也。

禁银出口，固非始于此时。《唐会要》八十六载开元二年敕："金铁并不得与诸番互市。"《册府元龟》九百九十九记德宗建中元年敕："银铜铁奴婢等并不得与诸番互市。"是也。

盖国内经济，嘉庆以后，已呈动摇之象，而洋人势力，日益东渐。如洋钱之排斥纹银也，洋货之排斥土货也，皆其征也。而民族经济之日趋凋残，自迟早成为意中事尔。嘉庆十九年正月苏楞额请严海禁："近年以来，夷商贿通洋行商人，藉护回夷兵盘费为名，每年将内地银两，偷运出洋，至百数十万之多。该夷商已将内地足色银两，私运出洋。复将低潮洋钱运进。任意欺蒙商贾，以致内地银两，渐形短绌。"嘉庆《录》卷十二鹰洋之握我货币之权，此殆为其先路。此洋钱之排斥纹银也。道光丙午二十六年包世臣作《齐民四术》，其中卷二十六有云："松太利在棉花梭布。近日洋布盛行，价才当梭布三之一。吾村专以纺织为业，近闻已无纱可纺。松太布市，消减大半。"洋货之排斥土货，此已见其先形也。求民生之安全，社会之康吉，得乎？

中国自元明间用银以来，素无定量通货。光绪甲申，西冷啸翁作《西俗杂志》页十二云："泰西银钱，行于中土，谓之洋钱。以其铸鹰于其上，故谓之鹰洋。近则讹为英洋。因讹成讹，遂疑为英国所铸。殊不知各国自有所铸之洋，非此式也。此式实由墨西哥国所铸，墨西哥远在北阿墨利加洲，与美国相近。有识洋文者，谓其洋面之上，本铸有墨西哥字样云。"外币通行，自有影响。故光绪二十九年，清德宗虽思铸造银币，以两为单位，银币分五钱二钱一钱三种，而卒未果。至光绪三十四年一九〇八盛宣怀呈新计划，以银元为本位，银辅币采用一角二角，铜辅币采用一文二文十文二十文四等，而以十分铜币，等于一银元百分之一焉详二十一年八月十二《新闻报》霞影《吾国币制小史》。是则吾国币制，亦受外人影炙之片影焉。

至于洋货之通行，本卷第二节，已引梁章钜言。案陈作霖《炳烛里谈》卷二云："道光年间，凡物之极贵重者，皆谓之洋。重楼曰洋楼，彩轿曰洋轿，衣有洋绉，帽有洋筩，挂灯名曰洋灯，火锅名为洋锅，细而至于酱油之佳者，亦名洋秋油。颜料之鲜明者，亦呼洋红、洋绿。大江南北，莫不以洋为尚。洋乎洋乎，盖洋洋乎？"是当时风气，已重洋货矣。

列举而言之，凡富人之割剥也，兵燹之创痛也，国族经济命脉之操于外人也，社会病态，千疮百孔，"而欲仅以坚甲利兵药之，欲求有效，得乎？"

二五　农商业之凋敝

言道、咸、同间社会经济之病态，其应挺笔特叙者，则更有农村之艰难也，商业之艰难也。

考农村生活，由于业佃之间，供应无艺，曾见上文。近世卷二十六节然业主之权威，与有心人对于佃租之救济；仍为相持并行，而后者终致失败。《朱子语类》卷一三二曰："岳太尉飞，本是韩魏公家佃客，每见韩家子弟必拜。"盛如梓《老学丛谈》下页十二云："里人周竹坡，守产家居。……为佃客告其私酒。公马裕斋判曰：私酝有禁，不沽卖者其罪轻。然告主之风大不可长。周某杖八十，赎铜。佃者杖一百。闻者快之！"是地主，占特殊地位焉。《宋史》卷三九《宁宗纪》："诏两浙江淮谕民杂种菽麦麻豆，有司毋收其赋，田主毋责其租。"是减租确乎为问题焉。即在清初之世，而此两端之事，仍矛盾于农村社会间云。

> 康熙间钮琇《觚賸》《说铃后集》本页三十曰："扶沟有孙家庄，惟孙姓者居之。性黠而鸷，多行不义。颇富于财，危楼高台，高至百楹，周以缭垣，甓甃甚固。佃户之依以居者，茅舍三十余家。康熙十三年七月初八日雨中，……狂风乱吼，其声若雷。孙姓之屋，荡埽无遗。摧压而毙者，九人。旁居佃奴，完然如故。"此斥地主之不义者也。
>
> 徐庆宾《信徵录》同上本页四六云："康熙三十四年，浙西大水，嘉属幸不成灾。而各邑佃户，以水藉口，不论高下，每亩止吐三二斗。田主以不成灾，无有蠲减。嘉善有一佃户，素号强梗。佃某宦田二十余亩，亩收二石五六斗，仅完租五六石，余米六十余石，载至嘉郡，粜银四十余两。得意之极，入城探亲：其子止十三岁，在船独坐，为骗者骗取。顷之父来，询知其故，知为骗子拐去，持桨向子一击，破颅立毙，不惟失所赖租米，又失其米矣。"此斥佃户之不义者也。

然在土地私有之制以下，佃人疾苦，清人不乏明知之者。故清儒之言井田、言限田者，上自黄宗羲，下讫谭献，史不绝书拙作《田制丛考》页二四一—二四九，又页二八〇—二八一。章炳麟云："孙文曰，兼并不塞，而言定赋，其治末矣。夫业主与佣耕之利分，以分利给全赋，不任也。故取于佣耕者，率三而二。古人有言，不为编户一伍之长，而有千室名色之役，夫贫富斗绝者，寇盗之媒。……故不稼者不得有尺寸耕土，故贡赋不设，不劳收受，而田自均。章炳麟曰：善哉。田不均虽衰定赋税，民不乐其生。今欲惠农耕，宜稍稍定租法。昔者予在苏州，过冯桂芬祠堂，人言同治时，桂芬为郡人减赋，功德甚盛。尝闻苏州围田，皆在世族。大者连阡陌，农夫占田寡，而为佣耕。其收租税，亩钱三千以上。有缺乏，即束缚诣吏，榜笞与逋赋等。桂芬特为世族减赋，顾勿为农人减租，其泽裕矣。"《检论》七《定版籍》是为农人而主均田者，迄清季而未已。

言土利均配者外，则有明言减租者。自吕留良言富田尽为富户所收见拙作《田制丛考》页二四二引《大义觉迷录》，顾炎武言，即当禁减私租《日知录》十《苏松田租之重》以后，乾隆之时，遇有蠲赋，亦命地主减佃户租拙作《土地制度》页三一五。雍正三年，杭奕禄宦江南，以苏州松江"其中有田者多，无田而佃于人者亦不少。有田纳赋，既邀减损旧额。佃人纳租，业主亦拟酌损常式，俾贫佃均沾实惠，得旨，此奏甚公。寻议减十分之二三，如业户减粮一钱，则佃户免租米三升，诏如议速行"《清史列传》一七本传。而道光七年，"通州民人王文弼，呈递封单，控告大学士英和，家人张天成增租援累。命托津等治其狱。谳定，坐英和失察，停大学士职，仍下部严议。王文弼等，论罪如律"《清史列传》三十二《托津传》。此等有利于佃人之片段事实，正所以表示农人疾苦之水深火热耳。

故乾隆十一年八月，汀州有罗日光等抗租案，见《东华录》该年该月。道光二十八年，乾州有石观保等纠众抗租事件，见《清史列传》四十三《陆费瑔传》。咸丰八年，余姚有黄春生抗租事，见光绪《余姚县志》卷二十三《谢敬传》。官书明称之曰："浙江余姚县匪徒，因绅富平日收租苛刻，业佃不和，乘机煽惑。"咸丰

《录》八十六九年三月具见事态严重也。咸丰四年闰七月谕:“乡民纠众抗粮,法所难宥。该地方官苏省亦应痛加惩办,勿稍姑息。至于佃欠业租,既经该业户控告,亦应照例惩办,以儆刁风。”咸丰《录》三十八则国家庇业而不袒佃,亦跃跃眼底已。以此之故,农人困苦,自更利害。考《清史列传》四十二《程矞采传》云:“先是道光二年江西郡属,向有各村殷户,于青黄不接之时,仿钱典之例,听农以物质谷,每石加息二斗。春出秋归,三年不赎,则将质物变价作抵。行之称便。旋经巡抚毓岱,恐富民不愿,请定章程,每谷一石,加息三分,质物以一年为限。已经允行。至是,矞采以息谷过多,期限过迫,官为限制,转涉烦苛。仍听民间自便,毋庸另立章程,上是之。”则地主与官吏之勾结为奸,又可知也。

农固病矣,商亦受病也。

盖自关税受制限以后,国家对于商货,几无自由征课之权。于是乎而有厘金。此等税收,虽云于古有之,如解缙言:“茶椒有粮,果树有税,既税于所产之地,又税于所过之津。何其夺民之利,至于如此之密也?”《明史》一四七《解缙传》第此过津问税之办法,不如清季之普遍。朱克敬《瞑庐杂识》卷二云:“厘金之议,创于上元周腾辰,即汉代算缗法也。扬州某帅奏行之,骆秉章继行于湖南,胡林翼又仿于湖北,自是天下皆有厘局,而以湖南立法最善。”今考其议,盖始于钱江东平云:“钱东平江者,浙之归安人也。负气使才,俯视一世。故无乡曲之誉,薄游广东。会林文忠禁烟,江心愤其事,遂纠众举义,与夷为难。所作檄文,多所指斥。大府恶之,坐法戍新疆,遇赦归。会粤贼日亟,副都御史雷公以諴,办理粮台,开府邵伯埭。当是时江北屯兵数万,而各省协饷不至,空手不名一钱。焦愁仰屋,江为之划策,创立抽厘法。于行商坐贾中,视其买卖之数,每百文捐取一文。而小本经纪者免。居者设局,行者设卡。日会其数,以济军需。所取者少,故商人不病。所入甚巨,故军饷有资。源源而来,取不穷而用不竭。不期月而得饷数十万,资用既裕,兵气遂扬。江上诸大帅,倚公若长城,而公亦视江如左右手矣。江后以恃功使气得罪去,然其创立厘捐法,各直省皆仿行之。曾文正公尤以为善。谓军饷无出,与其病农,不若病商。军兴二十年以来,不加赋,不勒派,而卒成戡定之功者,厘捐之功为多。商贾虽不免怨谤,然一省之中,每年或得数十万,或百余万,而不甚费力。然江以一匹夫,创立厘捐之举,论平贼之赀,固属功首。思病商之源。亦是罪魁也。按厘捐之法。实肇于陈亨伯之经制钱,增酒价添商税,及公家出纳,每千收二十三文。绍兴时入共一百二十万缗,史称其事。江之厘捐,实祖其意。"陈其元《庸闲斋笔记》卷十二——以钱江厘捐,与陈遘亨伯之经制钱为比,具征其病商云。

陈遘字亨伯,《宋史》入《忠义传》。经制钱云云,叶适盛非之。具见《亭林文集》卷五《读宋史陈遘传》。厘金与雷以諴有关,见咸丰《东华录》卷三十三,咸丰四年三月,及赵祖铭《文献迈古录》卷十二"厘捐"条。盖国家于海关无权收税,乃立此骈枝于内陆港卡云。

盖厘捐之病商也,始创之时,端倪已见。屡记于咸丰《东华录》四年十二月,又五年七月。其弊害之最大者,则以洋货来华,于约不受厘金之限制。故薛福成论利权云:"自巨寇窃发以来,军饷告匮,始立榷厘之法。……有洋商运货入中国，……关税交纳之后，运入内地，无守候验货之繁，无逐卡停留之苦，行运既速，成本较轻。利之所在，显然易明。”《经世文续》卷一一六然则，厘金之立，于国计为病民也，兼亦为洋商而为丛驱爵也！

《津约》第二八款：“英商已在内地卖买，准照行纳一次之课，其内地货，准在内地首经之子口，输交洋货；则在海口完纳给票，为他子口毫不另征之据。每百两抽银二两五钱。”盖洋货除正税五，子税二点五外，毫无纠牵。则华商受病可知。厘金至民国十九年元旦，始由国民政府下令撤消，然病商已数十年矣。

且商人之困苦，非限于厘金一端。如高利贷借，亦其一也。《曝书亭集》七十五《监察御史任公墓志铭》云：“京师坊市势豪，多以私钱谋重息。有印子、坠子、坊子之类。贫民称贷者，不胜其苦。君告示禁之。”是重债盘驳，清初已然。而道光十七年，梁章钜作《退庵随笔》卷七云：“古之放债取息，皆有限制。《汉书·王子表》旁光侯刘殷，坐贷子钱不占租，取息过律免。陵乡侯，坐贷谷息过律免。则知古者取息有律，而重息之罪甚严也。今赴京守候者，所假京债之息，以九扣三分为常。甚至有对扣四扣三扣者。”所陈虽限于京债，亦可觇商人借贷之困艰矣。

综而言之，道咸以后，国计之无办法也，社会经济之病态也，农商业之凋残也，苟无西力，亦且崩溃；重以欧风，更易欹侧；而谋国之士，但望海潮而兴叹，欲仅仅以坚甲利兵药之；其欲有效，不可得也。

第八章 追求西洋文明之徬徨

二六 机械之仿造与采用

然而同光之间，秉谋国之忠者，固以西洋问题，为最成问题之问题。因而机器救国之论，尚不失为时彦之说论，开明之思想。盖以视夜郎自大者之崇我贬人，尚自有间。

如倭仁者，道学家也。在彼目中，则正途出身者，不必学西学《清史列传》四十六。梁启超《论学校二》云："昔同治中叶，恭亲王等曾请选编检庶常并五品以下，由进士出身之京外各官，及举人恩拔副岁优贡等，入同文馆学习西艺，给以廪饩，予以升途，得旨依议。其时正当日本初次遣人出洋学习之时。此议若行，中学西学，不至划为两途。而正途出身之士大夫莫不犟心此间以待用。至今三十年，西方大国，犹将畏之，而况于区区之日本乎？乃彼时倭文端，方以理学名臣，主持清议。一时不及平心详究，遂以用夷变夏之说，抗疏力争，遽尼成议。"《时务报》八此言同治中也。光绪三年，李文忠复郭筠仙书云："西洋政教规模，弟虽未至其地，然留心咨访考究，几二十年。

亦略闻梗概。自同治十三年，海防议起，弟即力陈铁矿必须开挖，电线铁路必应仿设。各海口必应添设洋学格致书馆，以造就人材。其时文相，目笑存之。廷臣会议，皆不置可否。是年晤恭邸，极陈铁路利益，请先试造清江至京，以便南北转输，恭邸亦以为然。谓无人敢主持耳。复请其乘间为两宫言之，渠谓两宫亦不能定此大计，从此遂绝口不谈矣。”《朋僚函稿》卷十七此言光绪初也。

然而大势所趋，何可一律否认？故曾氏《求阙斋日记》《治道第三》云：“欲求自强之道，终以修政事、求贤才为急务，以学作炸炮，学造轮舟，为下手工夫。但使彼之所长，我亦有之。顺则报德有其具，逆则报怨亦有具。”故同治五年，左宗棠请造船《清史列传》五十一，页三八。光绪八年，陈启泰陈兴利除弊事宜：“今日之势，不能不亟筹试办者，则修铁路是也。通商各国，莫不有铁甲船而兵强，有火轮舟而国富。中国相形见拙，宜其环而侮我，莫可如何？夫知己知彼，与师其长技，皆兵家上策。铁路若成，征调转输，货运文报之捷，在在均收实用矣。”《清史列传》六四本传富强之需求大势也；凡富强之需求，均机械仿造采用之所以也！

于是乎而有招商局焉，马尾船厂焉。

“船政局之设在同治五年一八六六，湘乡左宗棠总制闽浙，实创是局。相地之宜，以马尾为最，议既定，宗棠移督陕甘，举侯官沈葆桢以代。聘法员聂意格、德克牌为正副监督，并法员匠数十人，以为导。同治八年，第一号万年清轮船造成。十二年，华匠徒于制造之技，渐能悟会。遂于是年，遣散洋员匠回国。计九年之间，成大小兵商轮船十五号。”《东方杂志》十四卷《马江船坞之历史》此后于江南制造局者参本卷第二十二节，仅仅一年耳。又六年，而招商局创焉。《李文忠公奏稿》云："同治六七年间，曾国藩、丁日昌在江苏督抚任内，叠据道员许道生同知容闳，创议华商置造洋船章程，分运漕米，兼揽客货。经总理衙门核准，饬由江海道晓谕各口试办。"同治十一年《试办招商轮船折》至今海上轮业，除洋商以外，犹以此为巨擘，实造端于此时。

于是而兴筑铁路焉：

《文忠奏议》卷十有光绪六年《妥议铁路事宜折》云："尝考铁路之兴，大利要当有九端。江淮以北，陆路为多。非若南方诸省，河渠贯注，而百货流通。故再岁所征洋税厘金二三千万两，在南省者约十之九，在北方者仅十之一。倘铁路渐兴，使之经纬相错，有无得以懋迁，则北民必化惰为勤，可致地无遗利，民无遗力，渐臻殷富之象。其铁路扼要之处，征收厘税，必渐与南方相埒。此便于国计者，利一也。从来兵合则强，兵分则弱，中国边防海防，各万余里。若处处设备，非特无此巨饷，抑且无此办法。苟有铁路，以利师行，则虽黔滇甘陇之遥，不过十日可达。十八省防守之旅，皆可为游击之师。裁兵节饷，并成劲旅。一呼立集，声势联络。一兵能抵十兵之用，此便于军政者，利二也。京师为天下根本，独居中国之北，与腹地相隔辽远。控制綦难，缓急无助。咸丰庚申之变，议者多请迁都，卒以事体重大，未便遽行。而外人一有要挟，即欲撼都城。铁路既开，万里之遥，如在户廷。百万之众，克日征集。四方即拱卫之势，京师有磐石之安。则有警时，勿陷于扰攘矣。远方粮货，转输迅速，皆愿出于其途，藏于其市，则无事时易于富庶矣。不必再议迁都，而外人之觊觎永绝，此便于京师者，利三也。曩岁晋豫荐饥，山西米价腾踊，每石需银至四十余两。核以天津米价，与火车费运，不过七两左右。以此例之，各省遇有水旱偏灾，移粟辇金，捷于影响，可以多保民命，而货物流转，自免居奇之弊。此便于民生者，利四也。自江浙漕粮，改行海运，论者尝欲恢复河运，以防海运之不测。铁路若成，譬如人之一身，血脉贯通。一旦海疆有事，百万漕粮，无虞梗阻。其余如军米军火，军饷协饷，莫不应手立至，此便于转输者，利五也。轮舟之行，较驿马十倍之速。从此文书加疾，而颁发条教，查察事件，疾于置邮。他如侦敌情，捕盗贼，皆朝发夕至，并可裁正路驿站，以其路扩充铁路，此便于邮政者，利六也。煤铁诸矿，去水远者，以火车运送，斯成本轻而销路畅，销路畅而矿务日兴，从此煤铁大开，修造铁路之费可省，而军费利源，更取不尽而用不竭。此便于矿务者，利七也。凡远小之区，洋货不易入，而土货不易出，今轮船所不达之处，可以火车达之。出入之货愈多，则轮船运货，与铁路相为表里。此便于招商轮船者，利八也。无论官兵民商，往来行役，千里而瞬息可到，兼程而旅费可轻。无寇盗之虞，无风波之险，此便于行旅者，利九也。以上各端，西洋诸国，所以勃兴，罔不慎操此术，而国计军谋两事，尤属富强切要之图。”——可知铁路之兴作，其目的在求中国之富强，以抗衡洋人耳。果也，至光绪七年，而唐山至胥克店间之铁路成矣。

据英文《中国年鉴》(*China Year Book 1926*:*Railway Historical*)云:“同治二年一八六三上海英商，已向李鸿章请开苏申铁道，曾不几时，英人 M. Stephenson 正式建议造路于北京政府。同治四年，英商又请建淞沪铁道，建立吴淞道路公司 Woo-Sung Road Company。然以经费支绌，只能收买土地，不遑其他。六年，怡和洋行继公司之业，有设二六吋轻便铁道之计划。又一年而英人 James Morison，由英携工程师及材料来上海。以此努力进行，至次年一八六九二月十四日，成路数里，行驶机车，是为中国境上，车轮第一次之运转。六月，全功告竣。七月一日，正式通车。八日三日，适有火车碾毙乡人之事。于是舆论大为反对。乃由我方出资二十八万元收买，将路料沉之基隆海峡，其汽锅，则沉之长江，以泄民忿焉。”西书记此，为同治间事。案薛福成《出使日记续刻》卷三云：“光绪丙子二年自沪上之天后宫起，至吴淞四十里间，有洋商价买基地，造铁路，行火车。但搭客而不载货，每日开车，往返七次。上等车价，来回一圆。旋由中国，给价银二十六万两，买回折毁。然其旧址尚在也。今日风气大开，廷议已准造铁路。”光绪十七年十一月记袁德宣《中国铁路史》云：“同治五年七月，英怡和洋行，创设上海江湾间铁路。光绪二年，上海江湾间铁路，延长至吴淞口，长三十里，名淞沪铁路。时风气未开，国人视为异物。两江总督沈葆桢，以银二十八万五千两，购回淞沪铁路，毁拆弃诸河。”华书记此为光绪初事。综言之，则同光之间，国人厌恶铁路可想。

光绪七年，刘锡鸿力陈铁路不可行，而钟天纬痛驳之《经世文续》一百〇三。薛福成言铁路有九利《庸盦文续》卷上页十，或则言其六便《经世文三编》卷六十三。然则在光绪初年，轮舟铁路之利用厚生，殆已为明达者所承认矣。李慈铭《荀学斋日记》壬集上页五光绪十三年丁亥四月记云：“近日有议开铁路，先由天津造至开平。徐致祥太常，两疏争之，皆留中。然徐君此举，不啻朝阳鸣凤矣。近有御史陈琇莹，疏请于今后乡会试第三场，专考算学洋务。谓合诏各部院保奏游历外洋人员,而应者寥寥,自以士大夫平日不肯讲求之故。故宜亟重洋学,以变风俗。而曾纪泽侍郎著《中国初醒论》,谓孔门教典,冥冥如在梦中。呜呼,彼何人哉?"可知在光绪十三年,匪特对铁路者,已如"朝阳鸣凤"。即讲求洋学,亦允乎其为当务之急也。

二七　西洋政术之探讨

顾如光绪六年之设电线,光绪八年之上海始立电话,光绪中之电灯传入,在旧头脑者视之,变革不可谓细。然此均为枝节之采用耳。至于国家大计,则当时犹有韩安国利不十不变法之见《汉书》五二《安国传》也。威妥玛《答东方时局问》曰:"余久游中国,甚爱中国,缘此变故指中日之役,恒代伤心。而其未肯豫备之咎,则断不能为之恕也。前后六十年间,泰西官绅之游华者,剀劝中国亟宜整顿,不啻口敝唇焦。而中国仍率由旧章,不动不变。偶有急难,则似虾一跳而水一动,及至事过情迁,则又相与淡忘矣。"《经世文三编》卷五虾跳式之变革,及枝节而不及根本,威妥玛之说,是也。

虽然,明眼之士,即无洋人犹兴者也。

故同治十二年,李经羲已云:"臣闻自古觇国势者,在人材之盛衰,不在财用之赢绌。在政事之得失,不在兵力之强弱。未闻以器械为重轻也。且西人之所以强者,其心志和而齐,其法制简而严,其取人必课实用,其任事者无欺诳侵渔之习,其选兵甚精,故临陈勇敢而不畏死。不察其所以强,而徒效其器械,岂足恃哉?"《清史列传》卷五十四斯言也,已谓器械之外,当另有所法取云。

至光绪元年,而郭嵩焘等,开明之外交家,更于西洋政术有所瞭知。郭氏《使西纪程》云："西洋立国，自有本末，诚得其道，则相辅以致富强，由此而保国，千年可也。不得其道，其祸亦反是。"牛运之《雨窗消意录》卷二云："郭侍郎嵩焘，学问极博，于古今治乱升降之故，皆有得于心，言之成理。……以礼部侍郎，出使英国，至伦敦上书李相曰：'此间政教风俗，博大深厚，似其气象，方曰加新。推求其立国本末，其始君民争权，相继屠杀，大乱数十百年，至若干日而后定。初非有至德善教，累积之久也。百余年来，其官民相与讲求国政，自其民而行之，蒸蒸日臻于上理。至今君主，以贤明称。人心风俗，进而益善。'"朱克敬《瞑庵二识》卷二亦云。此戊戌变政者之祖师也。而当时人固厉声。

《雨窗消意录》卷二又云："光绪二年，郭侍郎嵩焘，将使英吉利，值乡试，湖南举人讹言洋人将至，譟于闱，请兵迎击。又榜于道，欲毁嵩焘家，久之寂然。"李慈铭《桃花圣解盦日记》已集二光绪三年记云："阅郭嵩焘《使西纪程》，纪道里所见，极意夸饰。大率谓其英法度修明，仁义兼至，富强未艾，寰海归心，其尤悖者，云以夷狄为大忌，以议和为大辱，自南宋始。西洋立国二千年，政教修明，具有本末。与辽金崛起一时，倏盛倏衰，情形绝异。今无故悬一和字，以为劫持朝廷之资，诚不意宋明诸儒，议论流传，为害之烈，一至斯也。嵩焘为清议所贱，迨此书出，而通商衙门为之刊行。凡有血气者，无不切齿。何金寿编修，上疏严劾；有诏毁板，而流布已广矣。伊为此书，不是知何肺腑，而为之刻者，又何心哉？"

曾纪泽光绪四年戊寅十月初五日《复杨商农书》曰："今世所谓清议之流，不外三种。上也者，硁硁自守之士，除高头讲章外，更不知人世有何书。井田学校，必欲遵行，秦汉以来，遂无政事。此泥古者流，其心无他者也。中也者，好名之士，附会理学之绪论，发为虚悬无薄之庄言。或陈一说；或奏一疏。聊以自附于腐儒之科，博持正之声而已。”可知当时探讨西洋政术，良自不易见《曾侯日记》，申聚珍本。

考郭氏，为第一次驻外公使。其继起有名者，则推无锡薛福成。薛氏《出使日记续刻》卷八页十光绪十六年三月十三日记云：“昔郭筠仙侍郎，每叹西洋国政民风之美，至为清议之士所觝排。余亦稍讶其言之过当，以询之陈荔秋中丞，黎莼斋观察，亦谓其说不诬。此次东来欧洲，由巴黎至伦敦，始信侍郎之说，当于议院、学堂、监狱、医院、街道征之。征之同人，有谈美国风俗之纯厚者。余谓泰西诸国，在今日正为极盛之时，固由气数使然。然开辟之初，户口未繁，元气未泄，则人心风俗，自然纯厚。盖美洲之开辟，后于欧洲，欧洲之开辟，又后于中国。而欧洲各国之中，开辟有先后，故风俗亦有厚薄。美利坚，犹中国之虞夏时也。俄罗斯犹中国之商周时也。英吉利、德意志，犹中国之两汉时也。法兰西、意大利、西班牙，其犹中国之唐宋时乎？若法人之意气嚣张，朋党争胜，则几似前明之世矣。”——案此年，即中日甲午战争之前四年云。而誉泰西为极盛，如此。

故谭嗣同《浏阳集续编·报贝元徵书》云：“彭刚直号为不喜洋务，然沿江炮台，亦何尝不用西法。其序郑陶斋《盛世危言》，至谓孔孟复生，不能不变法而治。是于洋务，可谓独得精蕴。黎莼斋为兵部时，上书言事，似深薄洋务。及使东章奏，恍然如出两人。郭筠仙侍郎。归自泰西，拟西国于虞夏三代之盛，几为士论所不容。薛叔耘初疑其言之太过，后身使四国，始叹此言不诬。”页六十一亦可见探讨西洋，渐有进步也。

甲午以后，外患日深，于是而西洋立国，自有本末之说，益深中于人心。而为政术讨探之基础。故康有为《保国会演辞》云：“光绪十八年，傅兰雅《译书事略》言，上海制造局译出西书，售出者仅一万三千余部。中国四万万人，而购书者乃只有此数，则天下之士，讲求西学者，能有几人？非经甲午之役，割台偿款，创巨痛深，未有肯翻然而改者。于是天下之士，乃知渐渐讲求。自强学会一八九五首创之，遂有官书局、《时务报》之发起，于是海内缤纷，竞言新学，自此役始也。”（《中国近百年史资料》页五〇三而光绪二十四年戊戌，即西元一八九八年，遂有政变之逼演云。

戊戌政变者，有《戊戌政变记》可查。首由康有为上万言书《政变记》一，页一，是年四月，诏定国是同上一，页二二。废八股，行经济特科同上一，页三四。开设学堂，准道府以上专折言事同上卷一，五月二十八日。然至是年八月，慈禧后囚光绪帝，而戮“六君子”，是谓百日新政之消灭。

政变之所以失败，其一，由于新政诸公之躁进，谭嗣同《报贝元徵书》云：“嗣同之纷扰，殆生于欲新而卒不能新。其故由于性急，而又不乐小成。不乐小成，是其所长。性急，是其所短。性急则欲速，欲速则躐等。躐等，则终无所得矣。”《寥天一阁》卷一此其征也。其二，则由于满汉之界。“英国驻京公使，尝语醇亲王云：‘贵国之兵，太不足恃，方今外患日逼，何以御之。'醇亲王云：'吾国之兵，将以防家贼而已，非以御外侮也。'英使喟然而去。大学士刚毅，尝语人曰：改革者，汉人之利，而满人之害也。我有产业，吾宁赠之于朋友，而必不使奴隶分其润也。"《政变记》三，页一此其征也。其三，则由于革命道德。"戊戌变法，惟谭嗣同、杨深秀为踔厉敢死。林旭素佻达，先逮捕一夕，知有变，哭于教士李佳白之堂。杨锐者颇圆滑，知利害。既入军机，知其事不可久。时张之洞为其父祝寿京师，门生故吏皆往拜。锐举酒，不能饮。徐语人曰：'今上与太后不协，变法事大，祸且不测。吾属处枢要，死无日矣。'吾尝问其人曰：'锐之任此，固为富贵而已。既睹危机，又不能去。何也？'其人答曰：'康党任事时，天下望之如登天。仕宦者争欲馈遗，或不可得。锐新与政事，馈献者踵相接。今日一袍料，明日一马褂料，今日一狐桶，明日一草上霜桶。是以恋之，无能去也。'乌乎，使杨锐、林旭辈，皆赤心变法，无他志，颐和之围，或亦有人效力欤？"《太炎文别录》卷一《箴新党》此其征也。而八股之士，疾之如仇，则又为其中之一因也。

《戊戌政变记》卷三页三曰："五月初五日，下谕废八股取士之制。全国守旧迂谬之人，失其安身立命之业。于是日夜相谋，阴谋与新政为敌之术矣。"可见八股朋友之愤愤。是年八月二十四，新政败，复八股取士。虽至光绪三十二年，科举终于弃废。而当时新政，使士人有无从出身之叹。急兔反噬，固其中之一因云。

叶昌炽《缘督庐日记钞》卷七戊戌八月十三日记云："午刻。归经菜市，知为行刑，急询之，知为决官犯六人。……六人者，新政四章京及杨侍郎、康广仁也。以叔乔之学行，而竟遭大辟。即此数人者，虽良莠不一，要之皆中国之隽也。天乎？一至此乎！外国新旧相争，无不流血者，中国流血，自此始也。”流血自此始，盖在稳健者之心目中，已知西洋政术之探讨，激而他之，终于上革命之大道焉。

二八　国人视听之更易

政术之探讨，固明眼人之作为也。明眼人之作为，其在坚甲利兵之外，而为后日新中国之一助者，则又有国人视听之渐易，因以自能利用其聪明焉。此非如机械之皮毛仿造也，政术之仿用皮毛也。

以今视之，国人视听之所以更易，一则在研求外国之语言文字也。

故同治元年，总理衙门，奏设同文馆于北京，先挑八旗学生，于五月十五日，入馆学习《中国近代教育史料》一册，页七。王之春《柔远记》十六云：“同治六年，春三月，设同文馆于京师。”盖追记之。《清会典》卷百云：“同文馆管理大臣，掌通五大洲之学，以佑朝廷一声教。考选八旗子弟，与民人之俊秀者，记名入册，以依傅馆。设四国语言文字之馆，曰英文前馆，曰法文前馆，曰俄文前馆，曰德文前馆。曰英文后馆，曰法文后馆，曰俄文后馆，曰德文后馆。凡文字，先考其母，以别异同。次审其音，以别清浊重轻之殊。次审其比会为体以成文。次审其兼通互会以识其名物象数之由。设洋教习以分导之，设总教习以合语而董成之。”洋文之研求，斯则自启聪明之一助也。

参看《经世文续编》卷一二〇总署王大臣上《酌议同文馆章程疏》。惟当时人士，雅不以为是。故朱克敬《暝庐杂识》卷三云："同治初，总理衙门奏设同文馆，聘洋人教习算法。一时都中人士，谊议甚纷。会天久旱，诏求直言。候选直隶州知州杨廷熙上言，以为十不可解。"劳乃宣《桐乡劳先生遗稿》卷一云："同治初，总理衙门议设同文馆。倭文端公抗疏极论，一时守旧之徒，群起附和，以新学为诟病。而有志之士，劫于众论，瞻顾而不敢涉足。故馆虽设，而不能得人材。"王侃《放言》卷下页五九，同治乙丑刊云："弥利坚于新加坡立弥夏书院，英吉利于麻六甲，设英夏书院，皆习汉文，及翻刻汉字书籍。魏默深云：'今日使有人翻夷书，刺夷事，筹夷情，如外夷之侦我虚实，其不罪以多事，甚或坐以通番者几希？'余谓此与不准生员上书陈事，同一自蔽其耳目。洋人最重知识，中国则皆欲不识不知，顺帝之则者也。"——兹三论者，实同文馆之所以成立，与其所以遭人反对也。

同文馆立后，匪久而有广方言馆，立于上海。同治二年李鸿章奏设广方言馆于上海，一切均照北京同文馆章程办理。惟招生，则为汉人《李文忠集·奏稿三》。当时，冯桂芬有《上海设同文馆议》，以为："互市二十年来，彼酋类多习我语言文学之人其尤者，能读我经史，于朝章国政、吏治民情，言之历历。而我官员绅士中，绝无其人。宋聋郑昭，固以相形见绌。且一有交涉，不得不寄耳目于所谓通事者。而其人，遂为洋务之大害。……愚以为莫如推广同文馆之法，令上海、广州仿照办理。"《显志堂稿》卷十而李鸿章遂有请设广方言馆之疏《经世文续编》卷一二〇。至同治八年而广方言馆规恢于春申江滨，“广方言馆，向设于旧学宫之西偏，同治八年己巳，应敏斋方伯于南门外制造局，大拓基池，以建书院。庚午春间，广方言馆移设于此”《瀛壖杂志》页九。声气之渐开，实为吾耳目聪明之一助乎！

《缘督庐日记》卷三乙酉光绪十一五月十八日记：“潘子静来，极言西学为当务之急。欲于里中设塾，课子弟，先由语言文字起，渐及历算气化制造等学。其言诚当。然与拘墟者言之，鲜不以为河汉而无极也。”光绪间有主张习西文者，可见研求外国之语言文字而外，国人视听之所以更易，二则在出洋留学也。亦所以自广视听者也。

考洋人来华者，未必皆上上之技，则出洋留学，直探本源，自为急需详《清史列传》五十三，页四十一。故同治十年，曾文正、李文忠已请募子弟，出洋学艺《通商始末记》卷十七。曾有《拟选聪颖子弟出洋习艺疏》《经世文续编》卷一百二十，页三至四，即成于尔时。李有《论幼童出洋肄业函》同治十年五月云：“拟派员在沪设局，访选各省聪颖儿童，每年以三十名为率。四年计一百二十名。分年搭船，赴洋在外国肄习。十五年后，按年分起，挨次来华。计回华之日，各幼童，不过三十岁上下。年力方强，正可及时报效。”《译署函稿》卷一此实中国留学生运动之嚆矢矣。

容闳《西学东渐记》页一〇八云：“予与曾督，筹议甚久。议定后。乃返上海，为第一步之进行。先于上海，设立预备学校。此校至少须能容学生三十人。因必有此数，方能足第一批派送之定额也。……当一八七一年同十之夏，予因所招学生，未满第一批定额，乃亲赴香港，于英政府所设学校中，遴选少年聪颖，而于中西文略有根底者数人，以足其数。”是当初留学生，初亦不甚踊跃。

留学运动之外，国人所以自广聪明者，则译述西书，此殆其三。

考鸦片战时，林文忠已翻译西报。光绪初，宋恕《六斋卑议》敬乡楼丛书本，光绪十七年刊云：“京师及各商口各名城，宜开译书大局，除广译白种各国书籍外，若印度、波斯、埃及，亦宜广译其书。”《广译学》页十八此犹在甲午之前也。下及甲午之冬，马建忠《拟设翻译书院议》云：“窃谓今日之中国，其见欺于外人也甚矣。……彼之所以悍然不顾，敢于为此者，欺我不知其情伪，不知其虚实也。然而其情伪虚实，实非予我以不可知也。……近今上海制造局、福建船政局与京师译署虽设有同文书馆，罗致学生，以读诸国语言文字。第始事之意，止求通好，不求译书。即有译成数种，或仅为一事一艺之用，未有将其政令治教之本原条贯，译为成书，使人人得以观其会通者。……今也倭氛不靖，而外御无人，无人不追悔于海禁初开之后，士大夫中能有一二人深知外洋人情实，而早为之变计者，当不至有今日也。”《适可斋纪言》卷四至于甲午战后之二年，严复已标译事三难之旨，而翻译之成为要务，固亦尽人皆知者乎？

光绪丙申二十二严复《天演论译例言》云：“译事三难，信、达、雅。求其信已大难矣，顾信矣不达，虽译，犹不译也。……《易》曰：修辞立诚；子曰：辞达而已。又曰言之无文，行而不远。三者乃文章正轨，亦即译事楷模。"

然无论习外国语，翻译西书，以及出洋留学，不及办教育之为清季之要政。更足以自广聪明也。

考光绪十九年一八九三，张之洞已奏设自强学堂于武昌省城，分方言算学格致商务四斋。光绪二十一年，湘乡立东山精舍，亦仿自强学堂办法。至二十二年，官书局复议《开办京师大学堂奏折》云："泰西各国，近今数十年，人才辈出，国势骤兴。学校遍于国中，威力行于海外。其都城所设之大学堂，规模闳整，经费充盈。教习以数百计，生徒以数万计。其学有分四科、五科、六科者。仍广立中学、小学，以次递升。暗与中国论秀书升之古制相合。遂以争雄竞长，陵抗中朝。取之国中而皆备，非仅恃船坚炮利为也。"因定天学、地学、道学、政学、文学、武学、农学、工学、商学、医学十科《时务报》二〇。光绪二十九年，《京师大学堂章程》，正式颁布。其纲领云："京师大学堂之设，所以激发忠爱，开通智慧，振兴实业，端正趋向，造就通材，为全学之纲领。"其第二节云："中国圣人垂训，以伦常道德为先。外国学堂于体育、智育之外，尤重德育。中外立教，本有相同之理。今无论京外大小学堂，于修身伦理一门，视他学科更注意，为培植人材之始基。"即在是年一九〇三张之洞辈遂奏定《学堂章程》。虽云西学为用，中学为体，张氏夙昔之所怀抱。然张氏亦知以西洋教育之制，可使国人目光放朗。则追求西洋文明之徬徨，即谓至此而臻定境也，可焉！

此自便利于西人学说之输入者也。学语言也，出洋留学也，翻译也，新教育也，盖均有其输入西说之功效。于是乎反对拜跪之说《经世文新编》卷三，页十九，谋反不为大逆之说《出使日记续刻》卷三，页六六,治新学者,自更得有证佐。推本穷源,则新中国之解放与改造,自以光绪季年,国人视听之更易,为之基。而戊戌政变之败,满洲权贵之愚,则无非促成之者耳。

第九章　中国之演变

二九　新政治之建设

光绪季年，国人视听之顿易，已使西洋政术之探讨，更加一步；而追求西洋文明之彷徨，至此亦可略告解决。而自庚子拳乱以还，中国之政治，并未有显明之改革。则以政治为一切文化之原动力者，自当以建设新政治为当务之急，于是而辛亥革命成焉。

自戊戌政变以后，清人虽行些许新政，然以态度未正。《新民丛报》十四："今日举国之学堂，皆奴隶学堂也。而奴隶程度，最高者，当必以广东大学堂，首屈一指。自梁鼎芬一电后，改聘半男半女之丁长仁为总教习。丁以堂中旧有体操一科也，不喜之，改为习礼。所习之礼惟何？曰朝觐之礼，曰见官之礼，曰跟班之礼。岂不可以入天下万国之无双谱哉？闻在堂中行步，必须弯腰低头。头稍昂，必记过。呜呼，养奴隶不足责，何苦更养肺病之奴隶哉？"此为光绪二十八年壬寅事。

原夫辛亥革命之成因，其初，固有单纯之排满宗旨。《仁学》卷下云："十八省之华人，宛转于刀碪之下，方命之曰：此食毛践土之分然也。夫果谁食谁之毛？谁践谁之土？人纵不言，己独不自愧于心？吾愿华人，勿复梦梦，自引以为同类也。"柳弃疾《丹徒赵声传》云："自满洲盗中国，二百数十余年，胤祯、宏历，屡以文字兴大狱，士无敢言种族者。民益懵然，忘仇事虏。太平天国坐此败，谈者犹寇洪王、帝爱新勿悟也。孙逸仙建议惠州，响应未众，逾岁而《苏报》倡导于沪滨，昌言夷夏之防。邹容诸子相继起，著书立说，始一日遍东南诸省。君自肄业陆师时，已隐然自任匡复之重矣。既掌兵柄，意气益发舒。尝率部下谒明孝陵，猝询其众曰：若辈亦识此为大明太祖高皇帝陵寝乎？"东大《国学丛刊》一卷四期但以排满为革命宗旨，章炳麟亦云然。

《检论》卷九《小过》："自王夫之、顾炎武、朱之瑜、吕留良、戴名世、全祖望之徒，隐显不常，皆以光复期之后嗣。其后风义稍衰，而戴望、孙诒让发言尝有隐痛。望《过鲁监国》诗：'倘寓阳秋笔，尊王未敢删。'诒让校《亭林集》后系以诗曰：'亡国于今三百年。'……余始识故大总统孙公于东京对阳馆，及陶成章、蔡元培、邹容、张继、汪兆铭、宋教仁之徒。此数公者，虽明暗殊情，狂狷异行，皆能艰难其身，以为表仪。蒙霜露，涉波涛，乞食囚絷而不愠悔。四方之人，感其至诚。亦会清政不纲，丧师蹙地。民望日移。伪清宣统三年，缘因铁道事状，武昌诸豪，因之以挤瑞澂。"章意与柳意不殊。

但政治之革命，民族意识之外，自有恶劣之政治为之基。故史称"张文襄督鄂时，举行孝钦皇太后万寿。各衙门悬灯结彩，铺张扬厉。邀请各国领事，大开筵宴，并招致军界学界，奏西乐，唱新编爱国歌。余时在座陪宴，谓学堂监督梁某云：'满街都是唱爱国歌，未有人唱爱民歌。'梁某曰：'君胡不唱，试编之？'余略一伫思，曰：'余已得佳句。天子万年，百姓花钱，万寿无疆，百姓遭殃。'坐客哗然"辜鸿铭《幕府纪闻》上，页二十三。何况更有外力凭凌，则新政治之需求，自更形逼切矣。

秋瑾者，女革命党。其《感怀》诗云："莽莽神州叹陆沉，救时无计愧偷生。抟沙有愿兴亡楚，博浪无锥击暴秦。国破方知人种贱，义高不碍宦囊贫。经邦恨未酬同志，把酒悲歌涕泗横。"而熊成基供状云："我平日革命宗旨，以推翻政府，改革政治为主务，不尽系满汉种族之见。"《国学丛刊》一卷四期此革命目标之在于满汉问题之外者。

盖满汉久属同化，且自洪杨以后，汉人已多握政权参看本卷十七节。故辛亥之役，倏焉成焉。蔡元培《辞职宣言》云："辛亥革命，清室何以倾覆如此之速？其惟一之原因，当为清季国人，皆知北京政府，绝无希望。其思想激越者，固已南奔而为革命运动。即使和平者，亦陆续离去北京，于是其时之北京，几乎无一有智有能之人，故革命军一起，袁项城一入京，清室之倒，直如摧枯拉朽矣。"《东方》二十卷一号

倏焉而成者，自必无美满之结果。故言法则已设议会矣，掷墨盒之议会耳。例如："民国十二年十二月十八日，众议院之宪政党议员黄翼反对吴景濂主席，用墨盒掷伤吴氏头部。吴氏大怒，令警卫队拘反对派议员，阖门投孙阁同意票。且因法官到场验伤，不如

其意,竟致拘禁法官。"《东方》二十一卷三号《吴景濂出奔后之北京政潮》言军则已有新军矣,自相斫杀之新军耳。"民国十一年,各地兵变共一七九次,寿康君再按年按省,以分配之,计元年二八次,二年四次,三年一三次,四年三次,五年二四次,六年一七次,七年八次,八年七次,九年十九次,十年十一次,十一年四五次。以地分之,直隶九次,奉天三次,吉林四次,黑龙江六次,山东十五次,河南二十次,江苏十次,安徽十四次,江西一一次,湖北二七次,湖南一一次,福建一六次,广东八次,广西一次,云南二次,贵州一次,四川五次,陕西五次,甘肃一次,新疆一次,山西五次,京兆四次,绥远四次,川边两次,察哈尔一次,阿尔泰一次,浙江一次全无,可谓独遭天幸。"十二年八月《孤军》杂志"推倒军阀"专号但自十三年江浙齐卢之战以后,浙江亦非干净土。——统此。"军"、"法"两端而言,新政治之建设,几有过淮之橘,尽化为枳之感哉!

《东方杂志》二十九卷五号二十一年十一月十日云:"山东之韩柳冲突,尚未解决,而四川军人又在相互火并;据路透通讯员计算,此为民国以来四川省第四六七次之战争。"数字惊人,书此志喟!

然自民国十四年七月一日,国民政府成立之后,至十七年七月六日蒋中正、冯玉祥、阎锡山等卒能于旅居北京之孙文灵榇前,为北伐完成之祭告。自此行三民主义,五权宪法之政治,盖见于二十年六月一日所公布之《训政时期约法》。政治至此,不得不谓略有进步。揆诸鲁史不详近史之例。自可暂置勿论。

第有不得已于言者,外患之严重,实为有史以来之第一次。南疆之多事也，西藏之脱幅也，外蒙之独立也，警报迭传，固已惊心动魄！而民国二十年九月十八日，以南满路之些许损坏，日本竟夷东三省以为朝鲜第二。管君楼居之地，袁公苦战之邦，于是沦焉。且从此而下热河，窥平津，读彼黍离离之诗，忆画兰无根之痛，则百尔君子，当磨淬以赴新政治之改进，以应付此空前之国难，即以此而保证我国数千年文化之本身与历史者，岂非当务之急乎？

凌霄汉阁《恭读密谕记》原文见民国四年五月三十日《北京日报》，此录《越风》十三期云："政事堂交片，国务卿面奉大总统谕。《仲虺之诰》曰：'兼弱攻昧，取乱侮亡。'今欧洲，则谓野蛮或半开化之人，宜由文明人取而代治，以为天职。每一念及，毛骨悚然。吾果无弱昧乱亡之象，谁得而兼之并之，取之侮之？然试闭目以思，军队之庞杂，吏治之弛废，水旱之灾荒，人思权利，靡有公心，厝火积薪，自谓已安已治，其能知已无实力，而明世界之大势者，几何人？其地方盗贼绝迹，官吏发愤为雄者，几何处？不谓之弱与昧得乎？不谓之乱与亡得乎？或谓广土众民，殆无亡理。不知朝鲜方里，比三岛何如？近阅日本报纸，谓支那虽成空前大革命，而内容之腐败堕落，实与前清无异。贿赂之公行，赌博之热盛，真为可惊。新国气象，毫不存在。局外旁观，意在言外。试思甲午、庚子二役，何尝不卧薪尝胆？而作伪日拙，以迄于亡。但清之亡也，亡朝而非亡国，今之灭国新法，亡其语言，亡其文字，并亡其人种。波兰、越南之史，不可不知！近自中日交涉，全国恐慌，若事过情变，仍前沓泄。亡不踵旋，实可预言！彼东西列强，百事修明，何等气象？返观吾国，则芜秽不治，偷惰苟安，南满实权，所存无几。外力至卧榻声鼾，而犹上下恬嬉，不知亡之将至！予老矣，受之前清而亡之吾躬，其甘心乎！救亡之道，惟在自责。苟有弱昧乱亡之一点，必痛除之。勿谓御暴民者,即可以御外国。勿以保各国均势之局而为即安。来日大难,寸阴是竞,《老子》云:'生于忧患,死于安乐。'《兵法》云:'置之死地而后生。'孤舟大海,非从容雅步之时也。昔楚庄王日讨国人而训之曰:'告以民生之不易,祸至之无日。心所谓危,涕泗而道。'其毋忘五月七日之事。去矜去惰,勇往迈进,挽回气运,以救我子孙黎民。传曰:惟知亡,斯不亡,愿共勉之。"——嗟夫,为政不难,端在自觉,以人废言,君子无取!细味袁氏之所言,默瞩来日之不易,新政治之建设者,固将有以自勉也。

三〇　新经济之建设

且自庚子拳乱,以迄民国二十年之"九一八",于兹三十余年中,国家社会之经济,固亦需有新政治之建设,以建设新经济也。

盖自嘉、道以来,国民经济本已危殆参本书二十四节。至此三十余年中水深火热,程度益甚。道光中钱泳作《履园丛话》,其间已有"钱财吾使役也,百工技艺官吏缙绅亦吾子孙也"之语《丛话》七。又云:"治国之道,第一要务在安顿贫民,潘榕皋农部游虎丘之冶坊浜诗云:'人言荡子销金窟,我道贫民觅食乡。'真仁者之言也!"同上卷一谭嗣同云:"今日缩一食,明日节一衣,坐视饿殍蔽路,一无动乎中。而独室家子孙之为计,天下且翕然归之,曰俭美德也。是以奸猾之资,阴行兼并之实。此乡愿所以为贼德,而允为佥人之尤矣。"《仁学》上,页二十六凡此矫激之语,胥可征国民经济之危殆。其在近日,则有杀孙求食者矣;则有未成年而为盗者矣;则有全家自杀者矣。四海困穷,不得讳也。

《大公报》二十五年二月十三:"万源来客谈,县属新三区兰草溪,有老妪向杨氏者,年近花甲。子媳俱为匪杀死,仅遗一孙,约三四岁。二十四年腊月内,劫后余生,饥饿难堪。于无可奈何中,乃用柴块将伊孙打死,藉以充饥。惟孙幼肉少,该妪终亦饿死。邻人往视,见罐内尚有其孙之骨,地下遗有残余殖骸云。"《申报》二十五年三月二日:"报载闸北横浜路某里有空屋一所,已为法院封闭。不意某天晚上,为偷儿破壁而入,私运杂物。其后侦缉是案窃犯最大者年仅十五,余三人,仅十三岁耳。"《新闻报》二十四年六月六日:"昨夜十一时,大世界游艺场,有三男三女,在第六层灯塔上,跳楼自杀。首一五旬外之老妪,次一年约三旬之少妇,又一七八岁之女孩。又一十岁上下之男孩,同时跳下。继四人而跳下者,为一约三旬之男子,及十三四岁之一男孩,除后者奄奄一息,至医院始死外。余均脑浆迸裂,当场毙命。细察六人情态,老妇为母,男子为子,少妇为妻,余均子女。且显系有计划之自杀,据一般人推测,必受经济压迫而出此下策云。"据此,则社会秩序,家庭伦理,室家幸福,已在经济之不安而摇荡也。

盖经济之恐慌,其一,则为消费之不当也。黄任之《华北当前之危机》云:"三年前,马君武东游归来,曾为两句名言:日本新式生产,老式消费。而我国,则老式生产,新式消费。乡间妇女,蓄意摩登。工斧农锄,相沿不变,此其征也。去年朱仙舫君,参观一日纱厂。见其纱锭万枝,布机百台,而全厂自经理至工人,人员只十八人。仍穿木屐,少穿皮鞋。力用国货,拼命节俭。譬之两个家庭,一则生者众而食者寡，一则食者众而生者寡，何能比赛贫富？”二十三年六月十七《大公报》其二，则为农村之不景气也。《大晚报》云：“据上海金融界之估计，自民国十八年起，至民国二十二年止，江浙两省主要城市，所吸收各地农村，而转流集中于上海之现银，平均每年达八千余万元。夫农村血液自有限度，今则已到枯竭之时。谷贱伤农，蚕桑路绝。廉价之外国商品，深入农村之每一角，其不患干血痨者几希？”二三年三月二十七日其三，则为洋货之压迫土货也。仰莽君云：“近年吾国国货，因受洋货之最大倾销，销路日见阻滞。办工厂者之最大困难，莫过于销路问题。最近全国朝野，虽一再努力于提倡国货运动，然外货对于我国之倾销，仍一天激增一天。”二十三年二月一日《申报》其四，则为流通资金之缺乏也。哲明《中国农村经济中之借贷问题》云：“农村中高利贷者之作威作福，乃非一般人所能想到。例如湖南之孤老钱，则每月按照算术级数，而增加其利息。临湘更有借银一元，每日还利一角，十日后并以复利计算，因此本金一元，在一个月以后，便可得本息约八元。又如广东省之借谷债，青黄不接时，借银一元，到收获时，须偿还白米四斗至五斗约合银三元。海丰之圈仔利，借银一元，在一年之内，除按照十日一结，加利一成，必须偿还所有本利之外，每十元更迫缴白米一石。全国各省，类此者颇多，惜不及枚举也。”《新中华》一卷八期凡此数事，虽互有其循环之因果，然其造成民生之疾苦，固大致一也。

例如以农立国嘉庆十三年《东华录》，而近年则洋米进口至巨。《国际贸易导报》八卷六号有冯柳堂《民食中国问题》云：“愚尝根据同治六年至民国二十四年之洋米进口量，依多寡分为三期。即同治六年至光绪十二年，此二十年为第一期。进口洋米,最多之年,不过一一五万担。最少仅六千余担。自光绪十三年,至民国九年,此三十四年,为第二时期。最少即为民九之一一五万担,最多则为光绪三十三年之一二七六万担。民十年至民二十四年,此十五年,为第三时期。最多为民国二十一年之二二四八六六三九担,最少为民十年之一〇六二九二四五担。其进口在二千万担以上,则有民十二年、民十六年、民二十一年、民二十二年、民二十四年。”根据此文,则经济的国本,岂得曰不陷于动摇耶?

虽然,盘根错节,乃见利器,观乎比岁以来,国家经济政策之设施,则亦有足述者。

盖有二五减租焉。盖私租当减,固有其历史的背景本卷二五节。其在近年,需求益切。故民国十五年十月,国民党之最近政纲已规定减轻佃农田租百分之二十五。而民国十七年七月二十六日,浙省又明定二五减租,以正产全收获量百分之五十,减去其百分之二五,为佃人缴租之最高额参拙作《田制丛考》七十六节。而民国二十年,六月一日,公布之《训政约法》,其第三十四条云:“为发展农村经济,改善农民生活,国家应实施左列事项:(一)垦殖全国荒地,开发农田水利;(二)设立农业经济机关,奖励农村合作事业;(三)实施仓储制度,预防灾荒;充裕民食。”第四十五条云:“借贷之重利,及不动产使用之重租,应以法律禁止之!”六月一日《中央日报》救济农村,斯则新经济之建设一也。

二十五年六月,国府实业部又明令设农本局,“请各银行,联合组织农本局,从事于流通农业资金,调整农业产品”《国际贸易导报》八卷六号。此事若有成功,农困其稍苏乎!

则又有禁减重债焉。《民法》二〇五条云:"约定利率超过周年百分之二十者,债权人对于超过部分之利息,无请求权。"楼桐荪释之云:"此为防止重利盘驳之故:国民经济发达之国,无有约定利率,至百分之二十者。本法斟酌本国习惯,利率最高额,定为百分之二十,如有超过部分,债权人无请求权,亦为保护经济上弱者之利益也。"——规定利率,斯则新经济之建设,二也。

私债行为之取缔,宋时则限定不得过本,见《宋史》一七三《食货志》、李心传《建炎以来系年要录》卷一百六五绍兴二十三年。《新元史·世祖纪》则限定不得过三分至元十九年。附录之。

则又有禁减房租也。上海市各区减低房租联合会,呈市参事会云:"窃以沪上近年,百业萧条,工商崩溃,物价跌落。惟房租则仍旧高昂,市民不胜痛苦。殊有要求房主,减低房租之必要。两年以来,奔走呼号,未有实效。不得已呈请钧会,迅予设法救济。"二十四年九月十五《申报》依照《民法》之规定,则以房产百分之十二为最高额,嘉惠商人,斯则新经济之建设,三也。

《土地法》一百六十三条:"标准(房屋)租金,以不超过地价册所载土地及其建筑物之估定价额,年息百分之十二为限。"即指房租。

而民国二十四年十一月四日，财部又颁发币制改革条令六条，"一、以中央中国交通三行之纸币为法币，一切公私收付，概用法币，不得使行现金，违者全数没收，以防白银之偷漏。如有意图偷漏者，应照危害民国紧急治罪法处治。二、杂色钞票，逐次由中中交三行收兑。三、法币准备金保管，另设委员会管理。四、银币生银，应立即兑换法币。五、旧有契约，应照原有数额，以法币支付收受。六、对外汇价，由中中交三银行，无限制买卖外汇。"盖一以防现银之外流，二为安定外汇兑率，三为限制进口贸易，四以奖励生产事业，五为准备非常事变参《新中华》三卷二十二号周宪文《中国新币制之检讨》。由结果所表现者视之，微特近世经济史上之大事，盖亦西力东渐，进出口不平衡后，吾国经济政策之荦荦大者也。

三一　新妇女之建设

政治建设，经济建设以外，其社会建设之重要者，则新妇女之建设，允为文化史上大事云。盖自宋时妇女地位低落以来参近古卷第三节，如弓足之摧残体性，守节之戕贼人趣，以及无才为德之塞断聪明，使社会中之半数国民，无形中陷于病态，其事至足痛也。

暇尝论之，自守节之说兴而不人道之待遇往往用于女子。搭台死节之谬固见于《闽杂记》卷八〇，吴陈琰《旷园杂志》下页三云："湖州胡氏女，归杭州潘某，未几潘以疾卒。康熙辛未六月，坐龛中，遂请师来举火。俄顷火延龛顶，出五色香，烟四达，男女送者数百人。"此又其征，而刲股旌者，又不可胜计矣。

李慈铭《桃花圣解盦日记》丙集二页十九光绪元年记云："近来妇女之以刲股旌者，累日有书，偻指难尽。盖格令之外，请必见从。闺闼之中，事无左证。职彤管者，疲于铅椠也。"可见节妇之多！

至于无才有德之说，则"节妇兴而才妇少"，足以尽之。王韬《瀛壖杂志》卷四云："偶阅邑志，自国朝至今，所载节妇三百余人，才妇寥寥无几。"盖已深致其喟于女教之不修矣。若弓足，则《曾文正集》卷二《讨粤匪檄》云："妇女而不肯解脚者，则立斩其足以示众。"不几以弓足为天之经也，地之义也，而不可破坏者乎？

然在民国以前，开明之思想家，对此占人口半数之女性，久罹疾苦，自当有所致疑。钱大昕云："妇人以不嫁为节，不若嫁之以全其节；兄弟以不分为义，不若分之以全其义。此《至正直记》所记沈教授圭之言也。虽为下等人说，却是救时名论。"《养新录》十八沈圭说此则反对贞节也。袁枚《金纤纤墓志铭》："目论者往往谓诗文非女子所宜，殊不知《易》卦兑为少女，而圣人系曰朋友讲习。离为中女，而圣人系曰重明以丽乎正。其他三百篇《葛覃》、《卷耳》之诗，谁非女子所作？迂儒穴坏之见，诚不然也！"《小仓山房集》三十二此则反对无才为德之陋说也。至嘉道间，俞正燮作《癸巳类稿》，则更明明主张男女平等。

《类稿》卷十三《节妇说》："《礼·郊特牲》云：'一与之齐，终身不改，故夫死不嫁。'范《书·曹世叔传》云：'夫有再娶之义，妇无二适之文。'按妇无二适之文，固也，男亦无再娶之仪。圣人所以不定此仪者，如礼不下庶人，刑不上大夫，非谓庶人不行礼，大夫不怀刑也。自礼意不明，苛求妇人，遂为偏义。”又同卷《妒非女人恶德论》云：“妒在士君子为恶德，谓女人妒为恶德者，非通论也。夫妇之道，其致一也。夫买妾而妻不妒，则是恝也，恝则家道坏矣。天地细缊，万物化醇。男女构精，万物化生，《易》曰：‘三人行则损一人，一人行则得其友。’言致一也。是夫妇之道也，依经史正义言之，妒非女人恶德。妒而不忌，斯上德矣。”前者，则贞操之相对论，后者则暗斥多妻之制也。

然能事实上为妇女开辟光明者，则当为行西政时期之诸彦。宋恕《六斋卑议》页二十九，敬卿楼丛书本云：“赵宋以前，大家妇女，不禁再适。名臣名儒，如范文正，其媳亦再适；程正叔虽创饿死事小，苛刻不情之说，徒快一时口舌耳。其胞侄女，仍由正叔主持再适。自洛闽余党，献媚元明，假君权以行私说。于是士族妇女，始禁再适。而乱伦兽行其风日炽。逼死报烈，惨事日闻。夫再适再娶，均为名正言顺之举。古圣所言，不为失节。失节古谊，专指淫乱。今严禁古圣所许之再适，而阴纵古圣所恶之淫乱，洛党私说，流殃至此！”此光绪间之学人，托于古人而立说者也。谭嗣同《仁学》卷上页十一云：“佛书虽有女转男身之说，惟小乘法尔。若《华严》、《维摩诘》诸大经，则女身取女身，无取于转。自绝无重男轻女之意。”又卷上页九云：“男女构精，名之曰淫，此淫名也。淫名亦生民以来，沿习已久，名之不改，故皆习谓淫为恶耳。向使生民之初，即相习以淫为朝聘宴飨之礼典，行之于朝庙，行之于都市，行之于稠人广众，如中国之长揖拜跪，西人之抱腰接吻，沿习至今，亦乌知其为恶哉？又使生民之初，天不生其具于幽隐，而生于面额之上，举目即见，将以淫为相见礼矣。又乌由知为恶哉?”此托于诡辨而立说者也。严复译《法意》,其案语云:“己则不义,而专责事己者以贞。己之媵妾,列屋闲居,而女子其夫虽亡,虽恩不足恋,贫不足存,而其身犹不可以再嫁。夫曰:事夫不可以二,固也。而幽居不答,终风且暴。又岂理之平哉? 夫妇之际,以他人之制,为终身之偿。稍一违之,罪大恶极。乌乎,是亦可谓束于礼而失其和矣。”此则托于西书而立说者也。

故民国初建,孙文即先禁弓足云近古卷三节已引。自此以后,女道日宏。蒋梦麟者,教育界之耆旧也,而娶其友之嫠,胡适誉为勇迈。民国七年七月,胡适作《贞操问题》,以贞操为男女间交互之道德,以为夫之与妻,妻之与夫,均应负贞操之态度。以为男子之无贞操,如嫖妓纳妾,社会当视为失行之妇。以为妇人对于无贞操之丈夫,不应守贞操责任。以为褒扬贞操之法令,极应反对《文存》卷四。司法部统计二十二年七月至二十三年六月离婚案件,以江苏九十起为最多,浙六十九起次之,统计之后,知都市愈发达,风气愈开通,离婚案亦愈多。计男方提出者一〇四起,女方提出者三四四起二五年二月二十《时事新报》。夫妇间之离合,非如前此之一与之齐,终身无改;而贞操为相对之道德,此亦破坏中之建设,其事一也。

且自清季兴女学后,女子教育,已有长进,二十一年一月二十七《新闻报》成都通讯云:“彰明县长许乃清,请假返里。现委杨善卿女士代理。川省之有女县长,当以杨为嚆矢。”受教无二于男子,执业不殊于须眉,斯则建设之事,二也。

二十二年七月二十三日《时事新报》记路透广州电:“黄埔自革命北伐后,已为胜地。此间有一最老之初小学生一名,其人为女性，名赖章施，今年六十。以夫与子均在国外，有来书苦不能读，深以为苦。故入校求学，当局念其心切好学，故力助其读书，俾得早日应用云。”此真开女教后之珍闻矣。

民国十八年，国府颁《已嫁女子追溯继承财产施行细则》云：“依民国十八年五月十五日中央执行委员会政治会议第一百八十一次会议，关于女子继承财产权新解释，发生效力时期，决议案：凡财产继承，开始在左列日期后者，虽已嫁之女子，亦有继承财产权。（一）第二次全国代表大会关于妇女运动决议案，经前司法行政委员会，民国十五年十月，通令各省到达之日。（二）通令之日，尚未隶属国民政府各省，以其隶属之日为断。”《东方》二十六卷十七号盖由民国十五年十月之后，女子已有财产继承之权，斯则建设之事，三也。

案女子自属可以承继，原始时女性中心时代，已然。语见《金史》卷十一“太和元年”条。

然则，在今之时，女子之得受教育，得享财产，得参政权，得膺职业，已与男子无殊！依最近《民法》所定，“子女从父姓，但另有约定者，从其约定。”《民法》一〇五九条，十九年十二月公布，翌年五月五日施行然则子女之从父而姓，抑为从母而姓，得从其便。如曩日姓氏初定之时参见上古卷第十节。是亦社会之巨变，国史之新资，而当为新中国之演变中，占一建设之大节目者欤！

光绪中尚不准妇女出入教堂，见《经世文续编》一一二《总理衙门与各西国大臣书》，以今例之，妇女之自由增进不少矣。

第十章　中国之文艺复兴

三二　新文学运动

且也，新中国之演变中，其更可乐观者，则文艺之复兴也。而首开其朔者，则新文学运动云。

盖自唐宋之古文，明人之复古，清人之桐城阳湖，一线相承以来，文之与语，久矣相离。彭遵泗《蜀碧》卷三记："张献忠过梓潼，梦文昌帝君儆之，欲致祭，令士人为文，献不解，辄杀之。蜀士被祸甚众。后屡易，皆不属意。献大声曰：'咱自做自念，尔辈书之。'其文曰：'咱老子姓张，你也姓张，为甚吓咱老子？咱老子与你联了宗罢。'"顾炎武《日知录》又力斥文人求古之病、文人摹仿之病卷十九，萧一山《太平天国新史料跋》云："李春发谕阖朝官员书，辛酉十一年，干王洪赞王蒙天将李会衔喧谕一件，既当开国之际，一切奏章文谕，更当朴实明谕。不得一切娇艳，不须古典之言。"又云："文以纪实，浮文所在必删。文贵从心，巧言由来当禁。况当开国之际，一切奏章文谕，尤属政治所关，更当朴实明晓。不得稍有刺激，挑激唆间，故令人惊奇危惧之笔。即具本章，不得用龙德、龙颜及百灵承运、社稷、宗庙、妖孽字样。至祝寿浮辞，如鹤算、龟年、岳降、嵩生，及三生有幸字样，尤属不伦，且涉妄诞。"《国闻周报》十二卷二十二期可知下自盗贼，中吏学者，上至政治之负责者，胥以文言之不合一为病，此新文学运动之背景也。

以故清季之时，主张文学革命者，固有人矣。

《时务报》卷十七引梁任公言："古人之文即言也。言，即文也。自后世语言文字分，始有离言而以文称者。然必言之能达，而后文之能成，有固然矣。"《时务报》十七《变法通议》三之五是梁氏主张文即言而言即文也。黄公度《杂感》诗云："羲轩造书契，今始岁五千。以我视后人，若居三代先。俗儒好尊古，日日故纸研。六经字所无，不敢入诗篇。古人弃糟粕，见之口流涎。沿袭甘剽盗，妄造丛罪愆。黄土同抟人，今古何愚贤？即今忽已古，断自何代前。……我手写我口，古岂能拘牵？即今流俗语，我若登简编。五千年后人，惊为古斓斑。"是黄氏主张吾手写吾口也。

启超自述云："启超夙不喜桐城派古文，幼年为文学晚汉魏晋，颇尚矜炼。至是《新民丛报》时代自解放，务为平易畅达，时杂以俚语韵语。及外国语法。纵笔所至，不检束，学者竞效之。号新民体。老辈则痛恨，诋为野狐。"胡适评《人境庐诗草》云："黄遵宪是近代诗界改革成绩最大的诗人，也是最能赏识民间白话文学，而主张以俗语作诗的诗人。他的我手写我口的作诗主张，是诗界革命的宣言。"由是观之，梁、黄二人固文学运动之健将焉。

新民体之生也，甚风靡一时。丁斯时也，反抗之而言之成理者，独有余杭章炳麟云："明末猥杂佻脱之文，雾塞一时，桐城方氏，起而廓清之，自是以后，异喙顿息，可以不言流派矣。乃至今日而明末之风复作，报章小说，人奉为宗。幸其桐城流派未亡，学者守此，不致堕入下流，故可取也。”《菿汉微言》页六八是即指斥新民。然炳麟文主魏晋：“魏晋之文，大体皆卑于汉，独持论仿佛晚周，气体虽异，要其守己有度，伐人有序，和理在中，孚尹旁达，可以为百世师矣。”《国故论衡》中，页九四虽其文章尔雅，卓尔不群，要亦背历史之趋势矣。

故至民国六年，而文学改良之议起。是年一月，胡适成《文学改良刍议》云：“吾以为今日而言文学改良，须从八事入手。八事者何？一曰须言之有物，二曰不摹仿古人，三曰须讲求文法，四曰不作无病之呻吟，五曰务去烂调套语，六曰不用典，七曰不讲对仗，八曰不避俗字俗语。”《胡适文存》初集卷一同时，刘半农作《我之文学改良观》，除补充胡氏意见之外，又谓韵文当改良者有三，一曰破坏旧韵，重造新韵；二曰增多诗体；三曰提高戏曲在文学上之位置张若英《新文学运动史史料》，页七一至七四。至七年四月，胡适既归国，又成《建设的文学革命论》，以“八不主义”改作肯定语气：“一曰要有话说，方才说话；二曰有什么话说什么话，要怎么说就怎么说；三曰要说我自己的话，别说别人的话；四曰是什么时代的人，说什么时代的话！”《文存》初集一于是而曹、施之书，脍炙人口，小说之波荡一时，成为智识阶级之精神食粮，盖亦于此而微露端倪矣。若散文韵文之出于白话，前者已有定论，后者似少成功，可不论也。

平心论之，新文学运动之成绩，白话诗似最不可解。白话文之表白功绩，则小说自为其重镇。《文学改良刍议》云：“文学者，随时代而变迁者也。一时代有一时代之文学，周秦有周秦之文学，汉魏有汉魏之文学。唐宋元明，有唐宋元明之文学。此非吾一人之私言，乃文明进化之公理也。即以文论，有《尚书》之文，有先秦诸子之文，有司马迁班固之文，有韩柳欧苏之文，有程朱语录之文，有施耐庵、曹雪芹之文。此文之进化也。"以施曹与韩柳并，此即增高小说之位置。至民国九年十一月，胡作《吴敬梓传》，则谓："我们安徽的第一个大文豪，不是方苞，不是刘大櫆，也不是姚鼐，是全椒县的吴敬梓。"《文存》四《吴敬梓传》小说是成为时代风趋，无此等倡导，或未必尔尔。

原夫"白话文"之所以通行，固自有其时势的，及历史的驱策。至于提行别写，中隔标点，乃救时之要，更无可非。提行别写，余于《正史史通》中别有论。即如标点，明何孟春《余冬叙录》记："富民张某，妻生一女，赘一婿于家。久之妾生子，名一飞。甫四岁而张老卒，谓婿甲曰：'妾子不足任吾财，吾当全畀尔夫妇。'因出券曰：'张一非吾子也。家财与吾女婿，外人不得争夺。'甲遂拥有张业。妾子长，告官求分。甲以券呈，遂不问。他日奉使者至，妾子复诉，甲仍前赴证。使者谕云：'尔妇翁明谓女婿外人，尔尚能据有其业耶？诡书飞作非者，虑彼幼为尔害耳。'于是断给妾子，人称快焉！"据俞樾《茶香室续钞》卷六引然则，标点之当用，亦属其理至明。明于史，而知新文学运动之来因有素，足以知其结果之自足存乎世焉。

然民国七八年间，时人风习，究未忘情于白话之为俚语。故林纾《与蔡元培书》云："果以篆籀之文，杂之白话之中，是引汉唐之环燕，与村妇谈心。陈商周之俎豆，为野老聚饮。类乎不类？……今全国父老，以子弟托公，愿公留意，以守常为是。况天下溺矣，藩镇之祸，迩在眉睫。我公为南士所宗，宜痛哭流涕，助成和局，使民生有所苏息。乃以清风亮节之躬，而使议者纷纷，甚为吾公惜之。”蔡复书云：“若谓白话不足以讲说文，讲古籀，则岂于讲坛之上，背诵徐氏《说文解字系传》、郭氏《汗简》、薛氏《钟鼎款识》之文，或编为类此之文言而后可？必不容以白话讲演之欤？……白话与文言，形式不同而已，内容一也。《天演论》、《法意》，原文皆白话也。而严又陵君译为文言。少仲马、迭更司所作小说，皆白话也。而公译为文言。公能谓严君及公之所译，高出于原本乎？”《新文学运动史料》，页一〇八守古者之悲愤，与“谨厚者乃亦为之”之革命态度，可以知此中之盈虚进退矣。

《教育年鉴》戊编第三《教科书概况》云：“至八年教育科令国民学校一二年级用语体文，并颁新式标点符号，教科书体裁又为之一变。”九年三月，“教部通告，国民学校文言体教科书，分期废止，逐渐改用语体”同上《大事记》。则文学革新，盖不久而为世所公认焉。

民国二十三年，中央政治学校教育学系主任汪懋祖，著《禁习文言与强迫读经》，主张小学高级，必参用文言文。初中应读毕《孟子》。教育部科长吴研因著论驳之，题为《关于小学参用文言与初中读毕孟子及指斥语体文诸说》。而《大公报》六月九日记者，掇其事而名之曰《南京教育界之风流韵事》。亦可见文白之争，已有定论。允为中国文艺复兴之一征矣。

三三　新文字与新语言

文艺复兴之又一征，则新文字之演变，及新语言之订立乎！

考中国文字，自篆而隶，本为趋简以宏用参上古卷第十节。《魏书》九十一《江式传》言："皇魏承百王之季，绍五运之殊，世移风易，文字改变，篆形谬错，隶体失真。"叶昌炽以为别体之兴，皆在斯时见中古卷二十九节。故《石经》多俗体字钱大昕《养新录》卷四，良由人事日繁，则文字书体之求简，自有其需求也。

方清之初，吕留良有《送黄太冲东归》诗云："俗字抄书从省笔，奇文割本弃余材。"自注："自喜用俗字抄书，云可省功夫一半。"《东庄书存·伥伥集》页二三，风雨楼丛书本及清之季，则《时务报》四页六记沈学来《盛世元音序》云："今日议时事者，非《周礼》复古即西学更新。所说如异，所志则一。莫不以变通为怀。余则以变通文字为最先。文字者，智器也。载古今言语心思者也。文字之易难，智愚强弱之所分者也。"此光绪二十二年事，盖文字改革，已有意矣。民国十二年，胡适作《国语月刊汉字改革专号序》，其言曰："二千年来中国的小百姓，不但做了惊人的文法革新，还做了一件同样惊人的革新事业。就是汉字形体上的大改革。例如一个'钱'字有十六画，小百姓嫌他太难写了，就改用四画的'匕，字。……这些惊人的大改革，处处都合于经济的大原则。"随俗求简，人有同心。故至民国二十四年而教部公布简体字表矣。

其《选编经过》云："简体字之功用，及社会之需要，兹不再述。先是本部虽已决定采用简体字，以增进教育上之效率。但以此项字体，包括简笔字即手头字、俗字、别字、行草等体。自汉以来，为数已夥。应选其最通用者，采定公布，适民国二十四年一月，前国语统一筹备委员会，有搜采固有而较通用之简体字，编为简体字谱之建议。其大意谓汉字改简，本非对汉字为根本之改革。故在草书、行书、别体减笔字中，搜采固有之体，而选用之，则势顺而易于推行。若自我作古，别创新体，则因无历史之习惯，易受阻方。目的反不易达到。……其言切实可行。当即拟定推行简体字办法三项，提请行政院会议核准"二十四年九月二十《新闻报》。考其初意，盖原以式简用宏为主也。

教部于八月二十一日公布《简体字表》，分十八韵三百二十四字，见《国闻周报》十二卷三十四期。如"么"之为"麽"，"执"之为"執"，均有明定。教部一三〇七一训令云："我国文字，向苦繁难。数千年来，由图形文字，递改篆隶草书。以迄今之正体字，率皆由繁复而简单，由诘诎而迳直，由奇诡而平易。演变之迹，历历可稽。惟所谓正体字者，虽较简于原来之古文篆隶，而认识书写，仍甚艰难。前人有鉴及此，于各种公私文字，往往改用简体。在章表经典，及通问书札中，简体字亦数见不鲜。……本部委托前国语统一筹备委员会，妥慎选择，并经规定：一、依述而不作之原则。二、择社会上比较通行之简体字，最先采用。三、原字笔画已简者，不再求简等项，以为选定简字标准。嗣据该委员会依此标准，拟定简体字表，呈奉前来。复经本部郑重审核，将社会之最通用第一批简体字表选编完成。……仰即令行所属各学校，各出版机关，以及各书店遵照规定办法及日期，一体采用。"廿四年十一月二十九鄞县《教育周刊》九九期后二十五年一月二十九日，行政院第六一六号训令内开："案奉国民政府第一二七号训令内开：为令饬事，案准中央政治委员会二十五年一月十七日函开：'查推行简体字办法，前由教育部拟呈行政院，转请中央政治会议，准予备案。兹本会议认为尚须重加考虑。爰议决简体字，应暂缓推行，相应函请政府，令行政院转令教育部遵照等由。'……兹准前由，自应照办。"录自余姚县府档案考二十四年十月二十二《申报》长沙电云："何键认为中国不宜推行简体字，特详列理由多种，电请教部采纳，收回成命，以重中国固有文化。"——则所以停用非废止。其消息可推知矣。

文字之式简用宏以外，语言之当划一，盖无非亦求用宏。中国各地之语言在上古史上，已见歧异见中古卷第四节。《中州音韵》五土音云："方言岂但分南北，区域比邻便异音。不有指南并砥柱，更于何处定浮沉。"董含《三冈识略》卷八云："吴阊蒋进士瑱，不操乡音。与吾辈相叙，终日剧谈，无一土语。闺房燕私，如对北客。偶见一书，记陆文裕公深，喜作官话。与妻子僮仆言，亦然。陆公名人，此却可怪。"——盖因方言有歧而以京都之声为则，元明间亦有渐云参本卷第一节。

施可斋《闽杂记》卷三言："闽中各县，从前皆有正音书院，所以训习官音也。雍正六年，钦奉上谕。……朕每引见大小臣工，惟有闽广两省之中，仍系乡音，不可通晓。……则赴任他乡，安能宣读训谕，审断词讼，皆历历清楚，使小民共晓乎？……即伊等身为编氓，亦不能明白官长之言，是上下之

> 情，捍格不通，其为不便实甚！”“各处正音书院，盖当时督抚，遵奉上谕，饬属所建。无如地方有司，皆视为不急之务，虚应故事，久且任其堕废。”至乾隆十年七月，竟废之。——此亦近世史中之国音运动也！

故至光绪之季，遂发生一种语言之统一运动。谭氏《仁学》下页十一云：“语言文字，万有不齐。越国即不相通，愚贱尤难遍晓，而象形文字尤为之梗也。故尽改象形字为谐声，则地球之学，可合而为一。”谭氏，空论者耳。就其实行者言，则王小航、劳乃宣，此中之翘楚也。王照《小航文存》《大谬》云：“忆庚子四月，予以僧装，由日本潜入北京，南游吴楚。八月，归抵天津，潜伏一年，创制官话字母。辛丑八月，赴北京贤良寺谒李合肥。……曰：‘今莫说秀才、举人、进士，没有能为。就说是有能为，全国计二十万秀才、举人、进士，比日本五千万受过普通教育之人，少二百五十倍。所以我的下等见识，中国政府，非注意在下层的小学教育不可。但是中国的下层教育，有比外国较难之原因，非制出一种沟通文语的文字，使文字语言，合而为一不可。’”《国闻周报》十卷三十二号引劳乃宣《自订年谱》，光绪三十一年页十六—二一云：“秋，陈请督部周公，设简字学堂。简字者，拼音字也。宁河王小航，造官话字母，行于北方。余见其谱，知为普及教育之利器。顾原谱专用官音，不能通行于南。予增其母音声号，为《合声简字谱》一编。而宁属各府县，及皖属各处语音相近之处，皆可通行。又为《重订合声简字谱》一编，而苏州及苏属各郡县，以及浙省语音相近之处，皆可通行。先设于金陵，任程君一夔为总经理，奏明立案。”王、劳之努力如此，至民国五年，而遂有注音字母之制定，与简体字之制定同为利教便俗之作也。

叔远《注音字母一夕谈》云:"问者曰:从前劳玉初、王小航诸先生,提倡简字,字音读音,大抵与注音字母相似。当时亦办学堂传习,今已寂寂无闻。究竟注音字母与简字有何区别乎?曰:有。注音字母与简字,形似而用不同。简字者以吾国字体太多,故制拼音字,使人学习。注音字母者,则因南北方言隔阂,设一标准音,以通行中国,俾语言可以互通。其主旨在乎统一读音。二者各有利有不利焉。……即以教会论,向来内地传教,皆用罗马音拼音,今皆改用注音字母。"(《东方》十七卷二号)然简字与注音字母之关系,要不可全然否认之也。

民五三月,王璞《国音讲义序》云:"习国语者,先从音韵起。习音韵者,先从字母起。中国旧日,本有音韵字母,由于参用西域梵音所定。其法繁重,不易领悟。故经籍之中,虽有反切与直音并用,寻常识字之人,不易解也。……今读音统一会,定为声母二十四,介母三,韵母十二,为发音之根。凡国语所有之音,靡不综贯。各省人士,各为方土所牵,发音不等,仔细推求,必能吻合。我国人习外国语言,未有不能,况本国语乎?且此字母,为读音统一会暨蒙、回、藏代表,费三阅月审定,非率尔从事者所可比拟也。"注音字母,书报印行社印行顾自注音字推行之后,其声势之震撼,较简体字,或简字为甚者,固非审定周至之故,实自有其语言统一之背景而致然,亦有其教育上的扫除文盲之机能而致然也。

其在近日,则有注音汉字,教育部一一三九一训令:"查注音符号,可以补助识字,统一国语,虽成效可见,惟小学所用课本，仍多专用汉字，书写印刷，未能充分采用符号注音。本部详加考虑，特用筹款，交商铸造汉字注音铜模，以利需要。业经委托上海中华书局赶造各种注音铜模，令各著作人，及各出版者，备价购用。”二十四年九月一八《申报》则文字语言之改革，又有最近之进步。《申报》记者誉为“扫除文盲与推行注音汉字”，非过论也二十四年四月二十四《申报》。

三四　新教育之演进

简体字及注音字之应用，其于文化上的推进，自属于教育方面者为多。于斯亦足征在新中国之文艺复兴中，亦如西洋中世之文艺复兴，教育之推进，为其重大之现象也。

盖自光绪中叶，国人已知重教育。谭献《复堂文集》卷二云：“欲著一文，名曰学论，未属草也。其大要四言耳。曰天下无私书，天下无私师，人材皆出于学，国政皆关于学。继而读《明夷待访录》，则黄先生已发其凡。”《上座主湖北张督学书》，光绪十一年是谭氏以为一切当出于学也。同时，薛福成作《出使日记》，其光绪十七年正月初三日记云：“西洋各国教民之法，莫盛于今日。凡男女八岁以上，不入学堂者罪其父母。男固无人不学，女亦无人不学。即残疾聋哑之人，亦无不有学。其贫穷无力，及幼孤无父母者，皆有义塾以收教之。在乡则有乡塾，至于一郡一省，以及国都之内，学堂林立。有大，有中，有小。自初学以至成材，及能研究精微者，无不有一定程限。文则有仕学院，武则有武学院。农则有农政院。工则有工艺院。商则有通商院。非仅为士者有学，即为兵为工为农为商，亦莫不有学。其书多曲折该备,有读之十年不能罄其奥者。平时所见所闻,莫非专门名家之言。是以习之而无不成,为之而无不精。近数十年来,学校之盛,以德国为尤著。而诸大国亦莫不竞爽。德国之兵,出于学校,所以战无不胜,推之于士农工贾,何独不然?推之于英法俄美诸国,亦何独不然?夫观大局之兴废盛衰,必究其所以致此之本原。学校之盛,有如今日,此西洋诸国,所以勃兴之本原欤?"《出使日记》卷六上二说者,盖谭为托于古而立说,薛则托于今而立论。此光绪以来,同文馆及广方言馆以后,国内新教育之所以勃兴也参本卷二八节。

《兴学以来教育大事记》《教育年鉴》戊编载戊戌四月二十三日,下定国是之上谕,着军机大臣总理衙门大臣,会议举办京师大学堂,为各省兴办学堂之倡。辛丑八月,复命各省书院于省城,改设大学堂。各府厅及直隶州,改设中学堂。各州县改设小学堂,并多设蒙养学堂,是为各级学堂完成之始。及二十九年闰五月,张之洞张百熙等,又会订京师大学堂及各省学堂章程。于是兴教之成绩,已渐渐可观也。

然自兴学以来,教育宗旨,亦屡变矣。光绪二十九年,张之洞等之学堂章程,以"端正趋向造就通材为宗旨"。至三十二年,学部尚书荣庆等请以忠君、尊孔、尚公、尚武、尚实五端为宗旨。至民国元年则以"注重道德教育,以实利教育,及军国民教育辅之;更以美感教育,完成其道德"为宗旨。民国四年一月,袁世凯更申明之曰:"注重道德实利尚武,并运之以实用。"至二月而又定爱国,尚武,崇实,法孔、孟,重自治,戒贪争,戒躁进七项为教育宗旨。此第一期之教育宗旨也。“民国十一年十一月一日,公布新学制系统改革论,中有标准七项,一、适应社会进化之需要。二、发展平民教育之精神。三、谋个性之发展。四、注意国民经济力。五、注意生活教育。六、使教育易于普及。七、多留各地方伸缩余地。除第六、第七两项外,其余均似教育宗旨。”此第二期之教育宗旨也。民国十八年,国民政府公布教育宗旨:“中华民国之教育,根据三民主义,以充实人民生活,扶植社会生存,发展国民生计,延续民族生命为目的。务期民族独立,民权普遍,民族发展,以促进世界大同。”以上皆据《教育年鉴》甲编此第三期之教育宗旨也。——自忠君保国之教育,进而至于平民教育,又进而至于三民主义之教育,——色采渐端,此微特可以觇国内新教育之勃兴,抑又可以觇国人对于教育当重之自觉也。

国人对于教育,视为当重,光绪间已有自觉。本师蒋竹庄《武训传》云:“武七者,山东堂邑人也。三岁丧父,家贫行乞以度日。饮食必先其母,人称曰孝丐。六岁丧母后,孑然一身。昼行乞,夜绩麻,得一钱即存之。积至万余缗,自以孤贫,目不识丁,慨然欲创建义举。人劝之娶,执不可。曰:吾兴学之念,未或一日忘也。先在堂邑柳林集,购置地亩,建造学舍。远近闻其义,咸助之。延师课读,束修必丰。礼意尤周挚。入学之日,武先拜塾师,次遍拜诸生。具盛馔飨师,而请邑绅为之主。自立门外,屏营以待。宴罢,则入啜其余,自以乞人,不敢与师抗礼也。一日,师昼寝,武见之,跪于门外;久之,师醒,见武惊起,自是不敢昼寝。学生有辍业嬉戏者,亦长跽以哀之。学生亦相戒不敢怠。邑令闻而义之,呼至署,与语不答。与之食,不食而去。其所设学塾，始于柳林，次及馆陶临清，凡四所。光绪二十二年四月，病殁于临，年五十有九矣。武七为人，形貌寝陋，蠢蠢若狂愚。然其行乞三十余年，未尝妄费一钱，积铢累寸，惟以兴学为事。以一乞人，而教化及三州县，何其盛也！既遂其兴学之志，而行乞宿破庙如故，不肯娶妻育子，图一己之乐，非所谓奇节魂行，得于天者独厚欤？"教育界之自觉此真可歌可泣之史事，因录存之。

故至民国九年二月，北京大学招收女生二名上课，为我国男女同校之始《年鉴》戊，页二十五。而民国二十三年，吴县教育局兴办塾师讲习所，"报到各塾师年龄最大者，为胡德之，年六十五岁。设塾于葑门之外，女性有张彩贞、冯淑贤二人，居然男女同学，亦足传为美谈"二十三年五月十一《吴县日报》。是在新教育之发展中，"性别"与年龄已不成其为限制。《申报》二十五年六月四日云："默察国内迪智运动，惟在少许都市中，犹堪乐观。大部分之乡区僻壤，要皆冥昧之徒，不审秦汉，遑论魏晋？于是而欲谋教育之普及，夫岂能得？顷闻教部已有定议，救济全国文盲。期于六年之间，将二万万文盲，扫除净尽。树教育之基础，策社会之进展；空谷足音，有不令人跫然而喜者乎？"信如此也，此匪特可以觇国人对于教育当重之自觉，抑亦可以觇教育之普遍化也！

民国十九年，教部统计各省市初等教育概况：全国有二十五万八百四十校，有学级五十五万七百四十二级，有入学儿童一千九十四万八千九百七十九人，教职员五十六万八千四百八十四人，岁出经费数有八九四一六九七七二八元二十三年四月六日上海《晨报》。又统计民元以来全国中等学校校数、学生数、经费数，其附加之说明云："元年度及十九年度，中学及初中几加四倍，师范加三倍有半，职业学校亦几四倍。而学生数，则中学及初中数七倍，师范三倍，职业只二倍半。岁出经费，则中学及初中，加有十倍，师范加有四倍余，职业亦仅四倍余。是普通中学之增加率，较师范及职业为多。"二十三年五月十一《时事新报》就此初等教育及中等教育之进步，知教育之普及，固亦民族复兴史中之大现象云。

语有之，十年树木，百年树人。树木所以成材，树人所以建国。欲求中国文化之复张大者，舍教育其道末出！且同文馆时代之教育，所以赴坚甲利兵之目的之教育也；光绪二十九年奏定学堂章程时代之教育，忠君抗外尚武之教育也。民元以来之教育，以迄于最近，则注重于国民经济、民族生命、社会生存。昔人誉西洋之文艺复兴，为"人的发见"；谓中国而亦有人的发见者，则新教育之进步，实亦与新文学新语文，同当列之于中国之文艺复兴而无愧者欤。

《中华民国训政时期约法》第五章《国民教育》第四十七条："三民主义为中华民国教育之根本原则。"四十八条："男女教育之机会，一律平等。"四十九条："全国公私立之教育机关，一律受国家之监督，并负国家所定教育政策之义务。"五十条："已达学龄之儿童。应一律受义务教育，其详以法律定之。"五十一条："未受义务教育之人民，应一律受成年补习教育，其详以法律定之。"二十一年六月一日《中央日报》是人民于国家受教育，为义务而非权利，法有明文，此亦近世教育史中之大节目也。

三五　科学运动与国故整理

然而，中国而果有文艺复兴者，则科学精神之采取，允为其中之一助云。

中国古时，虽有科学详本书上册卷首十节，又中古卷二八节、近古卷二十节，然程朱之学，主张玩物丧志；所谓格物者，诚有如王守仁所指斥："众人只说格物，要依晦翁，何曾把他的说去用。我着实曾用来，初年与钱友同论做圣贤，要格天下之物。因指亭前竹子，令去格着。钱子早夜去穷格竹子的道理，至于三日，便至劳神成疾。当初说他是精神不足，某因自去穷格。早夜不得其理，到七日亦以劳思成疾。遂相与叹，圣贤是做不得的，无他大力量去格物了。"然阳明之以心悟学，亦何有科学精神可言。

同、光以后，渐知取法西学。故沈葆桢言："原奏称用之外洋交锋，断不能如外国轮船之利，名为远谋，实同虚耗。夫以数年草创伊始之船，比之百数十年孜孜汲汲，精益求精之船。是诚不待较量，可悬揣而知其不逮。然亦思彼之擅此利者，果安坐而得之耶？抑亦苦心孤诣，不胜靡费而得之也？"同十一年《驳内阁学士请暂停制造疏》而王侃作《衡言》卷一又谓："今西洋机器，仿之终不能及。中国自古，不乏巧人。今何没没？良由不尚机巧，人多不肯用心。独怪不用心于器物，而遍用心于无用之文字，是可叹也！"之两论也，盖已有采取科学精神之宣言矣。故至戊戌变政，而光绪帝有"考取西法，精益求精"《政变记》一页四〇之言！

故自宋以来之道学，至清季遂宣告死亡。《曾文正书札》卷十四《复郭筠仙书》云："仆更参一解云：性理之说，愈推愈密。苛责君子，愈无容身之地。纵容小人，愈得纵容无忌。如虎飞而鲸漏，谈性理者，熟视而若敢谁何？独于一二讷朴之君子，攻击惨毒无已。"曾纪泽《曾侯日记》申聚珍本戊寅光绪四年九月十二日记："近世谈性理者，好持朱陆异同之论，以立门户。然学士大夫，能讲求实际，任艰巨，著绩效者，未可多得。"宋恕《六斋卑议》《洛闽章》第七云："洛闽讲学，阳儒阴法。"又《救惨章》云："洛闽师徒，本不能目为道学。"《救惨章》三十四又记李善兰痛骂洛闽神主之事。善兰为科学家参见本卷第五节，宜其大骂道学，此皆道学之讣告也参见本卷十二节。

入民国后，中国之当采取科学，益无问题。惟欧战以后，一时如梁漱溟、梁任公等，睹于杀僇之惨，以为西方之物质文明，已告破产。而代之者，当在东方之精神文明，胡适尝记之曰："这三十年来，有一个名词，在国内几乎做到了无上尊严的地位，无论懂与不懂的人，无论守旧和维新的人，都不敢公然对他表示轻视和戏侮的态度，那名词，就是科学。这样几乎全国一致的崇信，究竟有无价值，那是另一问题。我们至少可以说自从中国维新变法以来，没有一个自命为新人物的人，敢公然诽谤科学！"《胡适文存》卷二，页三此亦可以见科学信仰之深入人间，而梁、胡云云，盖反动也。

民国八九年间，梁启超有欧洲之行。时欧洲大战新戢之后也。其《欧游心影录》云："当时讴歌科学万能的人，满望着科学成功，黄金世界，便指日出现。如今功总算成了，一百年来物质的进步，比从前三千年所得，还要增加几倍。我们人类，不但没有得到幸福，倒反带来许多灾难。好像沙漠中失路的旅人，远远见个大黑影，拼命往前赶去，以为可靠他向导。那知赶上几程，影子却不见了。因此无限凄凉失望，影子是谁，就是这位科学先生。欧洲人做了一场科学万能的恶梦，如今却叫起科学破产来。”《任公近著》第一辑上卷，页二三而张君劢因之，于是有科学不能解决人生观之主张。其言曰："人生观之特点所在，曰主观的，曰直觉的，曰综合的，曰自由意志的，曰单一性的，惟其有此五点，故科学无论如何发达，而人生观问题之解决，决非科学所能为力，惟赖之人类之自身。”然其说玄秘，自无以已丁文江一流人之非难。——此则更可以见科学信仰之深入人间也。

丁文江《答张君劢》云："科学方法，无论用在智识界的那一部分，都有相当的成绩。所以我们对于智识的信用，比对于没有方法之情感要好。凡有情感的冲动，都要想用知识来指导他，使他发展的程度提高，发展的方向得当。”胡适《〈科学与人生观〉序》云："欧洲的科学，已到了根深蒂固的地位，不怕玄学鬼来攻击了。几个反动的哲学家，平素饱餍了科学的滋味，偶尔对科学发几句牢骚话，就像富贵人家吃厌了鱼肉，想尝咸菜豆腐的滋味。这反动，并没有多危险。那光焰万丈的科学，决不是几个玄学鬼所能摇撼得动。一到中国，便不同了。中国此时，还没有享着科学的赐福，更谈不到科学带来的灾难。试睁开眼来看看，这遍地的乩坛道院，这遍地的仙方鬼照相，这样不发达的交通，这样不发达的实业，——我们那里配排斥科学？”《胡适文存》二集卷二，页七丁、胡二氏所言，亦可谓言之有理，持之有故者也。

自此以往，科学之深入人心益甚。如葛来普 Grabau 于民国十年演讲《中国科学的前途》云："研究是智识努力的光荣结果，世界上的事业，还有增加智识之总和，再要光荣的么？征服人民和土地的英雄，亚力山大、拿破仑、成吉斯汗，他们的名字，容许在历史小说上，暂时存留。但他们的事业，则早已彼此相消了。而一个盖利略，一个牛顿，一个达尔文，同其余的为真理而工作的科学家，是不朽的。他们智识的努力，是人类进步的界碑"《科学》十四卷六期"在中国科学社演辞"而民国二十二年，教部有取缔文法学院之令，盖自清季探讨西洋政术以来，文法学生，已如过江之鲫。所以取缔之者，即含有提倡实科之深意存云，亦提倡科学之明征也。

《时事新报》二十二年九月九日南京通讯："自教部限令全国各地，不完善之文法学院办理结束后，各学院有请求续办，或展缓结束者，亦有请准予筹划改办实科者。据教部负责人谈，结束办法，或可展缓，但总以本年度结束完毕为准。至有请求改办理工农科者，方今中央，已力主提倡生产教育，改办实科，自不能谓其不合需要。惟理科照章须有二十万元开办费，十五万元经常费。工科须有三十万元开办费，二十万元经常费。农科须有十五万元开办费，十五万元经常费。并须有充分之设备，及优良合格之人材，方准设立。"——于是，亦可见中国之科学化矣。

中国之科学化，其影响于中国旧有之学术，理学自当遇之而消沉。而考证学，则犹可勉附于科学化也。《太炎文录》卷一《说林下》云："昔吴莱有言，今之学者非特可以经义治狱，乃亦可以狱法治经。莱，金华之末师耳，心知其意，发言卓特。近世经师，皆取此为法。审名实，一也。重左证，二也。戒妄举，三也。守凡例，四也。断情感，五也。汰华辞，六也。六者不具，而能成经师者，天下无有！"之六事者，与科学家持义，未免有相同处。于是而嘉道以后，暂遭废斥之考证学，遂略得一新生机焉。

清季考证学之挫折，一则因西学之进步也，二则以经世学之发展也。董康《跋皕宋楼藏书考》云："近年日本学者，研究历史，覃思冥索，进步可骇。而吾国浅躁之士，方且藉新学之名，以便其不学之实。拙僿者视书之存亡，淡如漠然，无与于己。其猖狂恣肆者，直欲投书一炬而后快。"此考证学以新学而衰也。魏源《古微堂内集》卷三云："工骚墨之士，以农桑为俗务，而不知俗学之病人，更甚于俗吏。托玄虚之理，以政事为粗材，而不知腐儒之无用，亦同于异端。"此考证学以经世学而衰也。

自清之末，考证学之地位，固渐有复兴之萌芽。故《时务报》译日人《汉学再兴论》云："今夫一国之古学，必与其国家之存亡相消息。苟其国体制度与历朝史册，存而不革，则古学亦应永续，传于后昆。试征诸实事，如西洋诸国，指希腊、拉丁等文称为死语。在今日，虽不复操用其语，犹且研究不止。遂称曰古学，以为上流人士之学问。若汉学，则不独为古学，实是现时之学也。"《时务报》二十二著日人之论而存之，可见清季之人，盖亦以考证学有复兴之理云。

故至民国之初，而有胡适之《中国哲学史大纲》也，有梁启超之

《清代学术概论》也，有胡适之国故整理之主张也，有梁启超之《国学入门书要目》也。而胡适于民国十二年一月，著《国学季刊发刊宣言》，分国故整理为索引式的整理、结账式的整理、专史式的整理《文存二集》卷一。民国十三年，顾颉刚、刘掞藜等，又在努力周报，力辨层层堆积沿误袭讹之古史。而王国维、罗振玉辈之孜孜考古，又适与之并存。于是，中国之科学化运动，遂与中国之国故整理，成为新旧合璧、东西交映之两大运动矣。

刘节著《中国近世考古学中两大发见》二三年一月二十《大公报》云："三十年来，吾国考古界，有两大发现，即殷虚书契，及流沙坠简是也。前者，为吾国人所发见，后者则匈加利人斯坦因博士所得，而考校训释之功，法人沙畹博士开其山，吾国人总其成。与于斯两役者，上虞罗振玉、海宁王国维，其著者也。殷虚书契，出于河南安阳县西北五里之小屯。其地在洹水之南。《史记·项羽本纪》所谓洹水南殷虚者也。光绪戊戌己亥间，洹曲为水所啮，土人得龟甲兽骨，上有古文字。估人携至京师，为福山王懿荣所得。庚子秋，王氏殉国难，所藏悉归丹徒刘鹗。而洹水之虚，土人每岁农隙所得者，亦多归刘氏。刘氏曾拓千余片，影印《铁云藏龟》行世。时光绪癸卯、甲辰之间也。瑞安孙诒让，据以作《契文举例》，自是始有殷契之名。其后丹徒刘氏，客死西陲，所藏甲骨，归哈同氏。光、宣之间，上虞罗氏，因厂肆估人，购之于安阳，所得逾万片。复遣人至其地采掘之，所得更倍焉。鼎革以后，罗氏避地日本，岁壬子，择其所藏甲骨墨本之精者，编为《殷虚书契前编》八卷，后二年，又编印其尤精者，为《殷虚书契菁华》一卷，乃草《殷虚书契考释》。商略其事者，则海宁王国维也。其书于殷代制度文物，多所发明。岁乙卯，罗氏返国，又于洹水上，得殷虚器物甚多。在此数年中，王氏于殷虚书契，致力最勤。先后成《殷卜辞所得先公先王考》及《续考》各一卷，又据其研究所得，成《殷商制度论》一卷。总之，殷虚书契，收集材料，功在罗氏。至于考订古史，王氏之力为多。流沙坠简之发见，在光绪戊申。时斯坦因博士，访古于我新疆甘肃得汉晋木简千余以归。法国沙畹博士为之考释。越五年癸丑岁暮，乃印行于伦敦。上虞罗氏，得沙畹所著稿本，因与海宁王氏重为考订，成《流沙坠简》考释三卷，又补释一卷。分为小学、术数、方技，及《屯戍丛残简牍遗文》三部。关于小学方技者，罗氏所考；《屯戍丛残》以下，皆王氏作。其中最古者，当为后汉遗物，近者亦在隋唐之际。"罗、王两氏，在古史之贡献不少，此其略也。

三六　最近中国之进步

观乎中国之政治建设、经济建设以及妇女问题之建设，中国在此三十年间，固不能谓为毫无进步。至于新文学之成立，新文字、新语言之推行，以及中国之科学化运动，尤足征四千年来文明古国之行健不息。惟考证学之流行，则或稍有流弊。何也？以一二人治之，固不厌其精深。若尽率国人而穿穴于古书，则或足以阻最近中国之进步耳！

《申报》二十五年三月二六时评《为出版业进一言》云："评

论最近一二年之出版界者，往往宜仿国货年、儿童年之例，名此一二年为古书年。诚以经史子集，纷集翻印。易木版而为新装，减繁重而成缩本。一时汇为风气，谓之古书年，洵足道其实际。迄于今岁，此风未杀。柜头之所陈列，广告之所宣扬，可以知印刷术之运转，大部仍复致力于此。古书年殆将赓续三年四年，以及九年十年乎？"弦外之音，不言自喻。

然比来之政治，则有可以乐观者在焉。如枪决土贩之事，首于民国十五年是年一月七日《时事新报》。而比来之禁烟运动，尤为雷厉风行。二十五年六月三日国府颁《禁烟治罪暂行条例》，种烟者得处死刑第三条，贩卖在五百两以上者处死刑第五条，吸烟者戒而复吸，吸而复戒，三犯不悛者，处死刑第八条，原文见该年六月四日《申报》。蒋中正对于"剿匪"又有"七分政治，三分军事"之言。非特此也，即对外关系，当亦有七分政治，三分外交之感。古语云："惟其知亡，所以不亡。"此则行政建设之实效一也。

即最近之经济，亦有可以乐观者在焉。《国际贸易导报》八卷六号《记农本局》云："实业部为救济农村，发展工商业起见，特于上月颁布《农本局组织大纲》，拟请各银行联合组织农本局，从事于流通农业资金，调整农业产品两大工作。因其事为创举，且规模宏巨，故颇引起各界之注意及议论。综观月来各界之意见，于农本局原则，莫不赞同。"此则经济建设之新猷二也。

即就交通而论，亦有可以乐观者存焉。中国总税务司梅乐和，"休假返英，记者叩以中国时局。梅氏不欲发表宣言，惟云中国目下，方大规模发展实业，又从事于道路之建筑。概括言之，即改良交通是也。中国各种事业，现均从事组织，蒸蒸日上，循此以往，中国将在国际关系中，占有重要位置。此为公平观察中国之人士，所能目见者”二十三年五月二十三上《晨报》。此则交通建设之成绩三也。

惟外交上之阴霾，其足以阻碍中国之进步者，则有耳共闻，有目共见之事。二十四年十一月，蒋中正《对外关系演词》云：“总理对外，固为吾民族主张求自由平等，及废除不平等条约。但同时对内，则主张精神建设，物质建设。故吾人今日，亟宜切实反省：十数年来，吾全国对一切精神建设，物质建设，所谓自立自强之道，究竟至何程度？……吾人应以整个之国家及民族之利害为前提，一切枝节问题，当为最大之忍耐。复以不侵犯主权为限度，谋各友邦之政治协调。以互惠平等为原则，谋各友邦之经济合作。否则即当听命党国，下最后之决心。质言之，和平未到绝望时期，决不放弃和平；牺牲未到最后关头，亦不轻言牺牲。以个人之牺牲事小，国家之牺牲事大，个人之生命有限，民族之生命无穷故也！”《国闻周报》十二卷四六期——乌乎，尺蠖之屈，所以求伸。领袖云云，亦可以安慰此飘摇之民族者乎？

往李顿之来沪也，其演说云：“顷主席虽备述恐怖之情形。令人动容，而语气之间，似微露前途尚有一线光明之意。敝国有格言云：最黑暗之时间，当在黎明之前。鄙人敢言数年之后，诸君必承认目下所感受之黑暗，必此类也。黑暗云云，实为黎明之代名词耳。”二十一年三月十七《新闻报》李之陈言，在淞沪新战以后；而曰黑暗在黎明之前，此亦激勉之言也。

综而言之，中国之文化既如此其久长，又如是其瑰丽，念先人付与之重，戒后此光大之难，则于勉自奋发之余，自当深加惩惕，而于惊心动魄之际，不应妄自菲薄。《大公报》云：“自国难严重以来，国家迭受挫辱，民气亦屡经打击。许多国民，几失其民族之自信力。即号为前驱之知识分子，亦动辄悲愤抑郁，消极暴弃。其实中国国民，最富于弹力性，历史上纵受国亡种奴之痛，不旋踵而攘臂能兴。此其间只须有少数坚苦贞节之志士仁人，躬任先锋，以开血路，则假以时日，不难重睹光明。盖人心所趋，精诚所结，任何强力，固不能遮断其进取也！”二十三年五月十五日《民族复兴之精神基础》伟哉言乎！此亦李顿所言，异曲而同工者乎？

陈登原曰：余述《中国文化史》，自上古至近世，凡四十万言。其于近世，特殿之以中国之文艺复兴，而更以最近中国之进步，为殿中之殿。盖于民族复兴、文化重盛之迹，三致意焉。江海不辞细流，故成其大。泰山不让寸土，故成其高。观于吾国文化之大而且高若此，则使国民得以恢复民族之自信力者，必有在矣，必有在矣。

后　　序

方登原之意图草创《中国文化史》也，实以某氏之书，于心未惬，妄思一奋庾公子斯之勇云。

民国二十年之冬，朱兆莘君，以夫己氏之介，寓书勉以作此。当时计年尽一卷，卷十万言，盖格于世界书局之例云。即以此故，取舍之际，颇费周章。徐剑缘者，友朋中得读初稿者也。尝语予曰："正史为中国已有之史料，而君文所称引綦少，我窃以为惑。"实则岂特正史而已？《通典》、《通考》诸书，固亦以格于成例，不及引列。即私心以为当重视之者，如《闽杂记》述正音书院亦往往为章句所拘，每有节文。此实事之无可奈何，而私心深引为憾者，他日草《国史旧闻》时，当弥补之也。

而所憾者，盖不止此。忆此书之初属笔，予正挈眷，僦居南京自问见闻，得与李小缘、缪凤林诸先生，时相往还。殊不落寞。至民国二十四年一月二十日，近世卷已将半矣。忽逢事变，旅居苏州。荐福雷轰，似子厚之窜柳；金尽季子，效容甫之佣书。诟厉日闻，嘲弄斯作。痛心嗟来之食，屏营驵侩之间。斯则今日念及，犹为戚戚者乎！至于夫己氏者，相交不可谓不久。然而来苏之后，颇以落拓见菲。庞然自大，辽东之白豕也。德色吝然，《水浒》之王伦也。日积月渐，隔膜加甚。逐至谤生肘腋，频来乞火之疑；誉随时空，屡招汪中之骂。予当时有诗云："风送燕雀陶园里，雨打青蛙大井中。"盖纪实矣。

二十五年之二月，夫己氏之计已售：要君之似道既留，直笔之叶李斯黜。衣冠焦卒，去秦而归。归对旧庐，怆然无涕。弟叔陶慰之曰：成学问者，不汲汲于近功，作久贾者，不皇皇于小利；家故有薄田二顷，书数万卷，饘粥可以无忧，披阅可以颐志。胡为戚戚，而与治村书者，校一日之短长乎？余闻其言，而意由是释然焉。乃发愤展家中旧度，尽出南京所钞书，而斯书於以毕成。时二十五年八月十四日，上离兆莘君属意之时，前后盖已四年矣。

嗟夫！诗存《风怀》，竹垞之暮年有恨，词杂绮语，鲁直之身后可儆。丑妇所以完家，悍妇所以助学，念奇龄獭祭之嘲，西河卒以不朽，忆冯衍坎壈之苦，敬通终能策名用知夫妇道苦，生人道甘，而翻书赌酒，前人盖尽欺予也。往越缦老人，暮年孤苦，寄食京华，夜半梦少年之事，起床作旁皇之走。见《越缦堂日记》情生于文，由来久矣。至于萧后迷楼之对，小怜玉体之陈，前史所载，未可厚诬。然则国亡家破，亦且置之度外。矧此东窃西夺，饾饤钞袭之作哉？

情天小劫，回头已昨。失行荡志，啼笑皆非。第吾书亦颇具本末，则尝悻然而言曰："以视夫己氏之情游枇杷之巷，身染不治之毒，囿于兔园册子，而暗于大理者，为己为人之学，其区分类别，尚有以可以自慰者存乎？"爰志其喟于后，时民国二十五年八月己巳也。

陈登原先生学术年表*

1900 年(光绪二十六年)

1 月 29 日生于浙江省余姚县周巷镇,生肖属猪(亥)。为陈怀成公的长子。怀成公(又名少慕,1874—1938 年)系前清秀才,妻为叶氏太夫人(早殇,无后),续弦为魏氏太夫人(1874—1946 年)。陈登原(又名陈登元、陈伯瀛)自幼受祖父治裕公的宠爱,受父怀成公的文史教导和人文熏陶。他认为自己长成后有所成就,实得益于怀成公的庭训。

1914 年

入余姚县立小学读书。

1916 年

下半年,入浙江第四师范学校读书。

与严一青(亚梅)结婚。严一青,余姚低塘下河严家人,生于 1897 年(光绪二十三年)11 月 3 日,卒于 1994 年 4 月 18 日。

1921 年

上半年,从浙江第四师范学校毕业。

下半年,在奉化小学担任教师。

---

* 本年表由陈宜张先生编写。

1922 年

上半年，在余姚小学担任教师。

下半年，考入南京东南大学。平时刻苦学习，投考大学前更加艰苦，夏日为防蚊子叮咬，读书时用报纸裹腿。

1923 年

长女宜振出生。

1926 年

上半年，从南京东南大学毕业。

下半年，在南京东南大学担任助教；在东南大学附属中学担任教师。

所著《中俄关系述略》由商务印书馆出版。

1927 年

下半年，在宁波女子中学及宁波商业学校担任教师。

长子宜张出生。

1928 年

所著《荀子哲学》（署名陈登元）由商务印书馆出版，此书出版得到东南大学校长蒋维乔先生推荐。

1929 年

与刘叔琴合编的《初中外国史》由开明书店出版。

为墨子国籍问题，作《为墨翟国籍——质胡怀琛君》及《为墨翟国籍——致胡怀琛君》。

1930 年

下半年，任南京金陵大学讲师兼中国文化研究所研究员。

次子宜和出生。

1930—1937 年间，先后发表《西学来华时国人之武断态度》

(《东方杂志》27 卷 8 期,1930 年 4 月)、《薛氏旧五代史之冥求》(《东方杂志》27 卷 14 期,1930 年 7 月)、《收集遗书与建国新猷》(《建国月刊》6 卷 4 期,1932 年 4 月)、《读书不易断句亦难》(《大陆杂志》1 卷 5 号,1934 年 7 月)、《评夏曾佑〈上古史〉》(《图书评论》2 卷 11 期,1934 年 7 月)、《书南史祖冲之传后》(《人文月刊》5 卷 7 期,1934 年 9 月)、《评朱起凤〈辞通〉》(天津《大公报》1934 年 11 月 3 日)、《书王定国〈闻见近录〉后》及《书施可斋〈闽杂记〉后》(《人文月刊》6 卷 1 期,1935 年 2 月)、《朱清、张煊与海上交通》(《新中华》3 卷 8 号,1935 年 4 月)、《记忆力的故事》(《新中华》3 卷 12 号,1935 年 6 月)、《广六经皆史论质经训教育者》(《新中华》3 卷 22 号,1935 年 11 月)、《白香山诗集序》(《人文月刊》7 卷 2 号,1936 年 3 月)、《读〈清史稿〉偶记》(《文化前锋》,1937 年 6 月)等文章。

撰写多篇咏南京的早期诗作。

1931 年

1931—1940 年间,在《金陵学报》发表历史人物评论及其他专论:《秦桧评》(1 卷 1 期,1931 年),《秦始皇评》(1 卷 2 期,1931 年),《蜀汉后主刘禅评》(2 卷 1 期,1932 年),《韩愈评》(2 卷 2 期,1932 年),《曹操评》(3 卷 3 期,1933 年),《韩平原评》(4 卷 2 期,1934 年),《书〈明夷待访录〉后》(4 卷 2 期,1934 年),《王荆公新法考》(6 卷 2 期,1936 年),《三国志义例辨录》(6 卷 2 期,1936 年),《广癸巳类稿君子解》(10 卷 1 期,1940 年)。

所著《唐人故事诗》由南京书店出版;1941 年大东书局再刊。

所著《词林佳话》由南京书店出版;1941 年大东书局再刊。

1932 年

主张治史应“有所不取,有所必取和取之必以其真”;据当时金陵大学学生程千帆回忆,陈登原讲课十分精彩,学问渊博。

所著《天一阁藏书考》由金陵大学出版。

所著《中国土地制度》由商务印书馆出版。

1933 年

三子宜周出生。

所编《高中本国史》(上、下册)由世界书局初版。

12 月 16 日,胡适致信陈登原。

1934 年

在南京金陵大学担任教授。

所著《颜习斋哲学思想述》由金陵大学出版。

1935 年

在苏州世界书局担任编辑。

所著《中国文化史》上册由世界书局出版。该书布施知足的日文译本后由日本东京白杨社于昭和十五年出版。

所著《金圣叹传》由商务印书馆出版。

所著《中国田制丛考》(署名陈伯瀛)由商务印书馆出版。

1936 年

四子宜扬出生。

下半年,继续担任南京金陵大学教授。

上半年,应上海商务印书馆约请编撰的《中国田赋史》出版。

所著《古今典籍聚散考》由商务印书馆出版。

所著《国名疏故》由商务印书馆出版。

1937 年

上半年,继续在南京金陵大学担任教授。

下半年,在杭州之江大学担任教授

杭州沦陷前,离杭州回周巷。

所著《中国文化史》下册由世界书局出版。

所著《历史之重演》(武进吕思勉序)由商务印书馆出版。

1938 年

上半年,在余姚周巷战时中学担任教师。

下半年,在宁波浙东中学任教师。

农历七月初八日,父陈怀成(少慕)公因霍乱病去世。

是年,开始《国史旧闻》写作,对此书倾注了毕生心血,书稿经多次手抄誊写,有的誊抄 7 次,全书含条目 894 个;"登原按"表示对某一历史现象的看法。

1939 年

上半年,在宁波浙东中学任教师。

下半年,在上虞战时中学任教师。

1941 年

4 月 29 日,日本侵略者攻陷宁波,宁波沦陷;5 月,余姚沦陷,下半年,周巷沦陷。

下半年,居家,接受中英庚款资助,在家编《考试史》。

1942 年

所作咏沦陷区的诗颇多,盖沦陷后,社会秩序大变,卖身媚敌者有之,敲诈勒索者有之,叹沉渣泛起,土匪横行,是以心怀郁闷,咏诗以明心迹。

沦陷期间,迁到四川乐山的武汉大学的校长王星拱(抚五)邀先生赴武大任教，并寄来路费，终因家中上有老母，下有小孩，未果。

1945 年

8 月，抗日战争胜利。作诗讽刺汉奸、卖国贼。

1946 年

1 月 23 日（农历乙酉十二月二十一日），母魏氏太夫人去世。

上半年，担任杭州浙江财政专科学校教授。

下半年，担任广州中山大学历史系教授。

目睹国民党政府腐败，作咏时事、述志之诗。

1948 年

6 月，所撰《中国文明之地理转移》刊于《中山大学文学院研究集刊》。

下半年，由广州返浙江，任宁波浙东中学教师。

1949 年

下半年，在周巷经营小杂货铺。

1950 年

上半年，任杭州树范中学教师。

下半年，应校长侯外庐先生之邀，到西安西北大学历史系任教授。该系创建于 1937 年，是西北大学传统优势专业之一。

1951 年

1951—1962 年期间，发表专文：《读了鲁迅〈小说旧闻钞〉后关于〈三国演义〉的补充》（《文史哲》1951 年总 6 期）；《鲁迅先生和中国史学》（《西北大学校刊》，1956 年）；《中国始用石炭考》（《西北大学学报》1957 年第 1 期）；《关于张献忠“屠僇生民”的辨正》（《西北大学学报》1957 年第 3 期）；《论西晋占田制度》（《人文杂志》1957年创刊号)；《明清两代的私租和田价》(《人文杂志》1957年第2期)；《关于李自成之死》(《人文杂志》1957年第5期)；《人面桃花》(《陕西话旧录》)(《陕西日报》1957年4月2日)；《张献忠》(《陕西话旧录》)(《陕西日报》1957年4月2日)；《羣六王》(《陕西话旧录》)(《陕西日报》1957年6月10日)；《唐均田制为闲手耕弃地说》(《历史研究》,1960年)；《论推敲》(《陕西日报》1961年10月14日)；《烘云托月》(《陕西日报》1961年11月7日)；《〈水浒〉事语所知录》(《文学遗产》增刊第9辑,1962年)；《天资并不可靠》(《光明日报》1962年7月14日)。

1952年

作盼台湾回归的诗。

《国史旧闻》记,1952年9月16日排队至革命公园,观审判贪污犯大会,听前将军张治中演说。

1957年

三联书店陈原先生来西安与先生接洽《国史旧闻》的出版事宜,于1957年5月31日签订《国史旧闻》会谈纪要。确定第一至四卷的交稿日期。

1958年

《国史旧闻》第一卷按期于1958年出版。

1962年

《国史旧闻》第二分册转由中华书局出版。以后政治运动接踵而至,第三、四卷未能按期出版,待出版时已是先生去世之后。

1964年

《地赋丛钞》定稿。

主动提出要求退休,1964年底实现。

1965年

退休后自感精力不济,不敢再有大的写作计划,但仍完成了未发表存稿数部:《古今书话》,《明史蒙拾》,《无据集》,《旧诗姑存录》;修订了许多旧稿。

1974年

1970年代,肠胃道功能紊乱,病程迁延,心情不佳,竟致长期卧床。

1975年

因感冒住进西安市的陕西省医院,后转为肺炎,1月7日去世。次年骨灰被携回浙江,安葬于武义氟矿附近小山坡,武义氟矿是长女宜振和女婿吴绍维的工作单位。严一青1994年去世后,从武义小山坡中起出骨灰,夫妇合葬于金华市王牌公墓。

1975年以后

遗著出版:

1.《地赋丛钞》,1987年由中国财政经济出版社出版。

2.《国史旧闻》重新标点本第一、二分册于2000年由辽宁教育出版社收入"新世纪万有文库"第四辑出版,重新标点者为陈克艰。

3.《国史旧闻》第三分册1980年由中华书局出版。

4.《国史旧闻》第四分册2000年由中华书局出版。

5.《国史旧闻》全书第一、二、三、四分册2000年由中华书局同时出版。

著作重印:

著作被重印者甚多,重印出版单位也很多,以下仅为不完全统计。

1.《颜习斋哲学思想述》,中国大百科全书出版社 1989 年重印;东方出版中心 1996 年再重印。

2.《中国文化史》,收入“民国丛书”第一编,上海书店 1989 年影印版。

3.《中国田赋史》,商务印书馆 1998 年第八版重印。

4.《古今典籍聚散考》,上海书店 1983 年重印;1990 年 12 月收入上海书店“民国丛书”第二编再次重印。

5.《历史之重演》,与其他作者的著作合订成册,收入“民国丛书”第五编,上海书店 1990 年代重印。

遗著捐赠:

2010 年 5 月 10 日在宁波天一阁博物馆举行了陈登原遗著捐赠仪式。被捐赠的遗著、手稿共 54 种,172 册。宁波市为此举行了隆重的仪式。

纪念活动:

2012 年 10 月 17 日,作为庆祝西北大学建校 110 周年的活动之一,由西北大学历史学院和《中国史研究》杂志社联合主办的“西北大学纪念陈登原、陈直先生学术座谈会”在太白校区隆重举行。

陈登原与《中国文化史》

何晓明

文化史著作的写法，历来众说纷纭。在这方面，章学诚的“史意”说为我们提供了宝贵的启示。章氏认为，“文人之文，与著述之文，不可同日语也。著述必有立于文辞之先者，假文辞以达之而已。”此处所言“著述必有立于文辞之先者”，即为“史意”。章氏特别强调，但凡著述之文，“得其意”与“无其意”之间，自有天壤之别。[①]“成一家言，必有命意所在”[②]。“史家著述之道，岂可不求义意所归乎？”[③]那么，什么是“一家著述”之“史意”呢？章氏的理解是：“固将纲纪天人，推明大道，所以通古今之变，而成一家之言者，必有详人之所略，异人之所同，重人之所轻，而忽人之所谨，绳墨之所不可得而拘，类例之所不可得而泥，而后微茫杪忽之际，有以独断于一心。”[④]章学诚特别声明，凝聚自己理论心血的《文史通义》，正是为高扬“史意”而作：“郑樵有史识而未有史学，曾巩具史学而不具史法，刘知幾得史法而不得史意。此予《文史通义》所为作

---

① 章学诚：《文史通义·答问》。

② 《章学诚遗书》，文物出版社1985年版，第93页。

③ 章学诚：《文史通义·申郑》。

④ 章学诚：《文史通义·答客问上》。

也。”[①]半个世纪以前，侯外庐就指出，章学诚史学思想的成就主要体现在“文化史学方面”，《文史通义》“更近于文化史”，他的“史意”一名，“略当文化发展史的理论”。[②] 可惜长期以来，无论是史学理论界还是文化史研究界，都对这一重要观点注意不够。

依据“史意”说，章学诚取《周易》“蓍之德圆而神，卦之德方以智”之义，概揽古今之载籍，将其分为两类，“撰述欲其圆而神，记注欲其方以智也”。章氏“史意”论旨之下的这一番评论，给我们的启发是：就文化史研究及写作的性质与特点而言，“圆而神”抑或“方以智”，实在是一个根本性的问题。

近年来，学界对于文化史的界定众声喧哗，其中较为响亮的当数“专史说”和“范式说”。“专史说”以研究的对象范围为立论依据。实际上，仅仅着眼于研究对象和范围的划分，将“文化史”与政治史、经济史、军事史、思想史、哲学史直至科学史、工艺史等清晰地区分开来，不仅意义不明，而且根本就做不到。在世界范围内，从18世纪伏尔泰以来；在中国范围内，从本世纪初以来，文化史研究的兴起，都不是在历史研究的传统园地里又新圈出来一块“势力范围”，也不是在什么生荒之处突然发现了一块“飞地”。“范式说”源于科学史家库恩。众所周知，库恩所谓“范式”是在科学研究的领域内，以一种模式取代另一种模式，任何一种范式都有被另一种范式取代的可能。且不说文化史理论是不是一种特殊的科学理论，能否以范式规限之；仅从文化史研究的实际状貌看，它并不是作为取代其他史学研究范式的一种所谓新范式而出现的，因此也

① 《和州志隅自叙》，《章学诚遗书》，第552页。

② 《中国思想通史》第五卷，人民出版社1956年版，第485、492、493页。

就不存在被其他史学研究范式所取代的问题。

笔者以为，所谓文化史，不是客观对象意义上的“文化的历史”，而是主观理解意义上的研究者“以文化的眼光所看到的历史”。这里所谓“文化的眼光”，即章学诚所称“著述必有立于文辞之先者”！在这里，“看”者的选择，无疑是最具决定性的因素。它决定了往哪里看，看什么，怎样看，以及如何评价看到的内容。简言之，确定文化史研究“边界”的决定性因素，不是“研究什么”，而是“为何研究”和“如何研究”。文化史家在历史中“看”到了“文化”，是因为他在“看”之前已经有一个明确的图景预期。决定这一预期的，是他的文化史观，即他对文化史的理解。这种理解不仅决定了他从过去看到什么，而且指导他为人们预期历史的未来图景。这便是章学诚所谓的“神以知来”。

笔者的这一认识，并非什么“新观点”。100 年前，中国近代“新史学”发端之时，此类说法不仅见诸报刊，而且引领着当时史学革新的潮流。当年，梁启超在《中国历史研究法》中分“今日所须之史”为“专门史”与“普遍史”。法制史、文学史、哲学史、美术史等等属专门史，一般之文化史属普遍史。关于二者的关系，梁启超认为，“普遍史并非由专门史丛集而成”。而笔者提出的“以文化的眼光所看到的历史”，其重要依据之一，就是任公先生所谓的“作普遍史者须别具一种通识，超出各专门事项之外，而贯穴乎其间。夫然后甲部分与乙部分之关系见，而整个的文化，始得而理会也”。①

1923 年，胡适在《国学季刊·发刊宣言》中也论及对文化史的

① 《梁启超史学论著四种》，岳麓书社 1985 年版，第 144 页。对照梁启超的这一理解，现行学科分类体系将文化史视为专门史的一种，其实是大可商榷的。

理解。胡适主张在民族史、语言文字史、经济史、政治史、国际交通史、思想学术史、宗教史、文艺史、风俗史、制度史等等专史研究的基础上完成中国文化史①。显然，胡适没有将文化史与政治史、经济史等置于同类地位，这与梁启超之区分专门史与普遍史，是完全相同的思路。

蔡元培也认为，“文明史”是一种“新体之历史”：“新体之历史，不偏重政治，而注意于人文进化之轨辙。凡夫风俗之变迁、实业之发展、学术之盛衰，皆分治其条流，而又综论其统系，是谓文明史。”他将哲学史、文学史、科学史、美术史等称为“专门记载”，是为“文明史之一部分”。② 这里的“注意于人文进化之轨辙”特别值得重视，它实际上也是讲的研究者的眼光问题。就研究领域划分，风俗有风俗史，实业有实业史，学术有学术史，但它们又都可以而且应该进入文化史研究者的视野，因为它们都从一定的意义上，反映了“人文进化之轨辙”。

中国马克思主义史学的开创者李大钊也持相近的观点。在《史学要论》中，他把历史学分为特殊历史学和普通历史学。特殊历史学研究人类的政治、经济、法律、宗教、文学、哲学、美术、教育，而“对于综合这些特殊社会现象，看作一个整个的人文以为考究与记述的人文史或文化史（亦称文明史）”，便是普通历史学。普通历史学“即是研究在不断的变革中的人生及为其产物的文化的学问”。③

---

① 《胡适文存》二集，黄山书社1996年版，第6、10页。

② 《蔡元培史学论集》，湖南教育出版社1987年版，第139页。

③ 《李大钊史学论集》，河北人民出版社1984年版，第217页。

总之,文化史研究的性质决定了文化史研究的特点,只能是章学诚所谓的“圆而神”而非“方以智”。具体而论,它应该体现在体裁、体例、结构、内容安排服务于作者识见表达的不拘一格、法无定法上。章学诚所阐扬的“成一家之言者,必有详人之所略,异人之所同,重人之所轻,而忽人之所谨,绳墨之所不可得而拘,类例之所不可得而泥,而后微茫杪忽之际,有以独断于一心”①的“史意”说,在这里得到了充分施展的广阔天地。

既然文化史研究并非在对象范围上与政治史、经济史、思想史等等专史畛域分明,那么,文化史的撰述,必然在内容方面与上述诸专史有所重叠,甚至重复。但这并不影响到文化史研究的学术价值;甚至在一定意义上讲,正是这样的重叠、重复,恰恰是体现文化史家独到“史意”的精彩之处。我们看到,中国20世纪前半叶比较有影响的文化史著作,“虽事实无殊旧录”,但“独见别裁”,启人心智。其精彩之处,都不是在确定描述研究对象的“方以智”的“史法”方面,而是在体现研究者眼光的“圆而神”的“史意”方面。1935年至1937年间由世界书局印行的陈登原著《中国文化史》上下册,就是这样的可圈可点之作。

陈登原,原名登元,字伯瀛。1900年1月29日出生于浙江余姚周巷镇。幼从父问学,1916年入浙江第四师范学校,1922年入南京东南大学历史系。毕业后,先后任教于东南大学、宁波女校、金陵大学、之江大学、中山大学。中华人民共和国成立后,应侯外庐邀请,任教于西北大学,任历史系教授、图书馆馆长、校务委员会委员。1975年1月7日逝世于西安,享年75岁。

① 章学诚:《文史通义·答客问上》。

陈登原治学一生，著述丰硕，有《中俄关系述略》、《荀子哲学》、《唐人故事诗》、《词林佳话》、《天一阁藏书考》、《中国土地制度》、《颜习斋哲学思想述》、《金圣叹传》、《中国田制丛考》、《中国文化史》、《古今典籍聚散考》、《国名疏故》、《中国田赋史》、《地赋丛钞》、《初中外国史》、《高中本国史》、《历史之重演》、《国史旧闻》等多种问世，嘉惠学林，流播久远。

《中国文化史》是陈登原青年时代的作品，书稿动笔于 1931 年冬。在卷首的《自叙》中，陈登原表白自己的著述之"意"："属稿仅及乎一载，蓄志则实已有年：适得其下，而取法亦效于其上，仅象于犬，而立意固希于画虎。略区其意，亦可列而为三：一则曰，有所不取也；二则曰，有所必取也；三则曰，取之而必以其真也。"这正暗合、呼应了章学诚所谓"成一家之言者，必有详人之所略，异人之所同，重人之所轻，而忽人之所谨，绳墨之所不可得而拘，类例之所不可得而泥，而后微茫杪忽之际，有以独断于一心"①的"史意"之说。特别值得注意的是，陈登原在全书《后序》里，声明自己"意图草创"《中国文化史》的直接动因，"实以某氏之书，于心未惬，妄思一奋庾公子斯之勇也"。这里虽未明示"某氏之书"所指，但推测当指柳诒徵所撰，1925 年连载于《学衡》杂志，1932 年南京中山书局印行的同题大著《中国文化史》。

"桐花万里丹山路，雏凤清于老凤声"②。就整体的学术地位及影响而论，陈登原或逊于柳诒徵。但若比较两人的同题著作《中国文化史》，窃以为陈著成就并不在柳著之下，在体系的圆熟、思路的

① 章学诚：《文史通义・答客问上》。

② 李商隐：《韩冬郎即席为诗相送，因成二绝寄酬，兼呈畏之员外》。

灵动、论述的活泼、文辞的精美方面，还要胜出一筹。有论者评价陈著未能超出柳著之右，[①]既属见仁见智之辞，也可能由通常所见作传者对传主的偏爱所致。

陈登原著《中国文化史》，其在理论方面的追求是十分明显的。作者在全书之首设《卷首·叙意》篇，论述中国文化史的意义、资料，治中国文化史的态度，以及何为治中国文化史。虽然我们今天从文化史理论本身建构的意义上检讨陈氏的成绩，评价不可过高，其论述的主要部分与一般传统的史学理论并无根本区别（例如对文献资料的处理要求），没能在本体论的层次上，对有别于政治史、经济史、思想史的文化史有哪些特殊形式与内容的理论，提出较为系统的看法。但是，应当肯定的是，陈氏为后人贡献了若干颇有价值的思想资料。

陈登原从中国语言文字之学入手，剖析"文"、"化"，认为"文"有痕迹、表象、明敏之义，"化"有创化、变化、进化之义。综合以观，"所谓文化，乃系创造而变通，变通而进步，彰明昭著之美迹焉"。进而提出："由此以征文化发生之景相，则更有三迹可寻。"其一，文化的创造取决于环境；其二，文化发生于困难之际；其三，文化随环境而创，随困难而变，所以不断进步。[②]

陈登原指出，文化史资料的纷繁杂芜，因此有必要根据其来源、性质、作者、体例的不同，分为主料和副料，然后加以推理、校雠，核定其真伪、判明其价值。在此基础上，陈登原特别强调："仅事鉴别，犹不得为良史。"史家必须声明自己的见解，"鉴往将所以

① 孙永如：《柳诒徵评传》，百花洲文艺出版社 1993 年版，第 108 页。
② 见本书上册，第 12—13 页。下引仅注页码。

思来，明古则所以药今”，这才是“治中国文化史者”应有的正确态度。具体地说，这种态度体现为：第一，“因果的见解”，即注重把握文化史发展的内在规律，“知因能生果，则必有以尊史；知果亦为因，则必有以自策”；第二，“进步的见解”，即肯定进化史观的科学意义，打破“古胜于昔，昔胜于今”的故训，“星星之火，可以燎原。点滴不止，将成江河；则充实其内容，放大其范围，亦所以成文化之开展者焉”；第三，“影响的见解”，即判明制约文化发展的因素是多元的，地理、历史、思想、学艺、社会诸因素间相互作用的方式曲折而复杂，“读史者知人事之变演，并非由于一端，则亦庶几乎于兹数例而知之尔。”（见上册第32页至第47页）。显而易见，这些认识在方法论方面的积极意义，对于当今的文化史研究，有相当的启发作用。

关于中国文化史的发展段落划分，陈登原持严肃而谨慎的态度。他认为：“盖由相因而言，则史上当无所谓古今，而更无所谓划代。相因云云，盖言史实如泉流滚滚，不能截取划分也。”但是，正如一个人的生命延续，“我”固然还是同一个“我”，但是三十年的光阴过去，“则肥瘠之异同，荣枯之得失”，变化还是非常明显的。与此同理，对于历史，“取其大要，而觇其文化用具之不同，思想学术之歧异，政治经济之变迁，人种社会之移易，勉定其各异，而判定其古今”（上册，第64页），此乃治史者的责任所系。

陈登原将中国文化史的漫长进程划分为五段，即：

上古——自有史至秦初，中国文化发轫，文化用具、思想学术、政治经济、民族社会均处于草创期；

中古——自秦初至五季，政治经济与思想学术均“归于一尊”，但儒学受到来自佛教的冲击，民族融合加速；

近古——自宋初至明季，文化工具昌明，儒释道三者杂合，君主专制政治强化，男女地位分化；

近代——自明季至清季，西学传入，满族入主中原，君权强势，贫富不齐，女子地位更落；

近世——自清季以至于今，变化剧烈，“一切政治思想社会经济，无不受外力而改弦易辙”（上册，第66页）。

陈登原在划分文化史阶段的同时，非常注重各阶段之间的传承与转折的辩证关系，“变通之际，固未必有一昭著之鸿沟”（上册，第245页）。其在中古、近古、近世卷的开端，均设专章，论述“本系文化之延长”和本段文化之特色。如讨论中古文化，陈氏指出，秦之统一，固然开出历史的新局面，“然以政制、刑法、风俗、社会、民生经济、学术而论，具可征中古文化为上古文化之延长，而非突变于秦”。至于中古文化显然不同于上古者，则有文化所披及地区之扩大、新宗教之加入，以及新学术和新生活的产生。讨论近古文化，则强调“其间固有中世之流风遗沫”，如政治方面的君主专断，经济社会方面的地主纵恣、女权低落，思想方面的崇尚清谈，等等。其异于中古的特征，则表现在国力的衰微与强大杂沓而至，南方与北方的开发相并而起，儒释道思潮混合为一，以及科学、实业的振兴。讨论近世文化，在强调其政治、经济、社会、学术“炳彪于一时者，穷本溯源，未尝无渊源于古昔者”的同时，也痛切指陈其特殊世象：民族萎靡；国疆大而危；民族能力未能发扬；在世界格局中，中国之落伍，“昭然若揭，无可掩讳”（下册，第754页）。

除了在文化史分期问题上独显特色①,在具体问题的分析方面,陈登原也多有推陈出新之笔。汉武帝“独尊儒术”,学界历来多无异议。陈氏没有停留于此,指出:“然儒生所言,儒生未必能行。故在上者,虽云设博士弟子,实未尝尊显其人。武帝时所用者,极少儒生。……然则儒者为帝皇所用,而不为帝皇所信,明矣。”他还强调,对儒者用而不信是帝王一贯的做法。“此固后世亦然,然汉武非能例外也。所谓斤斤自诩之儒生,特随利用者之牵引,而勉自抬头耳”(上册,第300页)。不仅揭示了帝王尊儒的本心,而且活画出儒生一流的可怜与尴尬。唐代文坛,大家辈出。对一些历来几有定评的人物,陈氏不袭旧说,另具只眼,将他们放到特定的时代背景下,论世而知人。他认为唐天宝以前,为“小康”之世,“小康时期之文人,非以供御,即空发哀怨”,因而其作品“感慨未深,气局未大”,“歌诗以发其心声者,不过耳耳”。有此大观,再看具体作品,“故王勃《滕王阁赋》,实类齐梁小儿之语”,“刘知幾其著《史通》,亦复骈四俪六”(上册,第506页),实非大器之作。只是到了天宝以后“离乱之时”,杜甫等人才是“音哀而旨正词宏”。可资对比的是,柳诒徵的《中国文化史》,于巨星辉耀的唐代文坛,在引述一段《新唐书·文艺传》后,仅用两句话便轻轻带过,而陈氏则于此处颇费笔墨。布局各异,轻重有别。文化史写法之妙,由是可见一斑。

① 与陈登原的五分法不同,柳诒徵的《中国文化史》提出三分说(一,上古至两汉,构成独立文化期;二,东汉至明季,中印文化融合期;三,明季至今日,中西文化相激相荡相合期),钱穆的《中国文化史导论》提出四分说(一,先秦,宗教与哲学时期;二,汉唐,政治与经济时期;三,宋元明清,文学与艺术时期;四,当前,科学与工业时期)。详见拙文《仁山智水时时新》,《史学月刊》1998年第5期。

此外,对中国文化史上的一些"关节点",陈登原也有精当论述。关于妇女社会地位的降落,他认为是"近古文化史中之阴霾"。宋之时,"妇人之节。非所忌也",以后则每况愈下。而且,"家族之单位愈大,则女子愈受委屈也"(下册。第537页)。关于少数民族掌握中央政权对文化发展的影响,陈氏的看法较为平实。对元政权,他评价"其行政制令,大略如孩提之戏"(下册,第672页),但同时又指出,"然元人文物自有其不朽者在,海运是已"(下册,第673页)。"元固无繁荣北华之意,然北华则以元而富丽奂皇耳"(下册,第679页)。书院是中国特有的文化机构。陈氏以为,创于唐代的书院之制,实为科考樊笼里的中国士子"留一线之生机"(上册,第493页)。但是,宋代书院"与道学一齐发达,无非僧侣习静之所,竟标圣贤绝学之名"(下册,第569页),助长了空虚无用的学风。元明以降,情形更为不堪,无论东林、非东林,也无论程朱陆王,治学之方"终苦空寂","此所以书院不产人才"。最后到清代,书院成"强弩之末,无以系于学问事功之大也"(下册,第716页)。

《左传·襄公二十五年》记孔子曰:"言之无文,行而不远。"在这方面,陈登原的《中国文化史》颇为讲究,精彩多见。首先,在章、节的设置和命名上,显现匠心。如设"发明与承受"一章,述"纸的发明"与"佛教之初来华",构思精巧,且"文化味"十足。又如述南朝繁华之象一章,以"南方新霁"题名,文采斐然。再如"宁静与挣扎"一章,论述北宋文化,"宁静者,盖由臣子地位低落而来,武人低头而来,印刷昌明而来,国家文治而来;挣扎者,则由民族地位低落而来,武力不振而来,平民地位低落而来。——由宁静而孕育者,则道学及书院是已,由挣扎而表现者,则荆公变法是已"(下册,第566页)。史实的铺陈、逻辑的整合与精致的表述浑然一体,使人不禁为之抚掌击节。其次，在具体问题的阐述时，有时事理兼擅，如论及基督教之来华："初则以科学炫其奇，继则以坚忍行其教，而终以炮火勒其成。——斯三事者，岂特基督教之特殊状态，抑亦三百年中中国文化史中之特殊现象也"（下册，第758页）；有时则声情并茂，如论及中国文化的连绵不绝："且念夫尼罗夕照，非复昔日之斜晖；恒河芳草，不似过去之菲绿。则世界古国，能屹然不坠，与地中海文明，为珠璧之交映者，舍中国其谁哉？"（上册，第51页）如此妙语美文，闪耀于平实畅达的史著中，正如川含丽珠，流光溢彩。

陈登原所著《中国文化史》50余万言，提纲挈领，要言不繁，清晰勾勒出中国文化的源远流长，波澜壮阔。读者诸君如想了解更为细致的材料根据，可以参阅他的另一部鸿篇巨制《国史旧闻》。《国史旧闻》共四册，近200万言。动笔于1938年，完稿于1967年。1958年至2000年陆续面世。这是一部文化通史性质的资料摘编，为陈登原积累多年的读书笔记。与《中国文化史》互参互证，可以帮助我们更加全面地了解一代大家的治学风范和学术观点，以深化对中国文化史的理解与体会。

70多年前，古老的中国风雨如磐。陈登原完成本书写作时，心情沉重而意绪昂扬："余述《中国文化史》，自上古至近世，凡四十万言。其于近世，特殿之以中国之文艺复兴，而更以最近中国之进步，为殿中之殿。盖于民族复兴、文化重盛之迹，三致意焉。江海不辞细流，故成其大。泰山不让寸土，故成其高。观于吾国文化之大而高若此，则使国民得以恢复民族之自信力者，必有在矣，必有在矣。"（下册，第948页）今天的中国已远非当年景象，但民族复兴、文化重盛的千秋伟业依然任重道远。重温斯人斯著，笔者愿与读者诸君一道,感怀前贤,体悟宏愿,身体力行,有以奋发!

2013 年 10 月于湖北大学教师公寓望湖居